ROBIN J. WILSON

Einführung in die Graphentheorie

ROBIN J. WILSON

Einführung in die Graphentheorie

Mit 146 Figuren

Aus dem Englischen übersetzt
von Gerd Wegner

VANDENHOECK & RUPRECHT IN GÖTTINGEN

Moderne Mathematik in elementarer Darstellung

15

Herausgegeben von

A. Kirsch (Kassel) und H.-G. Steiner (Bielefeld)

Titel des Originals: „Introduction to graph theory.“
Published by Longman Group Ltd., London, 1975.
This edition of „Introduction to graph theory“ is published
by arrangement with Longman Group Limited, London.

CIP-Kurztitelaufnahme der Deutschen Bibliothek

Wilson, Robin J.
Einführung in die Graphentheorie. – 1. Aufl. – Göttingen:
Vandenhoeck und Ruprecht, 1976.
(Moderne Mathematik in elementarer Darstellung; 15)
Einheitssacht.: Introduction to graph theory ⟨dt.⟩
ISBN 3-525-40537-5

Gesamtherstellung: Hubert & Co., Göttingen

Vorwort

In den letzten Jahren hat sich die Graphentheorie zu einem wichtigen Hilfsmittel für ein weites Spektrum von Gebieten entwickelt, das von Operations Research und Linguistik bis hin zu Chemie und Genetik reicht; gleichzeitig hat sie sich zu einer lohnenden eigenständigen mathematischen Theorie entwickelt. Seit geraumer Zeit besteht ein Bedarf an einem knappen, einführenden Text über dieses Gebiet, der sich sowohl als Einführungskurs in die Graphentheorie für Mathematiker eignet wie auch für Nichtspezialisten, die das Gebiet so schnell wie möglich kennenlernen wollen. Es ist meine Hoffnung, daß dieses Buch etwas dazu beiträgt, diesen Bedarf zu decken. Das einzige zur Lektüre nötige Rüstzeug sind Grundkenntnisse der elementaren Mengenlehre und der Matrizenrechnung.

Der Inhalt dieses Buches kann in vier Abschnitte aufgeteilt werden. Der erste von ihnen besteht aus den ersten vier Kapiteln und liefert die grundlegende Einführung mit Begriffen wie Zusammenhang, Bäumen sowie Eulerschen und Hamiltonschen Linien und Kreisen. Danach folgen zwei Kapitel über planare Graphen und Färbungen mit besonderer Berücksichtigung von Problemen, die in Zusammenhang mit der Vierfarbenvermutung stehen. Der dritte Teil (Kapitel sieben und acht) behandelt die Theorie der gerichteten Graphen (Digraphen) und die Transversalentheorie und zeigt deren Beziehung zum Problemkreis der Markoffschen Ketten und dem der Netzwerkflüsse auf. Das Buch schließt mit einem Kapitel über Matroidtheorie, welches sich zum Ziel setzt, sowohl die Einzelheiten der vorhergehenden Kapitel miteinander zu verknüpfen wie auch in einige recht neue Entwicklung des Gebietes einzuführen. Derjenige Leser, der in erster Linie an ‚reiner' Graphentheorie interessiert ist, kann vielleicht beim ersten Durchlesen die Kapitel sieben und acht auslassen; dagegen wird ein Leser, der sich hauptsächlich mit den Anwendungen beschäftigt, vielleicht lieber die Kapitel fünf und sechs übergehen. Wir hoffen, daß sich manches von dem in den ersten drei Teilen Gebotenen auch für Arbeitskreise in Schulen eignet.

Im gesamten Buch habe ich versucht, den Haupttext ausschließlich auf die Grundlagen zu beschränken und die Aufgaben dazu zu verwenden, weiteren Stoff von geringerer Bedeutung einzuführen. Das Ergebnis dieses Bemühens sind an die 250 Aufgaben, von denen einige dazu dienen, zu testen, wie der Leser den Stoff verstanden hat, eine große Zahl jedoch hat den Zweck, den Leser an neue Begriffe und Ergebnisse heranzuführen. Dem Leser sei nahegelegt, alle Aufgaben durchzulesen und sich mit ihnen vertraut zu machen, auch wenn er nicht jede in allen Einzelheiten durcharbeitet. Die schwierigeren Aufgaben sind durch ein Sternchen (*) gekennzeichnet.

Es gibt im Buch mehrere Abschnitte, die beim ersten Durchlesen übergangen werden können, sei es aus Gründen der Schwierigkeit oder weil der darin enthaltene Stoff später im Buch nicht mehr gebraucht wird; ein ★ markiert Anfang und Ende solcher Abschnitte. Das Zeichen // habe ich benutzt, um das Ende (oder das Fehlen) eines Beweises anzuzeigen, und Fettdruck wurde für alle neu definierten Begriffe verwendet. Schließlich wird die Anzahl der Elemente einer Menge S durchweg mit $|S|$ bezeichnet und die leere Menge mit $\emptyset$.

Es wäre unmöglich, namentlich all die vielen Leute aufzuführen, die mit ihren wertvollen Ratschlägen und Anmerkungen das Erscheinen dieses Buches ermöglicht haben. Besonders danken möchte ich jedoch John W. Moon, Peter A. Rado und T. D. Parsons für ihre unschätzbare Hilfe beim Durchlesen des endgültigen Manuskripts. Nicht zuletzt bin ich Gian-Carlo Rota und Hallard Croft dafür zu Dank verpflichtet, daß sie mich in dieses Gebiet eingeführt haben.

Zu guter Letzt gilt mein Dank: Meinen Studenten, ohne die das Buch ein Jahr früher fertig geworden wäre; allen voran aber meiner Frau Joy für viele Dinge, die mit Graphentheorie gar nichts zu tun haben.

Jesus College, Oxford R. J. W.

Es wurde für den Nachdruck 1975 eine Anzahl kleinerer Änderungen und Verbesserungen vorgenommen. Insbesondere wurden die Literaturangaben neu zusammengestellt und ein Symbolverzeichnis angefügt.

The Open University R. J. W.

Inhaltsverzeichnis

1 Einführung

Ziel dieses einführenden Kapitels ist es, mit einfachen Beispielen einen anschaulichen Hintergrund zu schaffen für den Stoff, den wir in den folgenden Kapiteln abstrakt darstellen werden. Ausdrücke, die hier fettgedruckt erscheinen, sind mehr als Beschreibungen gedacht denn als Definitionen – wir glauben nämlich, daß dem Leser dann die Begriffe in abstraktem Gewand nicht so gänzlich ungewohnt erscheinen werden, wenn er ihnen schon einmal in anschaulichem Zusammenhang begegnet ist. Wir raten dem Leser, dieses Kapitel schnell zu lesen – und dann alles wieder zu vergessen.

§ 1. Was ist ein Graph?

Betrachten wir einmal die Abbildungen 1.1 und 1.2, die einen Teil eines elektrischen Netzwerkes beziehungsweise einen Ausschnitt einer Straßenkarte zeigen. Es ist klar, daß jede von ihnen schematisch mit Punkten und

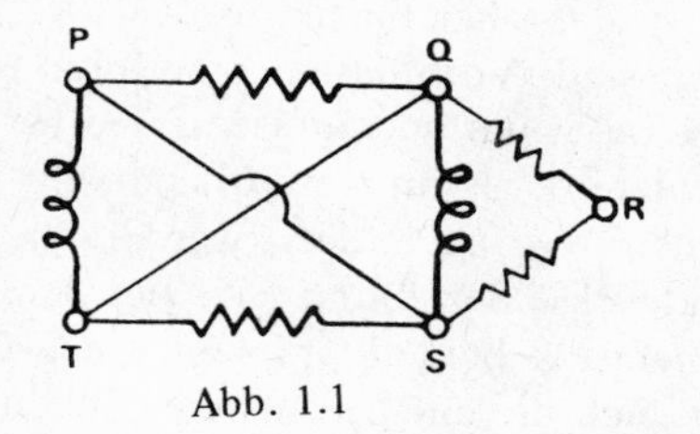

Abb. 1.1

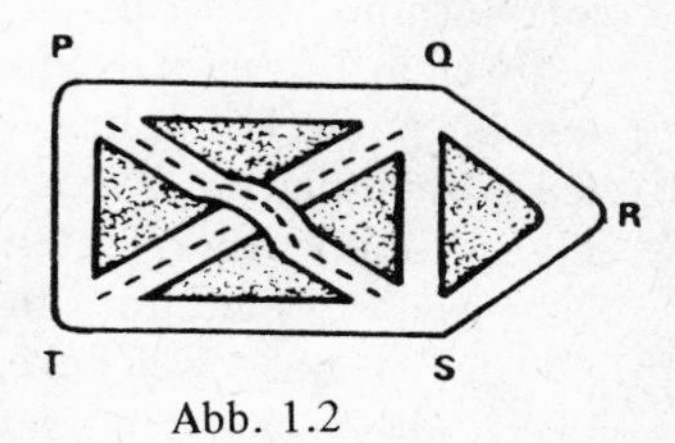

Abb. 1.2

Linien wie in Abbildung 1.3 dargestellt werden kann. Die Punkte P, Q, R, S und T nennen wir **Ecken** und die Linien **Kanten**; das ganze Gebilde wird **Graph** genannt. (Man beachte, daß der Schnittpunkt der Linien PS und QT keine Ecke des Graphen ist, da er keiner Drahtverzweigung bzw. Straßenkreuzung entspricht.) Der **Grad** einer Ecke ist die Anzahl der Kanten, die diese Ecke als Endpunkt haben, und entspricht in Abbildung 1.2 der Anzahl der Straßen, die an der betreffenden Stelle zusammenlaufen; so hat etwa die Ecke Q den Grad vier.

Natürlich läßt der Graph in Abb. 1.3 auch andere Interpretationen zu. Zum Beispiel können P, Q, R, S und T Fußballmannschaften repräsentieren und die Existenz einer Kante kann bedeuten, daß die den Endpunkten dieser Kante entsprechenden Mannschaften schon gegeneinander gespielt haben (sodaß in Abb. 1.3 also P schon gegen S, aber nicht gegen R gespielt hat); in diesem Fall gibt der Grad einer Ecke die Anzahl der Wettkämpfe an, die die entsprechende Mannschaft schon bestritten hat.

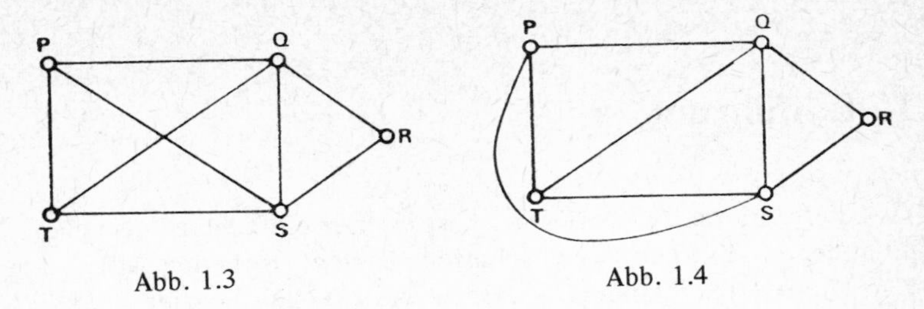

Abb. 1.3 Abb. 1.4

Eine andere Möglichkeit, die Situation obiger Beispiele darzustellen, wird durch den Graphen in Abb. 1.4 gegeben. Hier haben wir die Überschneidung der Linien *PS* und *QT* vermieden, indem wir die Linie *PS* außerhalb des Rechtecks *PQST* gezeichnet haben. Der so entstandene Graph sagt uns nach wie vor, wie das elektrische Netzwerk verdrahtet ist, ob es eine direkte Straße von einer Kreuzung zu einer anderen gibt, und welche Fußballmannschaften gegeneinander gespielt haben. Die einzige Information, die wir verloren haben, betrifft „metrische" Eigenschaften (wie Straßenlänge, Geradlinigkeit des Drahtes, etc.).

Damit wollen wir feststellen, daß wir unter einem Graphen die Repräsentation einer Menge von Punkten und der zwischen diesen Punkten bestehenden Verbindungen verstehen wollen, daß aber für unsere Zwecke jegliche metrischen Eigenschaften irrelevant sind. Von diesem Standpunkt aus werden wir je zwei Graphen, die dieselbe Situation repräsentieren (so wie die in den Abbildungen 1.3 und 1.4 gezeigten), als im wesentlichen ein und denselben Graphen betrachten. Genauer: Wir sagen, daß zwei Graphen **isomorph** sind, wenn es eine umkehrbar eindeutige Beziehung zwischen ihren Ecken gibt derart, daß zwei Ecken in einem der beiden Graphen genau dann durch eine Kante verbunden sind, wenn auch die entsprechenden Ecken im anderen Graphen durch eine Kante verbunden sind. Einen weiteren, zu den Graphen der Abbildungen 1.3 und 1.4 isomorphen Graphen zeigt die Abbildung 1.5;

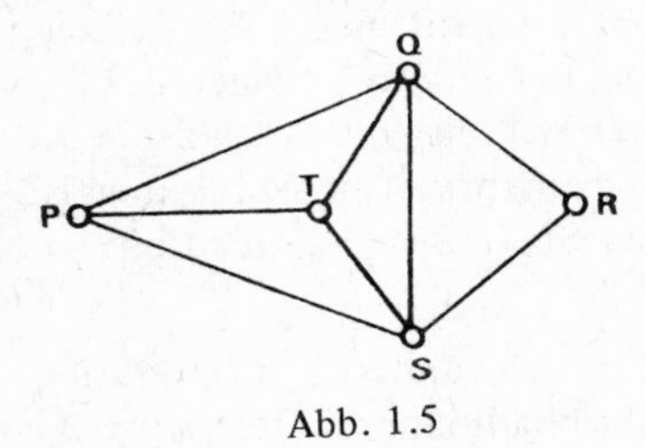

Abb. 1.5

dieser Graph spiegelt nichts mehr wider von den Raum- und Abstandsverhältnissen in den Ausgangsbeispielen, gleichwohl können wir noch mit einem Blick feststellen, welche Punkte durch einen Draht bzw. eine Straße verbunden sind.

Es sei darauf hingewiesen, daß der Graph, den wir bisher betrachtet haben, in dem Sinne ein besonders „einfacher" Graph ist, als er kein Paar von Ecken enthält, das durch mehr als eine Kante verbunden ist. Nehmen wir nun an, daß die Straßen zwischen Q und S sowie S und T zuviel Verkehr aufzunehmen haben; die Verkehrssituation könnte dann erleichtert werden durch den Bau zusätzlicher Straßen zwischen diesen Punkten und das entstehende Diagramm würde aussehen wie in Abb. 1.6. (Die Kanten, die Q und S bzw.

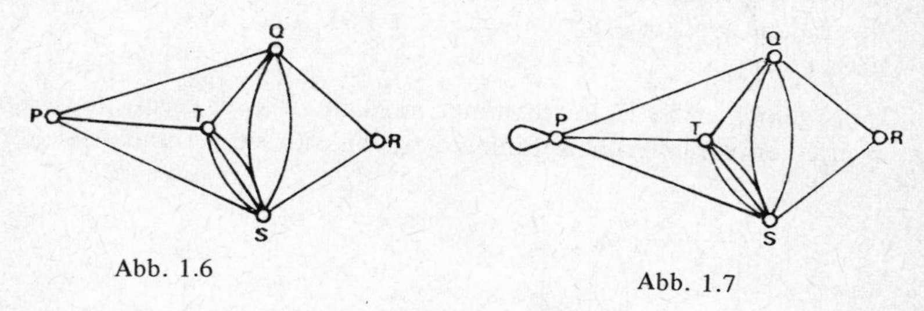

Abb. 1.6

Abb. 1.7

S und T verbinden, heißen **Mehrfachkanten**.) Wollen wir ferner bei P einen Parkplatz errichten, so können wir dies im Graphen andeuten, indem wir P mit sich selbst durch eine Kante verbinden; so eine Kante wird üblicherweise als **Schlinge** bezeichnet (vgl. Abb. 1.7). In diesem Buch darf ein Graph im allgemeinen Schlingen und Mehrfachkanten enthalten; Graphen ohne Schlingen und Mehrfachkanten (wie der Graph in Abb. 1.5) werden **schlichte Graphen** genannt.

Das Studium der **gerichteten Graphen** (oder **Digraphen***), wie wir sie zumeist abkürzen werden) hat seinen Ursprung in der Frage „was passiert, wenn alle Straßen Einbahnstraßen sind?". Ein Beispiel eines Digraphen zeigt Abb. 1.8,

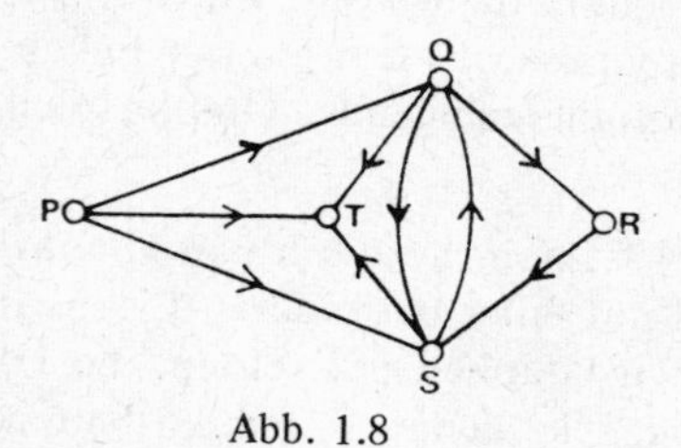

Abb. 1.8

wobei die Richtungen der Einbahnstraßen durch Pfeile angedeutet sind; (in diesem speziellen Beispiel gäbe es bei T ein totales Verkehrschaos, was uns aber nicht davon abhalten wird, solche Situationen zu studieren!). Wenn übrigens *nicht alle* Straßen Einbahnstraßen sind, so können wir zu einem Digraphen gelangen, indem wir für jede Zweibahnstraße zwei gerichtete

*) Auch im Deutschen gebräuchliche Zusammenziehung von „*di*rected *graph*" (Anm. d. Übers.)

Kanten zeichnen, für jede Richtung eine. Digraphen werden wir etwas ausführlicher in Kapitel 7 behandeln.

Ein beträchtlicher Teil der Graphentheorie befaßt sich mit dem Studium von Linien verschiedener Arten, wobei eine **Linie** im wesentlichen eine Folge von aufeinanderfolgenden Kanten ist; so ist zum Beispiel in Abb. 1.5 $P \to Q \to R$ eine Linie von P nach R und zwar eine Linie der Länge zwei, und entsprechend ist $P \to S \to Q \to T \to S \to R$ eine Linie der Länge fünf. Aus naheliegenden Gründen wird eine Linie der Form $Q \to S \to T \to Q$ ein **Kreis** genannt.

Im allgemeinen ist es nicht immer möglich zu zwei gegebenen Ecken v und w in einem Graphen eine Linie zu finden, der sie verbindet (siehe Abb. 1.9);

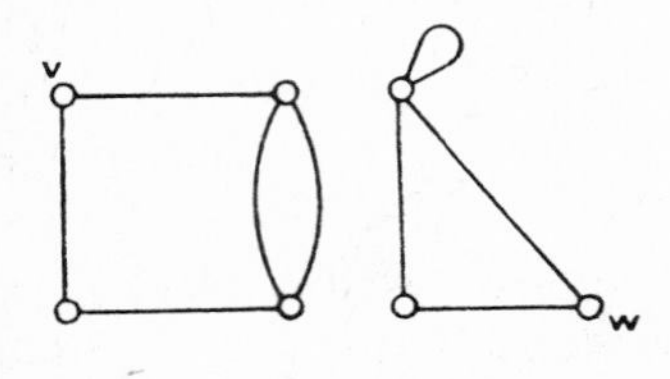

Abb. 1.9

so eine Linie wird nur dann stets existieren, wenn der Graph „aus einem Stück" ist. Wir können dies klarer machen, indem wir den Graphen betrachten, dessen Ecken die Stationen der Münchner und der Berliner U-Bahn und dessen Kanten die verschiedenen Linien sind, die sie verbinden; offensichtlich ist es unmöglich, allein auf Kanten dieses Graphen vom Marienplatz zum Kurfürstendamm zu gelangen. Beschränken wir uns andererseits auf die Stationen und Linien der Münchner U-Bahn, dann können wir von jeder Station zu jeder anderen gelangen. Ein Graph, in dem je zwei Ecken durch eine Linie verbunden sind, heißt ein **zusammenhängender Graph**; solche Graphen werden wir in Kapitel 3 diskutieren.

Ein großer Teil der Kapitel 3 und 4 ist dem Studium von Graphen gewidmet, die eine Linie oder mehrere Linien mit einer besonderen Eigenschaft haben. In Kapitel 3 zum Beispiel werden wir Graphen betrachten, die Linien enthalten, welche jede Kante bzw. jede Ecke genau einmal enthalten und mit der Anfangsecke auch enden; solche Graphen werden **Eulersche** bzw. **Hamiltonsche** Graphen genannt. Zum Beispiel ist der Graph in Abb. 1.5 Hamiltonsch (eine solche Linie ist etwa $P \to Q \to R \to S \to T \to P$), jedoch nicht Eulersch, denn jede Linie, die jede Kante genau einmal enthält (z. B. $P \to Q \to T \to P \to S \to R \to Q \to S \to T$), endet notwendigerweise in einer Ecke, die von der Anfangsecke verschieden ist.

Wir werden uns ferner für zusammenhängende Graphen interessieren, in denen es zu je zwei Ecken nur einen einzigen Verbindungsweg gibt; solche

Graphen heißen **Bäume** (in Verallgemeinerung der Idee des Stammbaums) und werden in Kapitel 4 betrachtet. Wir werden sehen, daß man einen Baum definieren kann als einen zusammenhängenden Graphen, der keine Kreise enthält (siehe Abb. 1.10).

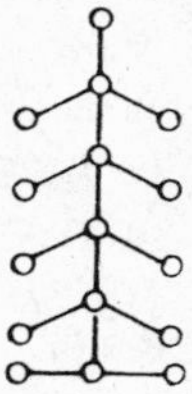

Abb. 1.10

Um etwas das Thema zu wechseln, erinnern wir den Leser an unsere Diskussion der Abbildung 1.3; wir hatten auf die Existenz von Graphen (z.B. die der Abbildungen 1.4 und 1.5) hingewiesen, die isomorph zu dem betrachteten Graphen sind, aber keine Überschneidungen enthalten. Jeder Graph, den man derart ohne Überschneidungen zeichnen kann, wird **planarer Graph** genannt; solche Graphen sind von äußerst großer Bedeutung in der Graphentheorie. In Kapitel 5 werden wir einige Kriterien für Planarität geben, wovon einige die Eigenschaften von Teilgraphen des fraglichen Graphen benützen und andere auf dem fundamentalen Begriff **Dualität** aufbauen.

Planare Graphen spielen auch ein wichtige Rolle bei Färbungsproblemen; zur Motivierung solcher Probleme wollen wir zu unserem Straßenkartengraphen zurückkehren und annehmen, daß Shell, Esso, BP und Gulf bei P, Q, R, S und T Tankstellen errichten wollen. Wir wollen ferner annehmen, daß aus Wirtschaftlichkeitsgründen keine der Gesellschaften zwei Tankstellen an benachbarten Straßenkreuzungen errichten will. Dann bestünde eine Lösung darin, daß Shell bei P, Esso bei Q, BP bei S und Gulf bei T baut, und bei R kann dann noch Shell oder Gulf bauen; falls sich jedoch Gulf dazu entschließt, aus der ganzen Vereinbarung auszusteigen, dann ist es natürlich für die verbleibenden drei Gesellschaften unmöglich, die Tankstellen entsprechend der obigen Wirtschaftlichkeitsüberlegung zu errichten.

Wir werden dieses Problem in einer farbigeren Sprache in Kapitel 6 diskutieren, wo wir die Frage untersuchen werden, ob die Ecken eines gegebenen schlichten Graphen so mit k gegebenen Farben gefärbt werden können, daß jede Kante des Graphen Endpunkte mit verschiedenen Farben hat. Falls der Graph planar ist, so werden wir sehen, daß es dann stets möglich ist, seine Ecken auf die obengenannte Weise zu färben, sofern fünf Farben zur Verfügung stehen; darüberhinaus wird vermutet (obwohl dies noch nie bewiesen worden ist), daß dasselbe gilt, wenn nur vier Farben zur Verfügung stehen – dies ist die berühmte **Vier-Farben-Vermutung**. (Eine vielleicht bekanntere Version dieser Vermutung ist die folgende: Wenn wir eine Landkarte haben mit mehreren Ländern darauf, so ist es stets möglich, die Staaten der Karte so mit höchstens vier Farben zu färben, daß niemals benachbarte Staaten diesel Farbe tragen.)

In Kapitel 8 werden wir verschiedene kombinatorische Probleme betrachten, einschließlich des berühmten „**Heiratsproblems**", das danach fragt, unter welchen Voraussetzungen eine Anzahl von Jungen, von denen jeder mehrere Mädchen kennt, so verheiratet werden kann, daß jeder Junge eine Freundin heiratet. Dieses Problem kann leicht formuliert werden in der Sprache der Transversalentheorie, eines sehr wichtigen Zweiges der kombinatorischen Mathematik, den wir in § 26 diskutieren werden. Es wird sich herausstellen, daß diese Fragen eng verwandt sind mit dem Problem, die Anzahl der Verbindungslinien zweier gegebener Ecken in einem Graphen oder Digraphen zu finden unter der Einschränkung, daß keine zwei der Linien eine Kante gemeinsam haben.

Wir beschließen Kapitel 8 mit einer Diskussion von Netzwerkflüssen und Transportproblemen. Zur Beschreibung dieser Probleme nehmen wir einmal an, daß Figur 1.5 einen Teil eines elektrischen Netzwerkes darstellt, das aus Drähten verschiedenen Materials hergestellt ist; das Problem besteht dann darin, herauszufinden, wie groß die Stromstärke eines elektrischen Stromes von P nach R höchstens sein kann, wenn die Stromstärken gegeben sind, die die Einzeldrähte verkraften können, ohne durchzubrennen. Oder wir können uns P als Fabrik vorstellen und R als Markt und die Kanten des Graphen als Transportwege, auf denen Waren transportiert werden können; in diesem Fall wollen wir wissen, welche Warenmenge von der Fabrik zum Markt befördert werden kann, wenn die Kapazitäten der verschiedenen Verkehrsverbindungen gegeben sind.

Wir beenden das Buch mit einem Kapitel über Matroidtheorie; dieses Kapitel verfolgt die Absicht, sowohl die Problemkreise der vorhergehenden Kapitel untereinander zu verknüpfen, als auch der Maxime zu huldigen „seid klug und seht, ob's allgemeiner geht".

In der Tat ist **Matroidtheorie** einfach des Studium von Mengen, versehen mit „Unabhängigkeitsstrukturen", womit nicht nur Eigenschaften der linearen Unabhängigkeit in Vektorräumen verallgemeinert werden, sondern auch verschiedene Ergebnisse der Graphentheorie, die wir in früheren Kapiteln erhielten. Wie wir jedoch sehen werden, ist Matroidtheorie mitnichten eine „Verallgemeinerung um der Verallgemeinerung willen"; sie liefert uns vielmehr sowohl eine tiefere Einsicht in verschiedene graphentheoretische Probleme als auch unter ihrer Anwendungen einfache Beweise von Ergebnissen der Transversalentheorie, die mit traditionellen Methoden nur recht mühsam zu beweisen sind. Wir glauben, daß Matroidtheorie in den kommenden Jahren eine bedeutende Rolle in der Entwicklung der Kombinatorik spielen wird, und aus diesem Grund haben wir sie in unser Buch aufgenommen.

Wir hoffen, daß dieses einführende Kapitel, in dem wir ein erstes Gerüst errichtet und einige der vor uns liegenden Dinge beschrieben haben, für unsere Leser nützlich war; nun werden wir einsteigen in eine formale Behandlung des Stoffes.

Aufgaben

(1a) Überlegen Sie sich, wie man die folgenden Gegebenheiten als Graphen oder Digraphen auffassen kann:
(i) die Ecken und Kanten eines Polyeders;
(ii) der Plan eines Labyrinths;
(iii) die Freundschaftsbeziehungen zwischen den Leuten auf einer Party;
(iv) das Atomium in Brüssel;
(v) die Spielstellungen des Solitärspiels;
(vi) eine Ahnentafel;
(vii) ein Tennisturnier;
(viii) die Teiler der Zahl 60;
(ix) die Länder auf einer Landkarte;
(x) die Anordnung der Exponate einer Ausstellung.

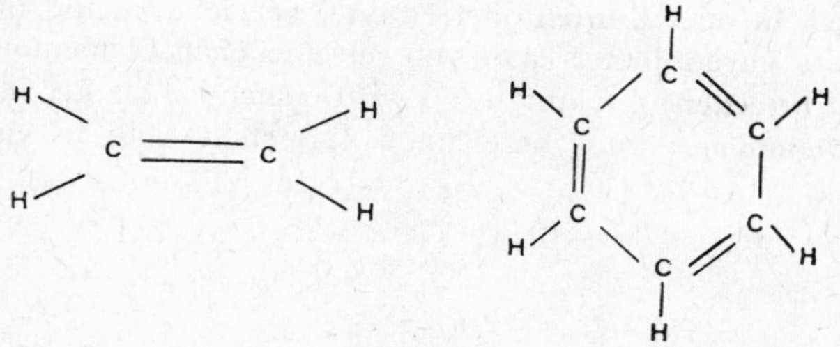

Abb. 1.11

(1b) Figur 1.11 stellt die Moleküle von Äthylen und Benzol dar, wobei C bzw. H die Kohlenstoff- bzw. Wasserstoffatome bezeichnet. Würden Sie diese Diagramme als Graphen bezeichnen? Wenn ja, können Sie dann einige notwendige Bedingungen angeben, die wir an einen Graphen stellen müssen, wenn dieser einen Kohlenwasserstoff darstellen soll?

(1c) Überlegen Sie sich fünf weitere Anwendungen der Graphentheorie (so verschieden wie möglich).

2 Definitionen und Beispiele

In diesem Kapitel legen wir die Fundamente für ein eingehenderes Studium der Graphentheorie. § 2 formalisiert einige der grundlegenden Definitionen, die wir schon in Kapitel 1 erwähnt haben, und § 3 liefert eine Vielfalt von Beispielen. Zeichnungen werden ständig verwendet zur Erläuterung des Stoffes und die Rechtfertigung für ihren Gebrauch wird in § 4 gegeben. Die Beschreibung einiger typischer Anwendungen der Theorie wird zurückgestellt bis wir mehr Hilfsmittel zur Verfügung haben (§ 11).

§ 2. Definitionen

Wir beginnen mit der Definition eines **schlichten Graphen** G als ein Paar $(V(G), E(G))$, wo $V(G)$ eine nichtleere, endliche Menge von Elementen ist, die wir als **Ecken** (oder **Knoten** oder **Punkte**) bezeichnen, und $E(G)$ eine endliche Menge ungeordneter Paare von verschiedenen Elementen aus $V(G)$, **Kanten** (oder **Strecken**) genannt; $V(G)$ wird manchmal als **Eckenmenge** und $E(G)$ als **Kantenmenge** von G bezeichnet. Z. B. stellt Abb. 2.1 einen schlich-

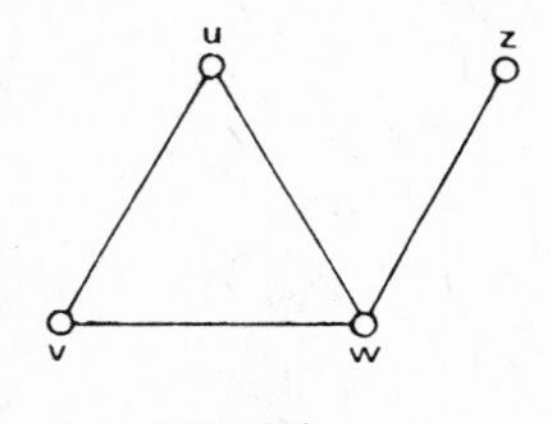

Abb. 2.1

ten Graphen dar, dessen Eckenmenge die Menge $\{u, v, w, z\}$ ist und dessen Kantenmenge aus den Paaren $\{u, v\}$, $\{v, w\}$, $\{u, w\}$ und $\{w, z\}$ besteht. Wir sagen, die Kante $\{v, w\}$ **verbindet** die Ecken v und w; man beachte, daß wir $E(G)$ als Menge und nicht als Familie*) betrachten, sodaß es niemals mehr als eine Kante geben kann, die ein gegebenes Paar von Ecken in einem schlichten Graphen verbindet.

Es zeigt sich, daß man viele der Ergebnisse, die man über schlichte Graphen beweisen kann, ohne Schwierigkeiten auf allgemeinere Objekte ausdehnen kann, bei denen es zu zwei Ecken mehr als eine verbindende Kante geben

*) Unter ‚Familie' verstehen wir eine Gesamtheit von Elementen, wobei einzelne Elemente mehrfach auftreten können; z. B. ist $\{a, b, c\}$ eine Menge, aber (a, a, a, b, c, c) eine Familie.

kann. Darüber hinaus ist es oft angebracht, die Bedingung fallen zu lassen, daß jede Kante zwei *verschiedene* Ecken haben muß, und die Existenz von **Schlingen** zuzulassen, das sind Kanten, welche Ecken mit sich selbst verbinden. Das entstehende Objekt, in dem Schlingen und Mehrfachkanten erlaubt sind, wird dann **allgemeiner Graph** – oder kurz **Graph** genannt (siehe Abb. 2.2). Wir weisen darauf hin, daß jeder schlichte Graph ein Graph ist, aber nicht jeder Graph ein schlichter Graph.

Formaler gesagt, wir definieren einen **Graphen** G als ein Paar $(V(G),E(G))$, wo $V(G)$ eine nichtleere, endliche Menge von Elementen ist, die **Ecken** genannt werden, und $E(G)$ eine endliche Familie ungeordneter Paare von (nicht notwendig verschiedenen) Elementen von $V(G)$, **Kanten** genannt; man beachte, daß durch den Gebrauch des Wortes ‚Familie' mehrfache Kanten zugelassen werden. Wir werden $V(G)$ die **Eckenmenge** und $E(G)$ die **Kantenfamilie** von G nennen; so ist in Abb. 2.2 $V(G)$ die Menge $\{u, v, w, z\}$ und

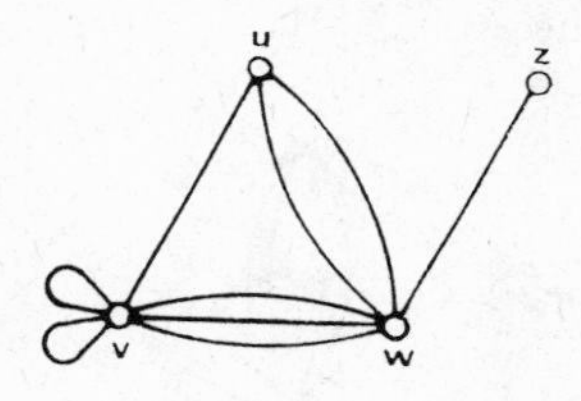

Abb. 2.2

$E(G)$ die aus den Kanten $\{u, v\}$, $\{v, v\}$, $\{v,v\}$, $\{v, w\}$, $\{v, w\}$, $\{v, w\}$, $\{u, w\}$, $\{u, w\}$ und $\{w, z\}$ bestehende Familie. Von jeder Kante der Form $\{v, w\}$ sagen wir, sie **verbinde** die Ecken v und w; jede Schlinge verbindet demgemäß die Ecke v mit sich selbst. Zwar werden wir uns in diesem Buch manchmal auf schlichte Graphen beschränken müssen, wo immer möglich werden wir jedoch unsere Ergebnisse für allgemeine Graphen beweisen.

Mit der Graphentheorie verknüpft ist das Studium der Digraphen (oder gerichtete Graphen oder manchmal auch Netzwerke genannt, obgleich wir das Wort ‚Netzwerk' in einer etwas anderen Bedeutung gebrauchen werden). Ein **Digraph** D wird definiert als ein Paar $(V(D), A(D))$, wo $V(D)$ eine nichtleere, endliche Menge von Elementen ist, **Ecken** genannt, und $A(D)$ eine endliche Familie geordneter Paare von Elementen von $V(D)$, **Bögen** genannt (oder **Dikanten** oder **gerichtete Kanten**). Ein Bogen, dessen erstes Element v und dessen zweites Element w ist, heißt **Bogen von v nach w** und wird geschrieben (v, w); man beachte, daß zwei Bögen der Form (v, w) und (w, v) verschieden sind. Abb. 2.3 stellt einen Digraphen dar, dessen Bögen (u, v), (v, v), (v, w), (v, w), (w, v), (w, u) und (w, z) sind, wobei die Anordnung der Ecken in einem Bogen durch einen Pfeil angedeutet ist. Wenn die Bögen von D alle voneinander verschieden sind (sodaß $A(D)$ eine Menge und nicht nur eine Familie ist), dann wird D ein **schlichter Digraph** genannt; zum

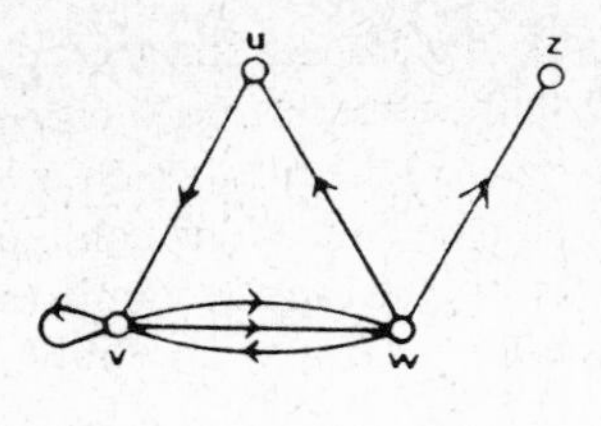

Abb. 2.3

Beispiel ist der Digraph von Abb. 1.8 ein schlichter Digraph, der von Abb. 2.3 dagegen nicht.

Digraphen werden wir ausführlich in Kapitel 7 studieren; bis dahin begnügen wir uns mit dem Hinweis, daß ein Graph, obwohl Graphen und Digraphen wesentlich verschiedene Objekte sind, in gewisser Weise als Digraph aufgefaßt werden kann, wobei jeder Kante des Graphen zwei Bögen des Digraphen entsprechen, in jeder Richtung einer (siehe Abb. 2.4).

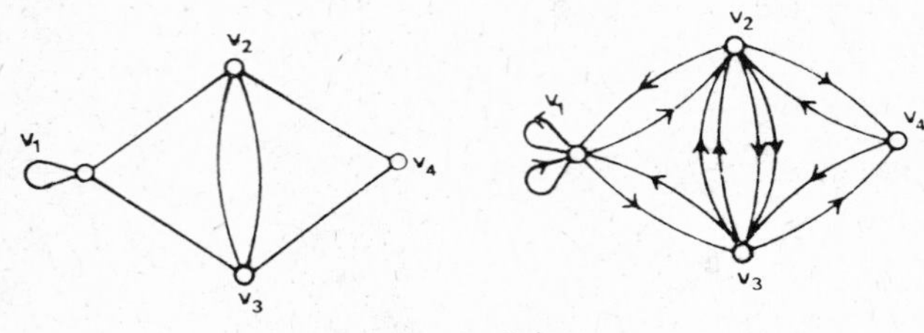

Abb. 2.4

Bemerkung zur Terminologie. Die Bezeichnungsweisen in der Graphentheorie sind ausgesprochen uneinheitlich – jeder Autor hat seine eigene Terminologie. In diesem Buch schließen wir uns im wesentlichen der Terminologie der deutschen Fassung von Harary [13] an. Mehrere Graphentheoretiker gebrauchen den Ausdruck ‚Graph' jedoch zur Bezeichnung dessen, was wir einen schlichten Graphen genannt haben. Ebenso ist es üblich, besonders bei der Diskussion von Anwendungen, das Wort ‚Graph' zu verwenden für das, was wir einen Digraphen genannt haben. Um die Dinge noch mehr zu verwirren: Manchmal wird der Term ‚Graph' auch gebraucht für die Objekte, die man erhält, wenn man in der Definition eines Graphen die Einschränkung fallenläßt, daß die Eckenmenge und die Kantenfamilie beide endlich sind. (Sind sie in der Tat beide unendlich, so erhalten wir das was wir einen **unendlichen Graphen** nennen; wir schieben das Studium unendlicher Graphen bis § 8 auf, obwohl sie in Übungen schon eher auftreten werden.) Es sei betont, daß gegen keine der obigen Definitionen eines Graphen etwas einzuwenden ist, sofern man dann immer bei der einmal gewählten bleibt; wir wiederholen, daß in diesem Buch *alle Graphen endlich und ungerichtet sind und daß Schlingen und Mehrfachkanten zugelassen sind, soweit sie nicht ausdrücklich ausgeschlossen werden.*

Bevor wir Beispiele einiger wichtiger Typen von Graphen geben (in § 3), ist es zweckmäßig, ein paar weitere einfache Definitionen einzuführen.

Zwei Ecken v und w eines Graphen G heißen **benachbart**, wenn es eine Kante gibt, die sie verbindet (d. h. es gibt eine Kante der Form $\{v, w\}$); die Ecken v und w heißen dann **inzident** mit dieser Kante. Ähnlich heißen zwei verschiedene Kanten von G benachbart, wenn sie mindestens eine Ecke gemeinsam haben. Der **Grad** (oder die **Valenz**) einer Ecke v von G ist die Anzahl der mit v inzidenten Kanten und wird geschrieben $\rho(v)$; zur Bestimmung des Grades einer Ecke v treffen wir die Vereinbarung (sofern nichts anderes gesagt wird), daß eine Schlinge bei v zum Grad von v den Beitrag zwei leistet (und nicht eins). Jede Ecke vom Grad null heißt eine **isolierte Ecke**, und eine Ecke vom Grad eins ist eine **Endecke**. Demgemäß hat der Graph in Abb. 2.2 eine Endecke, eine Ecke vom Grad drei, eine Ecke vom Grad sechs und eine Ecke vom Grad acht.

Es ist leicht zu sehen, daß bei Addition der Grade aller Ecken eines Graphen eine gerade Zahl herauskommt – und zwar das Doppelte der Kantenanzahl – da jede Kante zu dieser Summe genau den Beitrag zwei leistet. Dieses Ergebnis, das vor zweihundert Jahren schon Euler bekannt war, wird oft als ‚**Handschlaglemma**' bezeichnet, denn es besagt, wenn sich mehrere Leute die Hände schütteln, so ist die Gesamtzahl der geschüttelten Hände gerade – eben deshalb, weil an jedem Handschlag zwei Hände beteiligt sind. Eine unmittelbare Folgerung des Handschlaglemmas ist, daß in jedem Graph die Anzahl der Ecken ungeraden Grades notwendigerweise gerade ist. Das analoge Ergebnis für Digraphen werden wir in § 23 bringen.

Zwei Graphen G_1 und G_2 sind **isomorph**, wenn es eine umkehrbar eindeutige Beziehung zwischen den Ecken von G_2 gibt derart, daß die Anzahl der Verbindungskanten zweier Ecken von G_1 gleich der Anzahl von Verbindungskanten der entsprechenden Ecken von G_2 ist. So sind die beiden in Abb. 2.5

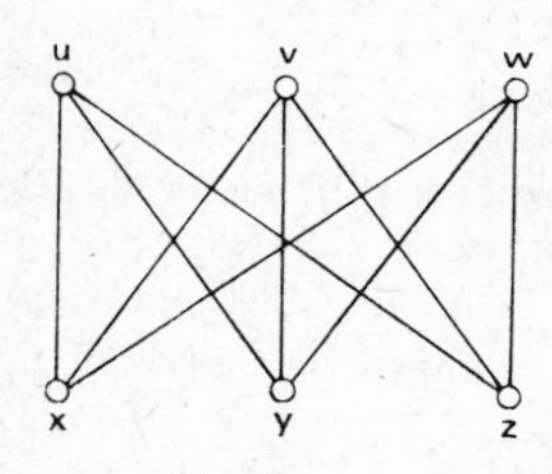

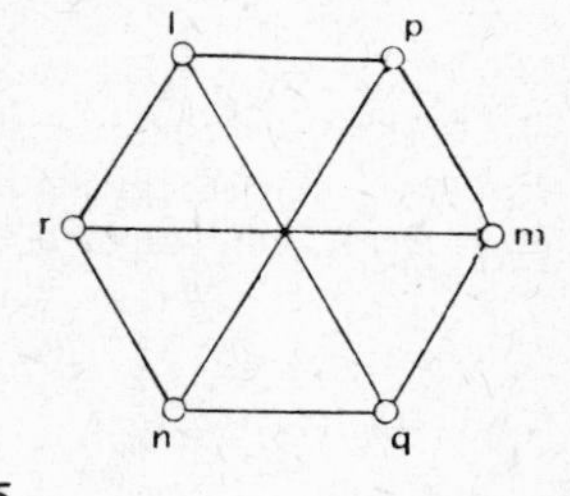

Abb. 2.5

gezeigten Graphen isomorph unter der Beziehung $u \leftrightarrow l$, $v \leftrightarrow m$, $w \leftrightarrow n$, $x \leftrightarrow p$, $y \leftrightarrow q$, $z \leftrightarrow r$; man beachte, daß es nur sechs Ecken gibt – die anderen Punkte, in denen sich Kanten schneiden, sind keine Ecken. Ein **Teilgraph** von G ist einfach ein Graph, dessen sämtlich Ecken zu $V(G)$ und dessen sämtliche Kanten zu $E(G)$ gehören; so ist der Graph von Abb. 2.1 ein Teilgraph des Graphen von Abb. 2.4, aber kein Teilgraph eines der Graphen in Abb. 2.5 (denn letztere enthalten kein ‚Dreieck').

Ist schließlich G ein Graph mit der Eckenmenge $\{v_1, \ldots, v_n\}$, so ist die **Nachbarschaftsmatrix** von G (bezüglich der gegebenen Numerierung der Ecken) die $n \times n$ Matrix $A = (a_{ij})$, wobei a_{ij} die Anzahl der Verbindungskanten in G von von v_i und v_j ist; zum Beispiel ist die Matrix in Abb. 2.6 die Nachbarschafts-

$$\begin{pmatrix} 1 & 1 & 1 & 0 \\ 1 & 0 & 2 & 1 \\ 1 & 2 & 0 & 1 \\ 0 & 1 & 1 & 0 \end{pmatrix}$$

Abb. 2.6

matrix des in Abb. 2.4 gezeigten Graphen. Natürlich können wir mehrere verschiedene Nachbarschaftsmatrizen von einem gegebenen Graphen erhalten, indem wir die Ecken umnumerieren – dies entspricht Zeilenvertauschungen und Spaltenvertauschungen in A – aber das Resultat wird stets eine symmetrische Matrix nichtnegativer ganzer Zahlen sein mit der Eigenschaft, daß die Summe der Elemente jeder Zeile oder Spalte gleich dem Grad der entsprechenden Ecke ist (wobei diesmal jede Schlinge nur eins zum Grad beiträgt). Ist umgekehrt irgendeine symmetrische Matrix gegeben, deren sämtliche Elemente nichtnegative ganze Zahlen sind, so können wir leicht einen Graphen konstruieren (eindeutig bis auf Isomorphie), der die gegebene Matrix als seine Nachbarschaftsmatrix hat. Demnach kann Graphentheorie im Grunde genommen auch aufgefaßt werden als Studium eines bestimmten Matrizentyps. (In Aufgabe 2g werden wir sehen, daß Graphentheorie auch betrachtet werden kann als das Studium eines bestimmten Typs von Polynomen).

Aufgaben

(2a) Sei G_n der Graph mit der Eckenmenge $\{v_1, \ldots, v_n\}$, in dem die Ecken v_i und v_j genau dann benachbart sind, wenn i und j teilerfremd sind; zeichnen Sie die Graphen G_4 und G_8 und bestimmen Sie ihre Nachbarschaftsmatrizen. Zeigen Sie auch, daß für $m < n$ G_m ein Teilgraph von G_n ist.

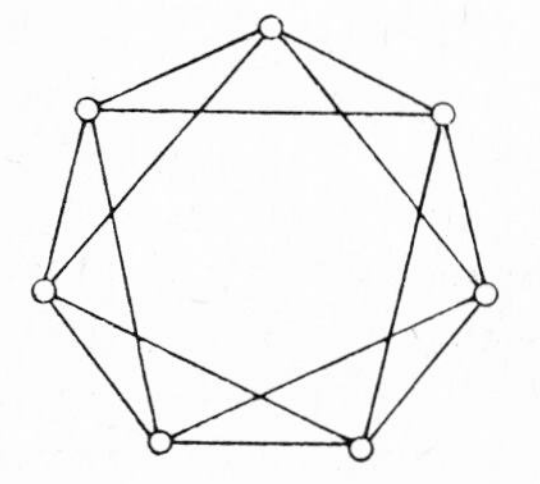
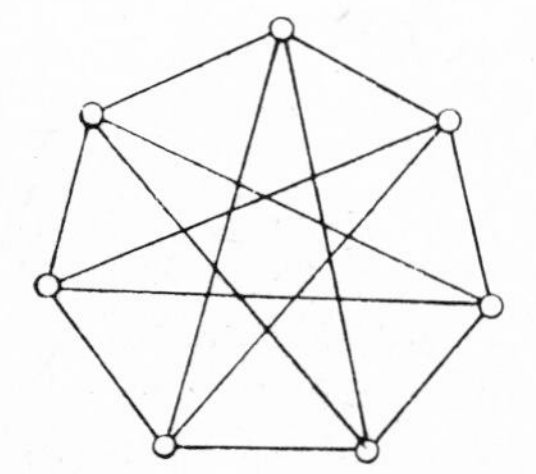

Abb. 2.7

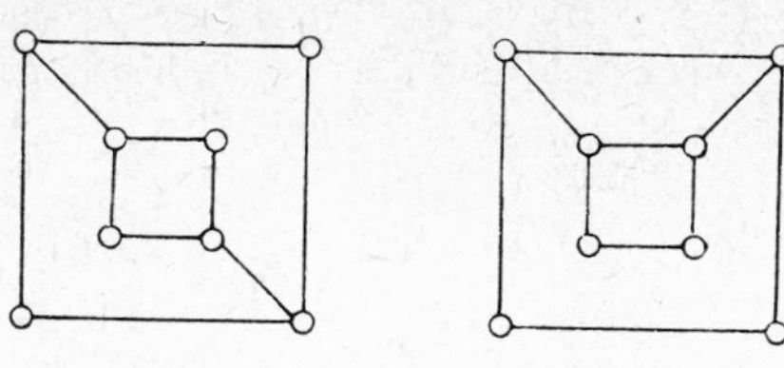

Abb. 2.8

(2b) Zeigen Sie, daß die beiden Graphen in Abb. 2.7 isomorph sind, die beiden Graphen in Abb. 2.8 dagegen nicht.

(2c) Beweisen Sie, daß es bis auf Isomorphie genau vier schlichte Graphen mit drei Ecken gibt, und elf mit vier Ecken; wie viele mit fünf Ecken gibt es? (Siehe Anhang.)

(2d) Wie würden Sie den Begriff des Isomorphismus zwischen Digraphen definieren? Vergewissern Sie sich, daß Ihre Definition mit der in § 22 gegebenen übereinstimmt und zeigen Sie, daß es bis auf Isomorphie genau sechzehn schlichte Digraphen mit drei Ecken gibt.

(2e) Sei G ein schlichter Graph mit mindestens zwei Ecken; beweisen Sie, daß G zwei Ecken gleichen Grades enthält.

(2f) Die **Inzidenzmatrix** eines schlichten Graphen mit der Eckenmenge $\{v_1, \ldots, v_n\}$ und der Kantenmenge $\{e_1, \ldots, e_m\}$ ist die $m \times n$ Matrix $A = (a_{ij})$, wobei $a_{ij} = 1$ ist, falls die Ecke v_j und die Kante e_i inzident sind, und $a_{ij} = 0$ sonst. Zeigen Sie, daß die Summe der Elemente einer Spalte gleich dem Grad der entsprechenden Ecke ist; was können Sie über die Summe der Elemente einer Zeile sagen? Überlegen Sie sich auch, wie man eine Inzidenzmatrix für einen (allgemeinen) Graphen definieren kann.

(2g) Sei G ein Graph mit der Eckenmenge $\{v_1, \ldots, v_n\}$ und $f(G)$ das durch

$$f(G) = x_1^{\sigma_1} x_2^{\sigma_2} \ldots x_n^{\sigma_n} \prod (x_j - x_i)^{\alpha_{ij}}$$

definierte Polynom in den Variablen $x_1, \ldots, x_n$, wobei das Produkt zu nehmen ist über alle Paare ganzer Zahlen i, j mit $i < j$, α_{ij} die Anzahl der Verbindungskanten von v_i und v_j bezeichnet und σ_i die Anzahl der Schlingen bei v_i. Zeigen Sie, daß G durch das Polynom $f(G)$ bis auf Isomorphie eindeutig bestimmt wird. Welchen Graphen entsprechen die Faktoren von $f(G)$? Erläutern Sie ihre Antwort an Hand des in Abb. 2.4 gezeigten Graphen.

(2h) Der **Kantengraph** $L(G)$ eines schlichten Graphen G ist derjenige Graph, dessen Ecken umkehrbar eindeutig den Kanten von G zugeordnet werden können und in dem zwei Ecken genau dann benachbart sind, wenn die entsprechenden Kanten von G benachbart sind. Zeigen Sie, daß die Kantengraphen der beiden Graphen in Abb. 2.9 isomorph sind; suchen Sie auch nach einer Möglichkeit, die Anzahl der Kanten von $L(G)$ auszudrücken durch die Grade der Ecken von G.

(*2i) Ein ***k*-Graph** wird definiert als ein Paar $(V(G), E(G))$, wobei $V(G)$ wie gehabt und $E(G)$ eine endliche Familie ungeordneter k-Tupel von Elementen von $V(G)$ ist. Überzeugen Sie sich, daß ein Graph ein 2-Graph ist und überlegen Sie sich, wie

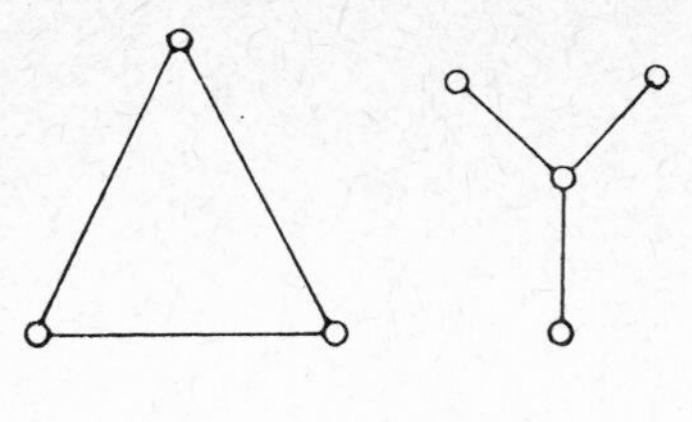

Abb. 2.9

man die Definitionen von Begriffen wie ‚Inzidenz' ‚Nachbarschaft' ‚Grad' und ‚Endecke' auf k-Graphen ausdehnen kann.

(*2j) Ist G ein schlichter Graph mit der Kantenmenge $E(G)$, so wird **der G zugeordnete Vektorraum** definiert als derjenige Vektorraum über dem Körper der ganzen Zahlen modulo zwei, dessen Elemente die Teilmengen von $E(G)$ sind, wobei die Summe $E \oplus F$ zweier Mengen E, F von Kanten definiert ist als die Menge all derjenigen Kanten, die entweder zu E oder zu F, aber nicht zu beiden Mengen gehören, und die Skalarmultiplikation in naheliegender Weise definiert ist (d. h. $1 \cdot E = E$ und $0 \cdot E = \emptyset$). Zeigen Sie, daß hierdurch in der Tat ein Vektorraum definiert wird und geben Sie eine Basis dafür an. Veranschaulichen Sie diese Überlegungen an Hand des Graphen von Abb. 2.1.

§ 3. Beispiele von Graphen

In diesem Abschnitt wollen wir einige wichtige Typen von Graphen vorstellen; wir raten dem Leser, sich mit ihnen vertraut zu machen; denn sie werden häufig in Beispielen und Aufgaben erscheinen.

Nullgraphen. Ein Graph, dessen Kantenmenge leer ist, heißt ein **Nullgraph** (oder **total-unzusammenhängender Graph**). Den Nullgraphen mit n Ecken bezeichnen wir mit N_n; N_4 ist in Abb. 3.1 dargestellt. In einem Nullgraphen ist jede Ecke isoliert. Nullgraphen sind nicht übermäßig interessant.

Abb. 3.1

Vollständige Graphen. Ein schlichter Graph, in dem jedes Paar von verschiedenen Ecken benachbart ist, wird ein **vollständiger Graph** genannt. Der vollständige Graph mit n Ecken wird üblicherweise mit K_n bezeichnet, K_4 und K_5 sind in den Abbildungen 3.2 und 3.3 dargestellt. Der Leser sollte nachrechnen, daß K_n genau $\frac{1}{2}n(n-1)$ Kanten hat.

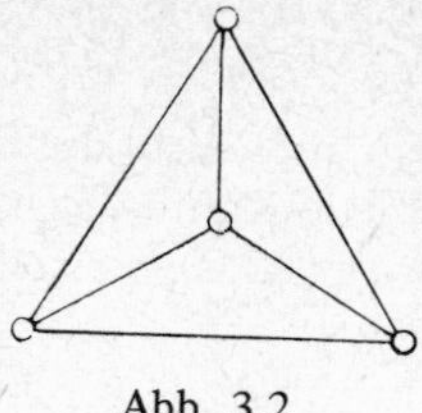

Abb. 3.2

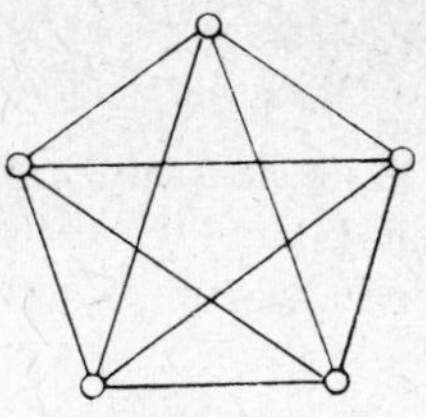

Abb. 3.3

Reguläre Graphen. Ein Graph, in dem alle Ecken denselben Grad haben, wird ein **regulärer Graph** genannt; hat jede Ecke den Grad r, so heißt der **Graph regulär vom Grade r.**

Von besonderer Bedeutung in Färbungsproblemen (die in Kapitel 6 besprochen werden) sind die **kubischen** (oder **trivalenten**) Graphen, das sind reguläre Graphen vom Grad drei (zum Beispiel die Graphen in den Abbildungen 2.5, 3.2 und 3.4); ein weiteres, wohlbekanntes Beispiel eines kubischen Graphen ist der sogenannte **Petersengraph**, den wir in Abb. 3.5 vorstellen. Insbesondere ist jeder Nullgraph regulär vom Grade null und der vollständige Graph K_n ist regulär vom Grade $n - 1$.

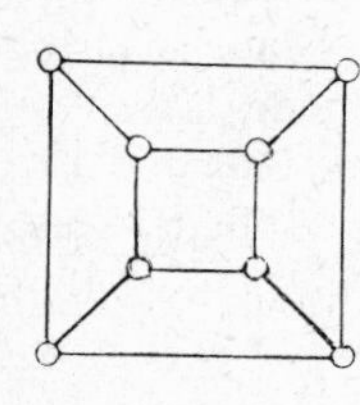

Abb. 3.4

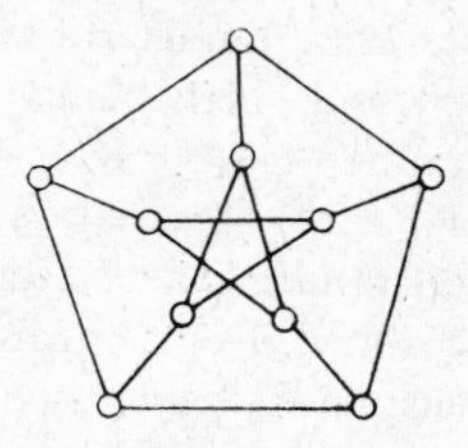

Abb. 3.5

Platonische Graphen. Von besonderem Interesse unter den regulären Graphen sind die sogenannten **Platonischen Graphen**, das sind die Graphen, die von den Ecken und Kanten der fünf regulären (Platonischen) Körper gebildet werden – Tetraeder, Würfel, Oktaeder, Dodekaeder und Ikosaeder. Der Tetraedergraph ist K_4 (siehe Abb. 3.2), und die Graphen des Würfels und des Oktaeders sind in den Abb. 3.4 und 3.6 dargestellt; der Dodekaedergraph

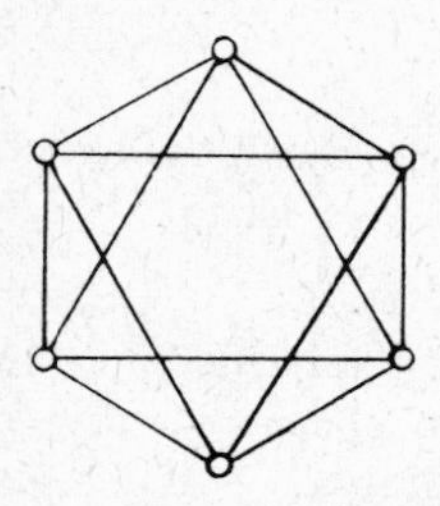

Abb. 3.6

wird in Abb. 7.4 auftreten (siehe Seite 42). Wir überlassen es dem Leser, übungshalber den Oktaedergraphen zu zeichnen.

Paare Graphen. Falls sich die Eckenmenge eines Graphen G derart in zwei disjunkte Mengen V_1 und V_2 zerlegen läßt, daß jede Kante von G eine Ecke von V_1 mit einer Ecke von V_2 verbindet (siehe Abb. 3.7), so heißt G ein

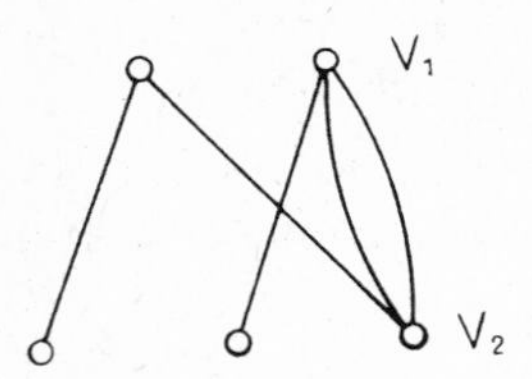

Abb. 3.7

paarer (oder **bipartiter**) Graph (und wird manchmal mit $G(V_1, V_2)$ bezeichnet, wenn man die beiden Eckenmengen zum Ausdruck bringen will). Eine andere Möglichkeit zur Charakterisierung paarer Graphen besteht in der Färbung der Ecken mit zwei Farben, etwa rot und blau – ein Graph ist bipartit, wenn wir jede Ecke derart rot oder blau einfärben können, daß jede Kante einen roten und einen blauen Endpunkt hat. Man beachte, daß in einem paaren Graphen $G(V_1, V_2)$ nicht notwendig jede Ecke von V_1 mit jeder Ecke von V_2 verbunden ist; ist dies jedoch der Fall und ist G schlicht, so wird G ein **vollständig paarer Graph** genannt und üblicherweise mit $K_{m,n}$ bezeichnet, wo m bzw. n die Anzahl der Ecken von V_1 bzw. V_2 ist. Abb. 3.8 zeigt zum Beispiel $K_{4,3}$ und zwei Darstellungen von $K_{3,3}$ erschienen in

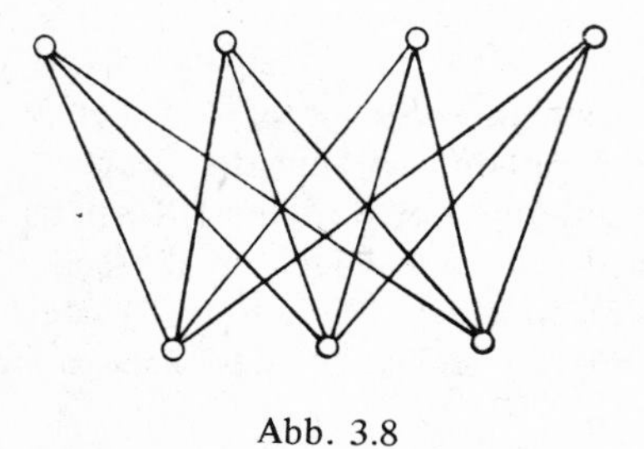

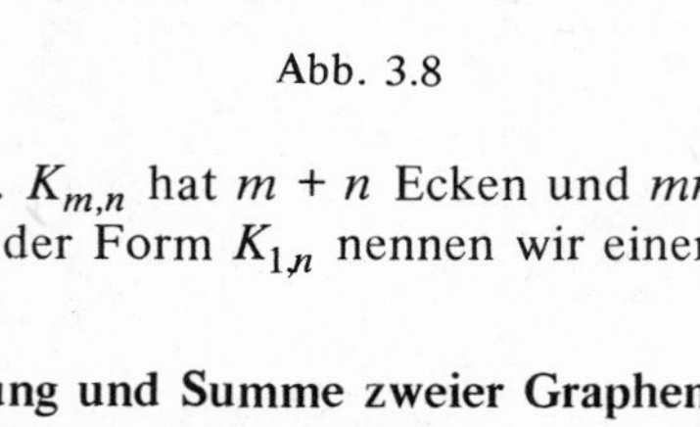

Abb. 3.8

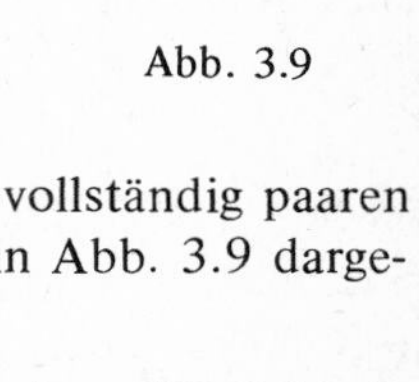

Abb. 3.9

Abb. 2.5. $K_{m,n}$ hat $m + n$ Ecken und mn Kanten. Einen vollständig paaren Graphen der Form $K_{1,n}$ nennen wir einen **Stern**, $K_{1,5}$ ist in Abb. 3.9 dargestellt.

Vereinigung und Summe zweier Graphen. Es gibt verschiedene Möglichkeiten, aus zwei Graphen einen größeren Graphen zu machen; zwei dieser Möglichkeiten werden wir vorführen. Sind die beiden Graphen gegeben als $G_1 = (V(G_1), E(G_1))$ und $G_2 = (V(G_2), E(G_2))$, wobei wir $V(G_1)$ und $V(G_2)$ als disjunkt annehmen wollen, so wird ihre **Vereinigung** $G_1 \cup G_2$ definiert als der Graph mit der Eckenmenge $V(G_1) \cup V(G_2)$ und der Kantenfamilie $E(G_1) \cup E(G_2)$ (siehe Abb. 3.10). Und die **Summe** von G_1 und G_2 (die mit $G_1 + G_2$ bezeichnet wird) wird gebildet, indem man die Vereinigung von G_1 und G_2 nimmt und zusätzlich jede Ecke von G_1 mit jeder Ecke von G_2 durch eine Kante verbindet; zum Beispiel ist $K_2 + K_3$ in Abb. 3.11 darge-

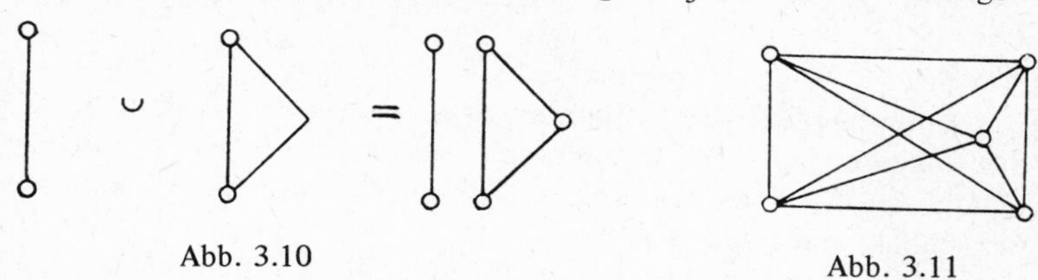

Abb. 3.10 Abb. 3.11

stellt. Übrigens hätten wir $K_{m,n}$ auch definieren können als die Summe von N_m und N_n. Der Leser überzeuge sich davon, daß Vereinigung und Summenbildung auf jede endliche Zahl von Graphen ausgedehnt werden können und daß sie kommutativ und assoziativ sind.

Zusammenhängende Graphen. Dem Leser ist wahrscheinlich nicht entgangen, daß fast alle Graphen, die wir bisher betrachtet haben, ‚aus einem Stück' sind; die wesentlichen Ausnahmen sind die Nullgraphen N_n (für $n \geqq 2$) und die Vereinigung von Graphen und diese bestehen aus ‚Stücken, die nicht miteinander verbunden sind'. Dies können wir formalisieren, indem wir einen Graphen als **zusammenhängend** definieren, wenn er nicht als Vereinigung zweier Graphen ausgedrückt werden kann; anderenfalls heißt er **unzusammenhängend**. Offensichtlich kann jeder unzusammenhängende Graph G als Vereinigung einer endlichen Anzahl zusammenhängender Graphen dargestellt werden – jeder dieser zusammenhängenden Graphen heißt eine (**Zusammenhangs-)komponente** von G. (Ein Graph mit 3 Komponenten ist in Abb. 3.12

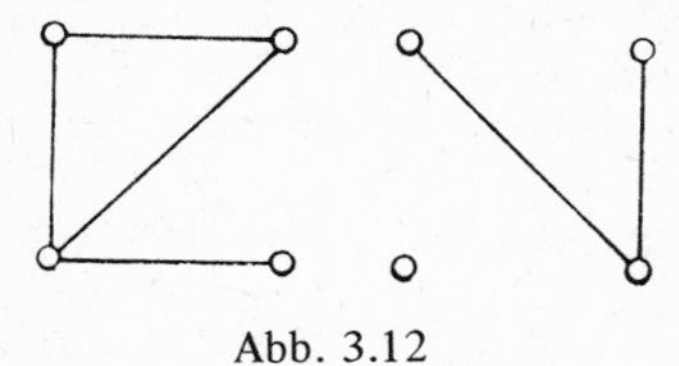

Abb. 3.12

dargestellt.) Beim Beweis von Aussagen über allgemeine Graphen ist es oft möglich und auch zweckmäßig, die Behauptung erst für zusammenhängende Graphen zu zeigen und dann auf jede Komponente einzeln anzuwenden.

Kreise und Räder. Ein zusammenhängender Graph, der regulär vom Grad zwei ist, heißt ein **Kreis**, und der Kreis mit n Ecken wird mit C_n bezeichnet. Die Summe von N_1 und C_{n-1} ($n \geqq 3$) heißt **Rad** mit n Ecken und wird mit W_n bezeichnet. Abb. 3.13 zeigt C_6 und W_6; W_4 erschien in Abb. 3.2.

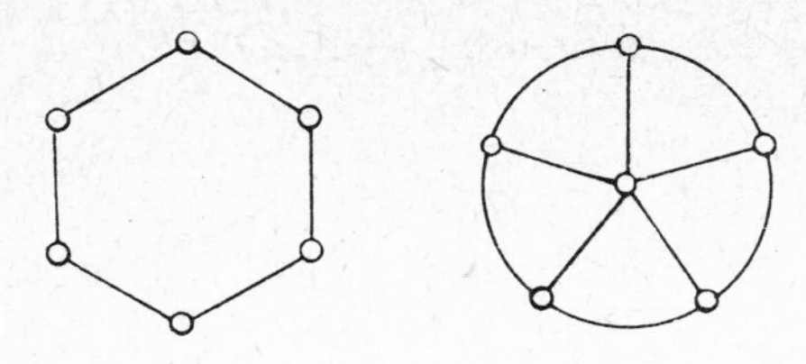

Abb. 3.13

Das Komplement eines schlichten Graphen. Sei G ein schlichter Graph mit der Eckenmenge $V(G)$. Das **Komplement** $\overline{G}$ von G ist derjenige schlichte Graph, der $V(G)$ als Eckenmenge hat und in dem zwei Ecken genau dann benachbart sind, wenn sie in G nicht benachbart sind. Wenn also G n Ecken hat, so erhält man $\overline{G}$ aus K_n, indem man alle Kanten von G entfernt (wobei G als Teilgraph von K_n betrachtet wird). Insbesondere ist das Komplement eines vollständigen Graphen der Nullgraph und umgekehrt; das Komplement eines regulären Graphen ist wieder regulär.

Aufgaben

(3a) Zeichnen Sie alle kubischen Graphen mit höchstens acht Ecken.

(3b) Geben Sie ein Beispiel (sofern es überhaupt eines gibt)
(i) eines paaren Graphen, der regulär ist;
(ii) eines kubischen Graphen mit neun Ecken;
(iii) eines Platonischen Graphen, der bipartit ist;
(iv) eines schlichten Graphen mit n Ecken und $\frac{1}{2}(n - 1)(n - 2)$ Kanten (für jedes n);
(v) eines schlichten Graphen, der isomorph ist zu seinem Kantengraphen;
(vi) eines schlichten Graphen, dessen Komplement und dessen Kantengraph isomorph sind;
(vii) eines Rades, dessen Komplement ein Kreis ist;
(viii) von vier zusammenhängenden Graphen, die regulär vom Grade vier sind;
(ix) eines Platonischen Graphen, der Kantengraph eines anderen Platonischen Graphen ist;
(x) eines zusammenhängenden Graphen, der nicht als Summe zweier Graphen ausgedrückt werden kann.

(3c) Was können Sie sagen über
(i) die Summe zweier vollständiger Graphen;
(ii) das Komplement eines vollständig paaren Graphen;
(iii) die Komplemente des Tetraeder-, des Würfel- und des Oktaedergraphen;
(iv) das Komplement der Summe zweier schlichter Graphen?

(3d) Seien G, H und K schlichte Graphen; beweisen oder widerlegen Sie die folgenden Behauptungen:

(i) $G \cup (H + K) = (G \cup H) + (G \cup K)$;

(ii) $G + (H \cup K) = (G + H) \cup (G + K)$.

(3e) Beschreiben Sie die Nachbarschaftsmatrizen der vollständigen Graphen, der Nullgraphen, der paaren Graphen und der Kreise; was können Sie sagen über die Nachbarschaftsmatrizen eines schlichten Graphen und seines Komplements?

(3f) Zeigen Sie, wie man mittels eines paaren Graphen
(i) die Freundschaften zwischen einer Menge von Jungen und einer Menge von Mädchen oder
(ii) die Handelsbeziehungen zwischen verschiedenen Fabriken und den Abnehmern ihrer Produkte beschreiben kann. Schlagen Sie drei weitere Anwendungen paarer Graphen vor.

(3g) Sei G ein paarer Graph, dessen größter Eckengrad ρ ist. Beweisen Sie, daß ein paarer Graph $G' = G'(V_1, V_2)$ existiert, der regulär vom Grad ρ ist, der G als Teilgraph enthält und in welchem V_1 und V_2 die gleiche Anzahl von Ecken haben.

(3h) Zeigen Sie, daß der Kantengraph von $K_n \frac{1}{2} n\ (n-1)$ Ecken hat und regulär vom Grade $2n-4$ ist; leiten Sie entsprechende Resultate für $K_{m,n}$ her. Zeigen Sie auch, daß ein schlichter Graph genau dann zu seinem Kantengraphen isomorph ist, wenn er regulär vom Grade zwei ist, und beschreiben Sie alle diese Graphen.

(3i) Ein schlichter Graph, der zu seinem Komplement isomorph ist, heißt **selbstkomplementär**. Zeigen Sie, daß die Anzahl der Ecken eines selbstkomplementären Graphen notwendig von der Form $4k$ oder $4k + 1$ mit ganzzahligem k ist, und finden Sie alle selbstkomplementären Graphen mit vier oder fünf Ecken.

(3j) Zeigen Sie, daß sich in einer Ansammlung von sechs Menschen stets entweder drei Leute finden, die sich alle gegenseitig kennen, oder drei Leute, von denen keiner einen der anderen beiden kennt.

(3k) Geben Sie ein Beispiel
(i) eines unendlichen Graphen mit unendlich vielen Endecken;
(ii) eines unendlichen Graphen mit überabzählbar vielen Ecken und Kanten;
(iii) eines unendlichen, zusammenhängenden, kubischen Graphen;
(iv) eines unendlichen, paaren Graphen;
(v) eines unendlichen Graphen, der isomorph zu seinem Kantengraphen ist.

(*3l) Ein **Automorphismus** φ eines schlichten Graphen G ist eine umkehrbar eindeutige Abbildung der Eckenmenge von G auf sich selbst mit der Eigenschaft, daß $\varphi(v)$ und $\varphi(w)$ genau dann benachbart sind, wenn v und w es sind.
Zeigen Sie, daß
(i) die Automorphismen von G bezüglich Komposition eine Gruppe bilden (die **Automorphismengruppe** $\Gamma(G)$ von G);
(ii) die Gruppen $\Gamma(G)$ und $\Gamma(\overline{G})$ isomorph sind;
(iii) $\Gamma(K_n)$ die symmetrische Gruppe auf n Elementen ist;
(iv) $\Gamma(C_n)$ die Diedergruppe der Ordnung $2n$ ist;
(v) die Automorphismengruppe $\Gamma(P)$ des Petersengraphen P die symmetrische Gruppe auf fünf Elementen ist.
Bestimmen Sie auch die Automorphismengruppe von $K_{m,n}$ und geben Sie ein Beispiel für einen Graphen, dessen Automorphismengruppe zyklisch von der Ordnung drei ist.

(*3m) Die **Eigenwerte** eines Graphen werden definiert als die Eigenwerte seiner Nachbarschaftsmatrix; bestimmen Sie die Eigenwerte von C_5 und W_5. Zeigen Sie, daß die Summe der Eigenwerte eines schlichten Graphen Null ist und veranschaulichen Sie dies im Falle der vollständigen Graphen und der vollständig paaren Graphen.

§ 4. Einbettung von Graphen

Bis jetzt haben wir schon ständig Diagramme zur Darstellung von Graphen benutzt, wobei eine Ecke durch einen Punkt oder einen kleinen Kreis und eine Kante durch eine Strecke oder eine Kurve dargestellt wurde. Solche Diagramme sind zur Erforschung der Eigenschaften bestimmter Graphen recht nützlich und es ist naheliegend zu fragen, was es denn eigentlich bedeutet, einen Graphen ‚darzustellen' durch ein Diagramm, und ob man alle Graphen so darstellen kann. Der Leser, der ganz glücklich darüber ist, Bilder zeichnen zu können, und sich nicht befassen will mit der Rechtfertigung dieses Tuns, der mag diesen Abschnitt im Augenblick überschlagen in der sicheren Erkenntnis, daß alles schon seine Richtigkeit hat – aber er wird hierauf zurückkommen müssen, wenn er bei Kapitel 5 angelangt ist.

★ Was wir gerne tun würden ist, Graphen in einem Raum – zum Beispiel in der Ebene oder im dreidimensionalen, euklidischen Raum – so darzustellen, daß keine ‚Überschneidungen' auftreten (ein Ausdruck, den wir weiter unten formal definieren werden, aber dessen intuitive Bedeutung klar ist). Zum Beispiel stellt Abbildung 4.1 K_4 dar, enthält aber eine Überschneidung;

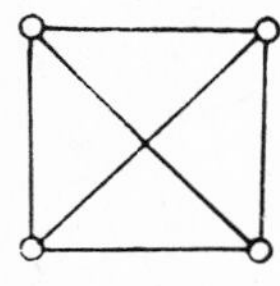

Abb. 4.1

wir haben vielleicht lieber eine Darstellung (z. B. Abb. 3.2), die keine Überschneidung enthält. In der Tat werden wir sehen, daß sich jeder Graph ohne Überschneidungen im dreidimensionalen Raum realisieren läßt, daß aber eine derartige Darstellung in der Ebene *nicht* immer möglich ist; insbesondere können K_5 und $K_{3,3}$ (Abb. 3.3 und 2.5), wie wir in § 12 zeigen werden, nicht ohne Überschneidungen in die Ebene gezeichnet werden.

Bevor wir die Einbettung eines Graphen definieren, erinnern wir den Leser daran, daß man unter einer **Jordankurve** in der Ebene eine stetige Kurve versteht, die sich nicht selbst schneidet; eine **geschlossene Jordankurve** ist eine solche, deren Endpunkte zusammenfallen (siehe Abb. 4.2). Entspre-

Abb. 4.2

chend können Jordankurven im dreidimensionalen Raum definiert werden oder auf der Oberfläche von Körpern wie Kugel oder Torus. Später werden wir eine Variante des berühmten **Jordanschen Kurvensatzes** brauchen, die folgendes aussagt: Ist $\mathscr{C}$ eine geschlossene Jordankurve in der Ebene und sind x und y irgend zwei Punkte von $\mathscr{C}$, so liegt jede Jordankurve, die x und y verbindet, entweder ganz im Inneren von $\mathscr{C}$ (x und y natürlich ausgenommen) oder ganz im Äußeren von $\mathscr{C}$ (mit denselben Ausnahmen) oder sie schneidet $\mathscr{C}$ in mindestens einem, von x und y verschiedenen Punkt

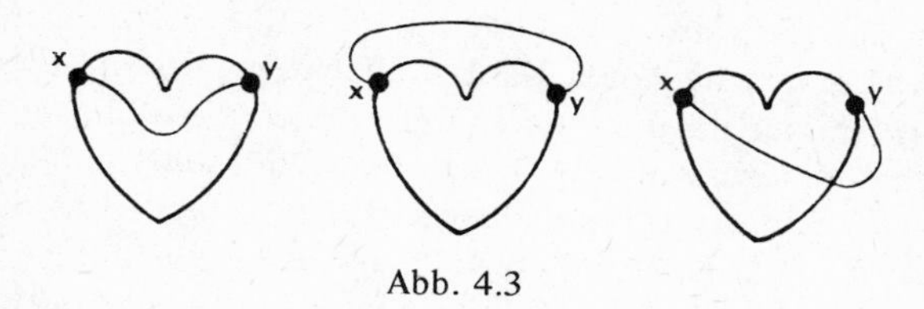

Abb. 4.3

(siehe Abb. 4.3). (Weitere Einzelheiten zum Jordanschen Kurvensatz und zu verwandten Problemen findet man in manchem Buch über Analysis, zum Beispiel in Mangoldt–Knopp Bd. II [16], oder in Büchern über Topologie.)

Wir sind nun in der Lage, die Einbettung eines Graphen in einen gegebenen Raum zu definieren; dabei denken wir an diejenigen Räume, in denen Jordankurven definiert werden können, in erster Linie aber an die Ebene und an den dreidimensionalen Raum. Ein Graph **kann eingebettet werden** (oder **gestattet eine Einbettung**) in einen gegebenen Raum, wenn er isomorph ist zu einem Graphen, dessen Ecken durch Punkte in diesem Raum und dessen Kanten durch Jordankurven mit den entsprechenden Ecken als Endpunkten derart gegeben werden, daß keine Überschneidungen vorkommen; dabei sagen wir, daß ein Überschneidung auftritt, wenn entweder (i) zwei der Jordankurven, welche zwei Kanten entsprechen, oder wenn (ii) die einer Kante entsprechende Jordankurve durch einen Punkt geht, welcher einer Ecke entspricht, die nicht mit dieser Kante inzident ist. (Der Fall (ii) ist in Abb. 4.4 dargestellt; hier ist die Ecke v nicht inzident mit der Kante e_1.)

Wir werden nun das Hauptergebnis dieses Abschnitts beweisen – daß man nämlich jeden Graphen in den dreidimensionalen Raum einbetten kann. Die entsprechende Aussage für unendliche Graphen, die ‚nicht zu viele‘ Ecken

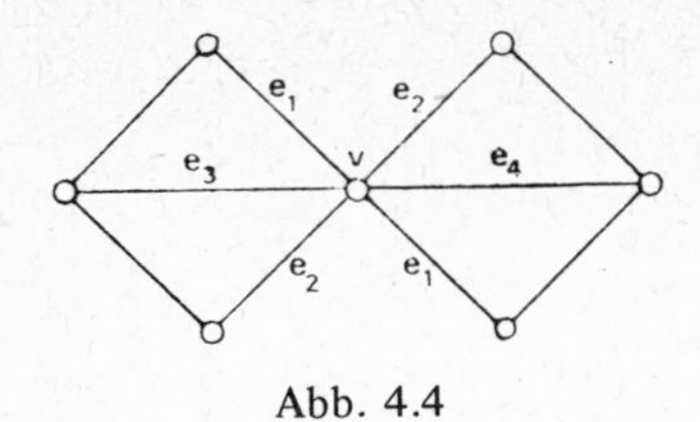

Abb. 4.4

und Kanten enthalten, finden Sie in Aufgabe 4a; für allgemeine unendliche Graphen ist diese Aussage jedoch falsch.

Satz 4A: *Jeder Graph kann in den Euklidischen dreidimensionalen Raum eingebettet werden.*

Beweis. Wir geben eine explizite Konstruktion für die Einbettung an. Zunächst nehmen wir verschiedene Punkte der x-Achse als Ecken des Graphen; dann wählen wir für jede Kante des Graphen eine Ebene durch die x-Achse und zwar derart, daß verschiedenen Kanten auch verschiedene Ebenen entsprechen. (Dies ist immer möglich, da es nur endlich viele Kanten gibt.) Die gewünschte Einbettung erhält man nun wie folgt: Für jede Schlinge des Graphen zeichnen wir in der entsprechenden Ebene einen Kreis durch die betreffende Ecke; für jede Kante, die zwei verschiedene Ecken verbindet, zeichnen wir in der entsprechenden Ebene einen diese Ecken verbindenden Halbkreis. Offenbar können sich keine zwei dieser Kurven schneiden (abgesehen von Ecken, mit denen eventuell die zugehörigen Kanten beide inzident sind), denn sie liegen in verschiedenen Ebenen; die Behauptung folgt nun unmittelbar. //

Der obige Satz liefert uns die Rechtfertigung für den Gebrauch der Diagramme zur Darstellung von Graphen, nach der wir gesucht haben; wir nehmen einfach eine dreidimensionale Einbettung und projizieren sie auf die Ebene und zwar so, daß keine zwei Ecken in denselben Punkt abgebildet werden. Natürlich wird dies im allgemeinen zu Überschneidungen führen, aber in einigen Fällen werden wir Diagramme ohne Überschneidungen erhalten. Dies kann nur dann eintreten, wenn der fragliche Graph in die Ebene eingebettet werden kann; ein solcher Graph heißt ein **planarer Graph**. Planare Graphen werden wir im einzelnen in Kapitel 5 studieren, wir haben aber schon mehrere Beispiele kennengelernt, z. B. K_4, die Nullgraphen, die Platonischen Graphen, die Kreise, die Räder und die Sterne.

Wir beschließen diesen Abschnitt mit dem Beweis eines einfachen Ergebnisses, das wir später benötigen werden. In den Beweis geht die folgende Definition ein: Ist ein Graph G in irgendeinen Raum eingebettet, so heißt ein Punkt x des Raumes **disjunkt** zu G, wenn x weder eine Ecke von G repräsentiert noch auf einer der den Kanten von G entsprechenden Jordankurven liegt.

Satz 4B. *Ein Graph ist genau dann planar, wenn er in die Oberfläche der Kugel eingebettet werden kann.*

Beweis. Sei G ein in die Oberfläche der Kugel eingebetteter Graph; wir setzen die Kugel so auf eine Ebene, daß der ‚Nordpol' (das sei derjenige Punkt, der dem Berührungspunkt diametral entgegengesetzt ist) disjunkt zu G ist. Dann erhalten wir die gewünschte ebene Realisierung durch stereographische Projektion vom Nordpol aus (siehe Abb. 4.5). Die umgekehrte Richtung geht ganz ähnlich, wir überlassen sie dem Leser als Aufgabe. //

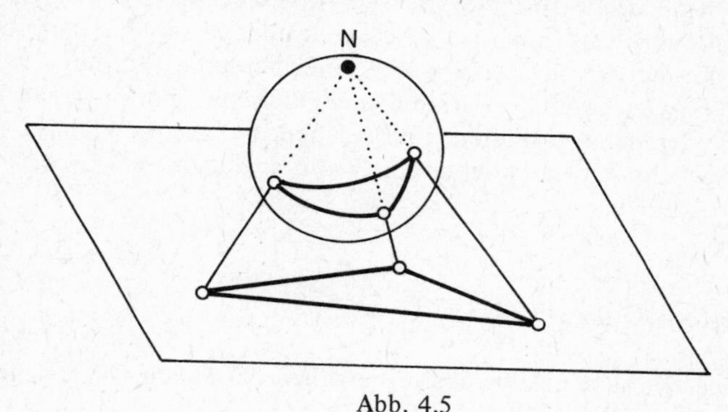

Abb. 4.5

Aufgaben

(4a) Zeigen Sie, daß ein unendlicher Graph genau dann in den dreidimensionalen Euklidischen Raum eingebettet werden kann, wenn sich seine Eckenmenge und seine Kantenmenge umkehrbar eindeutig auf je eine Teilmenge der reellen Zahlen abbilden läßt.

(4b) Weisen Sie nach, daß die oben erwähnten Beispiele planarer Graphen in der Tat planar sind. Zeigen Sie, daß jeder Teilgraph eines planaren Graphen ebenfalls planar ist, und bestimmen Sie unter der Voraussetzung, daß $K_{3,3}$ nichtplanar ist, die planaren unter den vollständig bipartiten Graphen.

(4c) Beweisen Sie, daß man jeden schlichten Graphen derart in den dreidimensionalen Euklidischen Raum einbetten kann, daß alle seine Kanten durch Geradenstücke repräsentiert werden.

(4d) Verifizieren Sie Satz 4B im einzelnen im Falle der Platonischen Graphen.

(4e) Weisen Sie nach, daß man sowohl K_5 als auch $K_{3,3}$ in die Oberfläche des Torus einbetten kann. (Der Torus ist in Abb. 14.1 auf Seite 74 dargestellt.)

(*4f) Überlegen Sie sich, wie ein k-Graph (siehe Aufgabe 2i) in den $(k + 1)$-dimensionalen Euklidischen Raum eingebettet werden kann.

(*4g) Die **Dimension** eines Graphen G ist die kleinste ganze Zahl k mit der Eigenschaft, daß G so in den k-dimensionalen Euklidischen Raum eingebettet werden kann, daß je zwei Ecken v und w genau dann benachbart sind, wenn ihr Abstand gleich eins ist. Beweisen Sie, daß die Dimension stets existiert, und bestimmen Sie die Dimension (i) von K_n; (ii) der Kreise; (iii) der Platonischen Graphen. ★

3 Linien und Kreise

Inzwischen haben wir eine beachtliche Sammlung von Graphen zur Verfügung und wir können damit beginnen, ihre Eigenschaften zu betrachten. Dazu benötigen wir einige Definitionen, die verschiedene Möglichkeiten beschreiben, ‚von einer Ecke zu einer anderen zu gelangen'. In § 5 werden wir diese Definitionen bringen und einige Aussagen über Zusammenhang beweisen. Die Paragraphen 6 und 7 sind einem eingehenderen Studium zweier besonderer Typen von Graphen gewidmet, nämlich solchen, in denen es Linien gibt, die jede Kante enthalten, und solchen, in denen es Kreise gibt, die jede Ecke enthalten. Wir beschließen das Kapitel mit einem Abschnitt über unendliche Graphen.

§ 5. Weitere Definitionen

Unter einer **Kantenfolge** in einem beliebigen Graphen G verstehen wir eine endliche Folge von Kanten der Form

$$\{v_0, v_1\}, \{v_1, v_2\}, \ldots, \{v_{m-1}, v_m\}$$

(die dann auch mit $v_0 \to v_1 \to \ldots \to v_m$ bezeichnet wird). Offensichtlich hat eine Kantenfolge die Eigenschaft, daß je zwei aufeinanderfolgende Kanten entweder benachbart oder identisch sind; jedoch ist nicht jede beliebige Folge von Kanten von G, die diese Eigenschaft hat, notwendigerweise eine Kantenfolge (man betrachte etwa einen Stern und nehme seine Kanten in irgendeiner Reihenfolge). Zu einer Kantenfolge gehört trivialerweise eine Folge von Ecken $v_0, v_1, \ldots, v_m$; wir nennen v_0 die **Startecke** und v_m die **Zielecke** der Kantenfolge und sprechen auch von einer **Kantenfolge von v_0 nach v_m**. Insbesondere ist für eine beliebige Ecke v_0 die triviale Kantenfolge, die keine Kanten enthält, eine Kantenfolge von v_0 nach v_0. Die Anzahl der Kanten in einer Kantenfolge nennen wir ihre **Länge**; zum Beispiel ist in Abb. 5.1 $v \to w \to x \to y \to z \to z \to y \to w$ eine Kantenfolge der Länge sieben von v nach w.

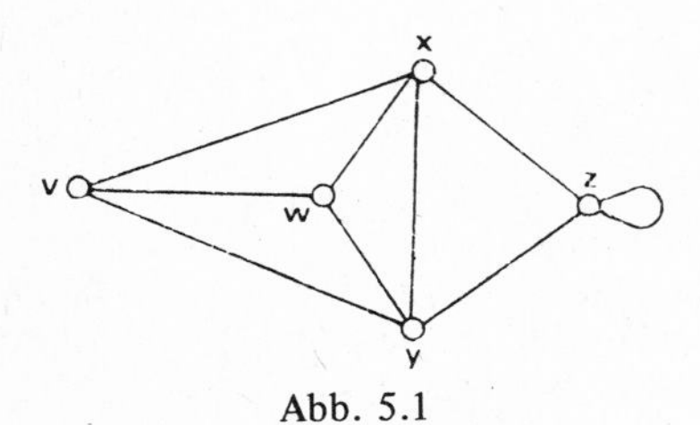

Abb. 5.1

Der Begriff der Kantenfolge ist für unsere Zwecke zu allgemein, daher machen wir weitere Einschränkungen. Eine Kantenfolge, in der alle Kanten verschieden sind, nennen wir eine **Linie**; sind zudem noch die Ecken v_0, $v_1, \ldots, v_m$ verschieden (abgesehen von möglicherweise $v_0 = v_m$), so heißt die Linie ein **Weg**. Eine Linie oder ein Weg heißt **geschlossen**, falls $v_0 = v_m$ ist, und ein geschlossener Weg mit mindestens einer Kante heißt ein **Kreis**; danach bildet insbesondere jede Schlinge sowie jedes Paar von Kanten mit denselben Ecken einen Kreis.

Bemerkung. Wir sind hier wieder bei einem Punkt, wo die Terminologie verschiedener Autoren weit auseinanderklafft. Eine Kantenfolge erscheint in der Literatur auch als Pfad, Weg oder Kantensequenz; eine Linie erscheint als Kantenzug, Kantenkette oder Weg; ein Weg als elementarer Kantenzug, einfacher Weg oder kreuzungsfreier Weg; eine geschlossene Linie als Zyklus, Kreislinie oder geschlossener Weg und ein Kreis als Zyklus, kreisförmiger Weg oder einfacher Zyklus!

Zur Abklärung der obigen Begriffe wollen wir wieder Abb. 5.1 betrachten. Wir erkennen, daß $v \to w \to x \to y \to z \to z \to x$ eine Linie ist, $v \to w \to x \to y \to z$ ein Weg, $v \to w \to x \to y \to z \to x \to v$ eine geschlossene Linie und $v \to w \to x \to y \to z$ ein Kreis. Ein Kreis der Länge drei (wie zum Beispiel $v \to w \to x \to v$) heißt auch **Dreieck**. Die Ausdehnung aller dieser Begriffe auf unendliche Graphen und auf Digraphen stellen wir bis zu den einschlägigen Abschnitten (§ 8 und § 22) zurück.

Wir können nun eine andere, vielleicht zweckmäßigere Definition eines zusammenhängenden Graphen geben. Ein Graph G heißt **zusammenhängend**, falls es zu je zwei Ecken, v, w von G einen Weg von v nach w gibt. Ein beliebiger Graph kann in disjunkte, zusammenhängende Teilgraphen zerlegt werden, die man seine **(Zusammenhangs-)Komponenten** nennt, indem man eine Äquivalenzrelation auf der Eckenmenge von G definiert: Zwei Ecken heißen äquivalent (oder verbunden), wenn es einen Weg von der einen Ecke zur anderen gibt. Wir überlassen es dem Leser, nachzuweisen, daß die so definierte Verbundenheit von Ecken in der Tat eine Äquivalenzrelation ist, und daß man jede der gewünschten Komponenten erhält, indem man die Ecken einer Äquivalenzklasse und die mit diesen inzidenten Kanten nimmt. Natürlich hat ein zusammenhängender Graph nur eine Komponente; ein Graph mit mehr als einer Komponente heißt **unzusammenhängend.** Wir werden nun beweisen, daß diese Definitionen in Einklang stehen mit den in § 3 gegebenen.

Satz 5A. *Ein Graph ist genau dann im obigen Sinne zusammenhängend, wenn er im Sinne von § 3 zusammenhängend ist.*

Beweis. Sei G ein Graph, der im obigen Sinne zusammenhängend ist. Angenommen, G ist die Vereinigung zweier (disjunkter) Teilgraphen, und v und w sind zwei Ecken, aus jedem der Teilgraphen eine. Dann enthält jeder Weg von v nach w eine Kante, die mit je einer Ecke aus jedem der beiden Teilgraphen inzident ist; da es aber keine solche Ecke gibt, haben wir einen Widerspruch.

Nun sei vorausgesetzt, daß G zusammenhängend im Sinne von § 3 ist, und wir nehmen an, daß es zu einem gewissen Paar von Ecken v und w keinen Verbindungsweg gibt; definieren wir Zusammenhangskomponenten wie oben, so liegen demnach v und w in verschiedenen Komponenten. Wir können dann G ausdrücken als Vereinigung zweier Teilgraphen, wovon einer diejenige Komponente ist, welche v enthält, und der andere die Vereinigung der übrigen Komponenten; dies liefert den gewünschten Widerspruch. //

Nachdem wir nun wissen, was Zusammenhang bedeutet, werden wir natürlich versuchen, einiges über zusammenhängende Graphen herauszufinden. Eine Forschungsrichtung zielt darauf ab, Schranken zu finden für die Anzahl der Kanten eines schlichten Graphen mit n Ecken und einer gegebenen Anzahl von Komponenten. Ist ein solcher Graph zusammenhängend, so erscheint die Vermutung plausibel, daß der Graph die wenigsten Kanten hat, wenn er keine Kreise enthält – ein solcher Graph wird als **Baum** bezeichnet – und die meisten Kanten, wenn er ein vollständiger Graph ist; das würde bedeuten, daß die Anzahl der Ecken zwischen $n - 1$ und $\frac{1}{2}n(n-1)$ liegen muß. Tatsächlich werden wir einen stärkeren Satz beweisen, der diese Aussage als Spezialfall enthält.

Satz 5B. *Sei G ein schlichter Graph mit n Ecken; wenn G k Komponenten hat, so genügt die Anzahl m der Kanten von G den Ungleichungen*

$$n - k \leqq m \leqq \frac{1}{2}(n-k)(n-k+1).$$

Beweis. Den Beweis von $m \geqq n - k$ erbringen wir durch vollständige Induktion nach der Anzahl der Kanten von G, wobei die Behauptung trivial ist im Falle daß G ein Nullgraph ist. Wenn G so wenig Kanten wie möglich enthält (etwa m_0), dann erhöht die Entfernung einer Kante von G die Anzahl der Komponenten um eins, und der verbleibende Graph hat dann n Ecken, $k + 1$ Komponenten und $m_0 - 1$ Kanten. Aus der Induktionsannahme folgt $m_0 - 1 \geqq n - (k + 1)$, woraus wir unmittelbar $m_0 \geqq n - k$ erhalten, wie behauptet.

Zum Beweis der oberen Schranke können wir annehmen, daß jede Komponente von G ein vollständiger Graph ist. Nun nehmen wir an, daß G zwei Komponenten C_i und C_j enthält mit n_i bzw. n_j Ecken, wobei $n_i \geqq n_j > 1$. Ersetzen wir C_i und C_j durch vollständige Graphen mit $n_i + 1$ bzw. $n_j - 1$ Ecken, so bleibt die Gesamtzahl der Ecken unverändert, aber die Anzahl der Kanten erhöht sich um

$$\frac{1}{2}\{(n_i+1)n_i - n_i(n_i-1)\} - \frac{1}{2}\{n_j(n_j-1) - (n_j-1)(n_j-2)\} = n_i - n_j + 1$$

und das ist eine positive Zahl. Daraus folgt, daß die maximale Anzahl von Kanten nur dann erreicht wird, wenn G aus einem vollständigen Graphen mit $n - k + 1$ Ecken und $k - 1$ isolierten Ecken besteht; nunmehr folgt die Behauptung unmittelbar. //

Korollar 5C. *Jeder schlichte Graph mit n Ecken und mehr als* $\frac{1}{2}(n-1)(n-2)$ *Kanten ist zusammenhängend.* //

Ein anderer Zugang zum Studium zusammenhängender Graphen eröffnet sich, wenn man die Frage stellt, ‚wie zusammenhängend ist ein zusammenhängender Graph?' Eine mögliche Interpretation dieser Frage besteht darin, zu untersuchen, wie viele Kanten man aus dem Graphen entfernen muß, damit er auseinanderfällt. Wir beschließen diesen Abschnitt mit zwei Definitionen, die bei der Untersuchung einer solchen Frage nützlich sind. Eine **trennende Kantenmenge** eines zusammenhängenden Graphen G ist eine Menge von Kanten von G, nach deren Entfernung ein unzusammenhängender Graph übrigbleibt; zum Beispiel sind im Graphen der Abb. 5.2 die Mengen $\{e_1, e_2, e_5\}$ und $\{e_3, e_6, e_7, e_8\}$ beide trennende Kantenmengen von G, und der nach Entfernung der zweiten dieser Mengen verbleibende Graph ist in Abb. 5.3 dar-

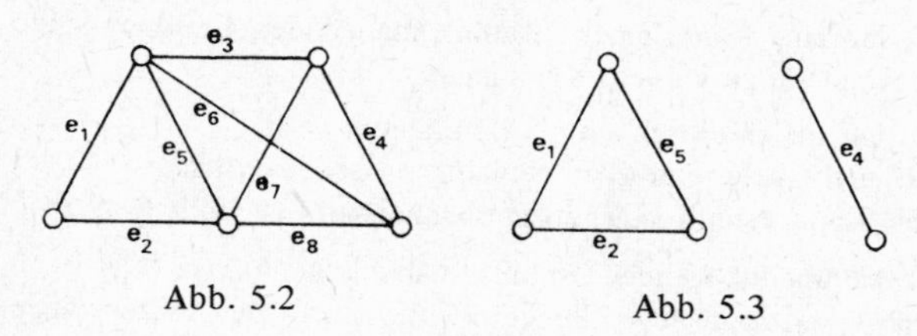

Abb. 5.2 Abb. 5.3

gestellt. Ferner definieren wir einen **Schnitt** als eine trennende Kantenmenge, bei der keine echte Teilmenge eine trennende Kantenmenge ist; so ist in dem eben erwähnten Beispiel nur die zweite trennende Kantenmenge wirklich ein Schnitt. Es ist klar, daß man durch die Entfernung der Kanten eines Schnittes stets einen Graphen mit genau zwei Komponenten erhält. Wenn ein Schnitt aus genau einer Kante e besteht, so nennen wir e eine **Brücke** (siehe Abb. 5.4).

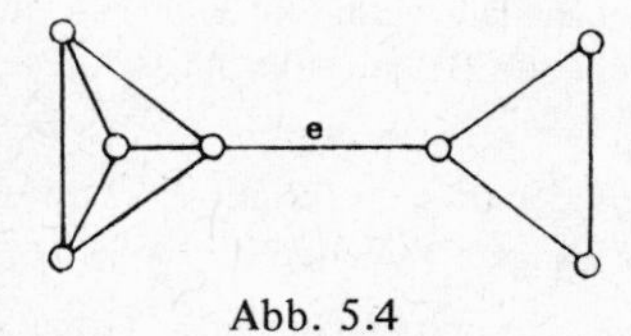

Abb. 5.4

Diese Definitionen können natürlich auf unzusammenhängende Graphen ausgedehnt werden: Ist G ein beliebiger Graph, so ist eine **trennende Kantenmenge** von G eine solche Menge von Kanten von G, deren Entfernung die Anzahl der Komponenten erhöht; ein **Schnitt** von G ist eine trennende Kantenmenge, welche keine echte Teilmenge enthält, die ebenfalls eine trennende Kantenmenge ist. Man beachte, daß die Entfernung der Kanten eines Schnittes von G die Anzahl der Komponenten nur um eins erhöht.

Es wird sich herausstellen, daß es zwischen den Eigenschaften von Kreisen und denen von Schnitten eine auffallende und unerwartete Ähnlichkeit gibt; der Leser wird das erkennen, wenn er sich die Aufgaben 5f, 5i, 5j, 6h und 6i ansieht. Der Grund dafür wird in Kapitel 9 hervortreten, dann wird alles plötzlich klar werden!

Aufgaben

(5a) Finden Sie im Petersengraphen
(i) eine Kantenfolge der Länge vier;
(ii) Kreise der Längen fünf, sechs, acht und neun;
(iii) Schnitte, die aus drei bzw. vier bzw. fünf Kanten bestehen.

(5b) Die **Taille** eines Graphen wird definiert als die Länge seines kürzesten Kreises; bestimmen Sie die Taille (i) von K_n; (ii) von $K_{m,n}$; (iii) von C_n; (iv) von W_n; (v) der Platononischen Graphen; (vi) des Petersengraphen.

(5c) Zeigen Sie, daß eine Kante eines zusammenhängenden Graphen genau dann eine Brücke ist, wenn sie zu keinem Kreis gehört.

(5d) Zeigen Sie, daß für einen schlichten Graphen G
(i) G und $\overline{G}$ nicht beide unzusammenhängend sein können;
(ii) auch der Kantengraph $L(G)$ zusammenhängend ist, falls G es ist.

(5e) Sei G ein zusammenhängender Graph mit der Eckenmenge $\{v_1, \ldots, v_n\}$ und der Nachbarschaftsmatrix A. Beweisen Sie, daß die Anzahl der Kantenfolgen der Länge k von v_i nach v_j gegeben wird durch das Element an der Stelle (i,j) der Matrix A^k. Zeigen Sie auch, daß im Falle eines schlichten Graphen für die Anzahl c der Dreiecke in G die Gleichung $6c = \text{Spur}\ (A^3)$ gilt. (Die Spur einer quadratischen Matrix ist die Summe der Elemente in ihrer Hauptdiagonalen.)

(5f) Zeigen Sie: Wenn zwei verschiedene Kreise eines Graphen G eine Kante e gemeinsam haben, so gibt es auch einen Kreis in G, der diese Kante e nicht enthält. Zeigen Sie auch, daß auch eine analoge Aussage gilt mit dem Wort „Schnitt" an Stelle von „Kreis".

(5g) Zeigen Sie, daß ein Graph genau dann paar ist, wenn alle seine Kreise gerade Länge haben; können Sie eine entsprechende Behauptung für Schnitte aufstellen?

(5h) Sei G ein schlichter Graph, in dem $\rho(v) \geqq r$ $(r \geqq 2)$ für alle Ecken v gilt; zeigen Sie, daß G einen Kreis mindestens der Länge $r + 1$ enthält.

(5i) Sei C ein Kreis und C^* ein Schnitt eines zusammenhängenden Graphen; zeigen Sie, daß die Anzahl der Kanten, die C und C^* gemeinsam haben, gerade ist. Zeigen Sie ferner, daß man eine Menge von Kanten, die mit jedem Schnitt eine gerade Anzahl von Kanten gemeinsam hat, derart in Kreise zerlegen kann, daß keine zwei der Kreise ein Kante gemeinsam haben.

(5j) Eine Menge E von Kanten eines Graphen heißt **unabhängig**, wenn G keinen Kreis enthält; zeigen Sie, daß
(i) jede Teilmenge einer unabhängigen Menge ebenfalls unabhängig ist;
(ii) zu unabhängigen Mengen I und J mit k bzw. $k + 1$ Kanten eine Kante e existiert, die zu J, aber nicht zu I gehört, mit der Eigenschaft, daß auch $I \cup \{e\}$ eine unabhängige Menge ist.
Zeigen Sie zudem, daß (i) und (ii) auch dann gelten, wenn wir das Wort ‚Kreis' durch ‚Schnitt' ersetzen.

(*5k) Sei G ein schlichter Graph mit $2n$ Ecken, der keine Dreiecke enthält. Zeigen Sie durch vollständige Induktion nach n, daß G höchstens n^2 Kanten hat, und belegen Sie mit einem Beispiel, daß diese obere Schranke auch erreicht wird. (Dieses Ergebnis ist bekannt unter dem Namen **Satz von Turan.**)

(5l) In einem zusammenhängenden Graphen bezeichne $d(v,w)$ den **Abstand** zwischen den Ecken v und w, das ist die Länge des kürzesten Weges von v nach w. Zeigen Sie, daß die Funktion d auf der Eckenmenge eine Metrik definiert, und daß diese Metrik die folgende Bedingungen erfüllt:
(i) für je zwei Ecken v und w ist $d(v,w)$ eine ganze Zahl;
(ii) ist $d(v,w) \geqq 2$, so existiert eine Ecke z mit $d(v,z) + d(z,w) = d(v,w)$.
Zeigen Sie auch, daß umgekehrt jeder metrische Raum, der den Bedingungen (i) und (ii) genügt, als metrischer Raum eines Graphen aufgefaßt werden kann.

(*5m) Der **Durchmesser** δ eines zusammenhängenden Graphen ist das Maximum der Eckenabstände in G; eine **Zentralecke** von G ist eine Ecke v mit der Eigenschaft, daß das Maximum der Abstände zwischen v und den anderen Ecken so klein wie möglich ist, und dieser Abstand heißt **Radius** r (also

$$r = \min_{v} \max_{w} d(v,w)).$$

Geben Sie ein Beispiel eines Graphen an, der mehr als eine Zentralecke hat. Bestimmen Sie Durchmesser und Radius von K_n, C_n, W_n und vom Petersengraphen. Beweisen Sie ferner $r \leqq \delta \leqq 2r$, sowie

$$\log (n\rho - 2n + 2) \leqq r \log (\rho - 1) + \log \rho,$$

wobei ρ den größten Eckengrad und n die Anzahl der Ecken von G bezeichnet.

(*5n) Wie würden Sie für einen k-Graphen Kantenfolgen, Wege, Zusammenhang und Schnitte definieren?

§ 6. Eulersche Graphen

Ein zusammenhängender Graph G heißt **Eulersch**, wenn es eine geschlossene Linie gibt, die jede Kante von G enthält; solch eine Linie wird dann eine **Eulersche Linie** genannt. Man beachte, daß die Definition verlangt, daß jede Kante genau einmal benützt wird. G heißt **semi-Eulersch**, wenn wir auf die Einschränkung verzichten, daß die Linie geschlossen ist; demnach ist jeder Eulersche Graph auch semi-Eulersch. In den Abb. 6.1, 6.2 und 6.3 sind

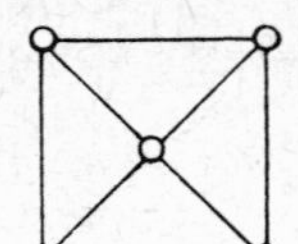

Abb. 6.1

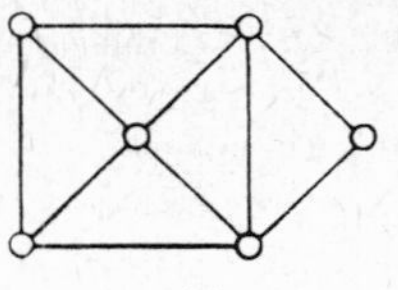

Abb. 6.2

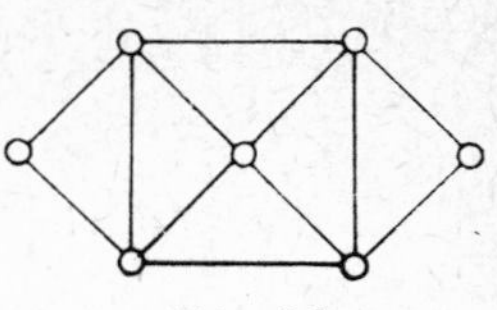

Abb. 6.3

Graphen dargestellt, die nicht Eulersch, semi-Eulersch bzw. Eulersch sind. Übrigens ist die Voraussetzung, daß G zusammenhängend ist, von recht nebensächlicher Natur; sie wurde gemacht, um den trivialen Fall eines Graphen auszuschließen, der isolierte Ecken enthält.

Probleme über Eulersche Graphen erscheinen häufig in Büchern über Unterhaltungsmathematik – ein typisches Problem ist etwa die Frage, ob man eine gegebene Figur zeichnen kann, ohne den Bleistift vom Papier abzuheben und ohne irgendwelche Linien mehrfach zu durchlaufen. Der Name ‚Eulersch' rührt daher, daß Euler der erste war, der das berühmte Königsberger Brückenproblem gelöst hat, welches im wesentlichen danach fragte, ob der Graph in Abb. 6.4 eine Eulersche Linie hat (er hat keine!).

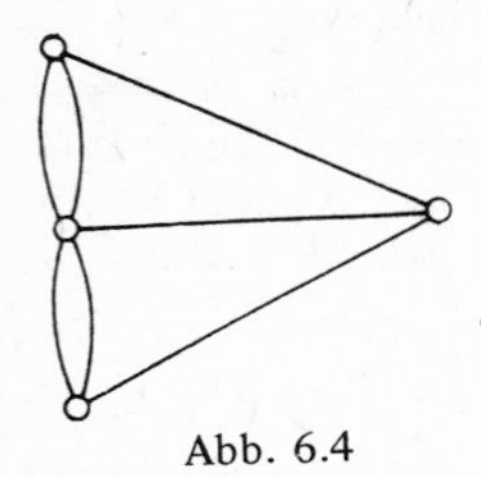

Abb. 6.4

Eine Frage stellt sich unmittelbar, nämlich: ‚Kann man notwendige und hinreichende Bedingungen dafür angeben, daß ein Graph Eulersch ist?' Bevor wir diese Frage in Satz 6B vollständig beantworten, beweisen wir einen einfachen Hilfssatz.

Lemma 6A. *Ist G ein Graph, in dem jede Ecke mindestens den Grad zwei hat, so enthält G einen Kreis.*

Beweis. Enthält G Schlingen oder Mehrfachkanten, so ist die Behauptung trivial; daher dürfen wir annehmen, daß G ein schlichter Graph ist. Sei v irgendeine Ecke von G; wir konstruieren konsekutiv eine Kantenfolge $v \to v_1 \to v_2 \ldots$, indem wir als v_1 irgendeine zu v benachbarte Ecke nehmen, und für $i \geqq 1$ als v_{i+1} irgendeine v_i benachbarte und von v_{i-1} verschiedene Ecke (die Existenz einer solchen Ecke v_{i+1} wird durch unsere Voraussetzungen garantiert). Da G nur endlich viele Ecken hat, müssen wir schließlich eine Ecke wählen, die wir früher schon einmal gewählt haben; ist v_k die erste solche Ecke, so ist der zwischen diesen beiden Stellen, an denen v_k auftritt, liegende Teil der Kantenfolge der gesuchte Kreis. //

Satz 6B. *Ein zusammenhängender Graph G ist dann und nur dann Eulersch, wenn der Grad jeder Ecke von G gerade ist.*

Beweis: ⇒ Angenommen, P sei eine Eulersche Linie von G. Bei jedem Durchgang durch eine Ecke leistet P einen Beitrag von zwei zum Grad dieser Ecke; da jede Kante genau einmal in P auftritt, hat somit jede Ecke geraden Grad.

⇐ Diesen Teil des Beweises erbringen wir durch vollständige Induktion nach der Anzahl der Kanten von G. Da G zusammenhängend ist, hat jede Ecke mindestens den Grad zwei, folglich enthält G nach obigem Lemma einen Kreis C. Enthält C jede Kante von G, so ist nichts mehr zu zeigen; wenn nicht, so entfernen wir von G die Kanten von C und erhalten so einen neuen (möglicherweise unzusammenhängenden) Graphen H, der weniger Kanten als G hat und in dem nach wie vor jede Ecke geraden Grad hat. Nach Induktionsannahme hat jede Komponente von H eine Eulersche Linie. Da wegen des Zusammenhangs von G jede Komponente von H mindestens eine Ecke mit C gemeinsam hat, erhalten wir die gewünschte Eulersche Linie von G, indem wir den Kanten von C bis zu einer nichtisolierten Ecke von H folgen, nun die Eulersche Linie derjenigen Komponente von H anhängen, die diese Ecke enthält, und dann wieder den Kanten von C folgen bis zu einer Ecke, die zu einer weiteren Komponente von H gehört, und so weiter; das ganze Verfahren bricht ab, wenn wir zur Ausgangsecke zurückkommen (siehe Abb. 6.5). //

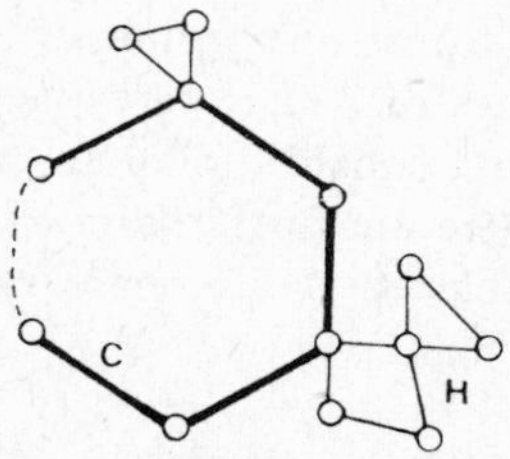

C
H

Abb. 6.5

Der eben gegebene Beweis kann leicht so abgeändert werden, daß man die folgenden beiden Resultate erhält. Wir überlassen die Einzelheiten dem Leser.

Korollar 6C. *Ein zusammenhängender Graph ist genau dann Eulersch, wenn seine Kantenfamilie in disjunkte Kreise zerlegt werden kann.* //

Korollar 6D. *Ein zusammenhängender Graph ist genau dann semi-Eulersch, wenn er nicht mehr als zwei Ecken ungeraden Grades enthält.* //

Wir bemerken, daß in einem semi-Eulerschen Graphen mit genau zwei Ecken ungeraden Grades jede semi-Eulersche Linie die eine dieser Ecken als Startecke und die andere als Zielecke hat. Nach dem Handschlaglemma kann ein Graph nicht genau eine Ecke ungeraden Grades haben.

★ Zum Abschluß unserer Diskussion Eulerscher Graphen geben wir nun einen Algorithmus zur Konstruktion einer Eulerschen Linie in einem gegebenen Eulerschen Graphen. Diese Methode ist als **Fleurys Algorithmus** bekannt.

Satz 6E. *Sei G ein Eulerscher Graph; die folgende Konstruktion ist dann stets möglich und liefert eine Eulersche Linie von G. Man beginne bei irgendeiner Ecke u und durchlaufe die Kanten in beliebiger Weise unter Einhaltung der folgenden Regeln:*

(i) *Jede Kante wird nach Durchlauf gelöscht, ebenso jede Ecke, die durch solche Kantenlöschungen isoliert wird;*

(ii) *Bei jedem Schritt ist eine Brücke (des Restgraphen) nur dann zu benutzen, wenn es keine andere Möglichkeit gibt.*

Beweis. Wir zeigen zunächst, daß die Konstruktion bei jedem Schritt tatsächlich durchgeführt werden kann. Angenommen, wir haben bereits eine Ecke v erreicht; ist $v \neq u$, so ist der verbleibende Teilgraph H zusammenhängend und enthält genau zwei Ecken ungeraden Grades – nämlich u und v. Nach Korollar 6D enthält H eine semi-Eulersche Linie P von v nach u. Da H durch die Entfernung der ersten Kante von P nicht zerfällt, ist folglich die Konstruktion bei jedem Schritt durchführbar. Im Falle $v = u$ ist der Beweis fast derselbe, solange es noch Kanten gibt, die mit u inzident sind.

Es bleibt also nur noch zu zeigen, daß die Konstruktion immer zu einer vollständigen Eulerschen Linie führt. Dies ist aber klar, da es keine nichtdurchlaufene Kante von G mehr geben kann, sobald die letzte, mit u inzidente Kante verwendet ist (anderenfalls hätte die Entfernung einer früheren, zu einer diesen beiden Kanten benachbarten Kante der Graphen zerlegt, im Widerspruch zu (ii)). //

Aufgaben

(6a) Für welche Werte von m und n sind die folgenden Graphen Eulersch: (i) $K_{m,n}$, (ii) K_n, (iii) W_n? Sind irgendwelche der Platonischen Graphen Eulersch? Wenn ja, dann gebe man eine Eulersche Linie an.

(6b) Beweisen Sie, daß im Falle eines zusammenhängenden Graphen G mit k (> 0) Ecken ungeraden Grades die minimale Anzahl von Linien, die insgesamt alle Kanten von G enthalten und paarweise keine Kante gemeinsam haben, durch $\frac{1}{2}k$ gegeben wird; leiten Sie davon Korollar 6D als Spezialfall her. Was passiert, wenn k ungerade ist?

(6c) Bestimmen Sie eine Eulersche Linie für den in Abb. 6.6 gezeigten Graphen mit Hilfe Fleurys Algorithmus.

(6d) Kann ein Springer auf einem Schachbrett (mit 8×8 Feldern) derart umherwandern, daß jeder mögliche Zug genau einmal vorkommt (dabei sagen wir, daß ein

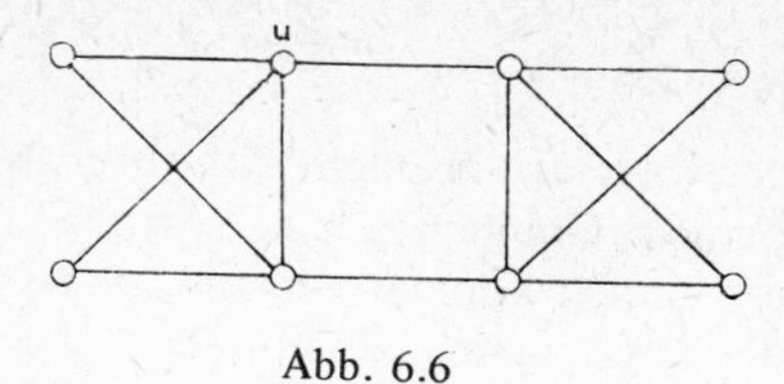

Abb. 6.6

Zug zwischen zwei Feldern ‚vorkommt', wenn er in einer der beiden Richtungen ausgeführt wird)? Man stelle diese Frage auch für einen König und für einen Turm. Wie würden Ihre Antworten ausfallen, wenn das Schachbrett 7 × 7 Felder hätte? Geben Sie für Ihre Antworten graphentheoretische Formulierungen.

(6e) Zeigen Sie, daß der Kantengraph eines Eulerschen, schlichten Graphen ebenfalls Eulersch ist. Ist umgekehrt der Kantengraph eines schlichten Graphen G als Eulersch vorausgesetzt, können wir dann schließen, daß G Eulersch ist?

(6f) Ein Eulerscher Graph heißt von der Ecke v aus **freizügig**, wenn man bei beliebigem, in v beginnendem Durchlaufen der Kanten, ohne eine Kante zweimal zu benutzen, stets eine Eulersche Linie erhält. Zeigen Sie, daß der in Abb. 6.7 gezeigte

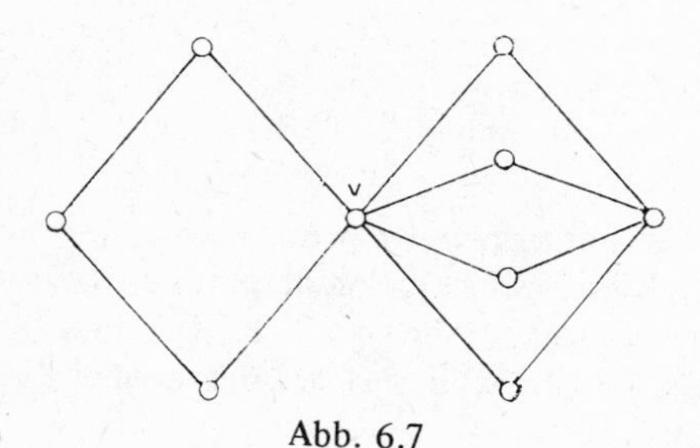

Abb. 6.7

Graph freizügig ist, und geben Sie ein Beispiel für einen Graphen an, der es nicht ist. Können Sie Eulersche Graphen angeben, die von zwei verschiedenen Ecken aus freizügig sind? Können Sie darlegen, warum ein freizügiger Graph als zweckmäßige Anordnung für eine Ausstellung angesehen werden kann?

(*6g) Zeigen Sie, daß K_5 264 Eulersche Linien besitzt. Wieviele verschiedene Möglichkeiten gibt es, die Menge der fünfzehn Dominosteine 0–0 bis 4–4 derart kreisförmig auszulegen, daß jeweils gleiche Zahlen aneinander stoßen?

(*6h) Sei V der einem Graphen zugeordnete Vektorraum (im Sinne von Aufgabe 2j). Zeigen Sie mit Hilfe von Korollar 6C, daß die Vektorsumme $C + D$ zweier Kreise C und D geschrieben werden kann als kantendisjunkte Vereinigung von Kreisen; folgern Sie daraus, daß die Menge all dieser Vereinigungen von Kreisen von G einen Teilraum W von V bildet (welcher **Zyklenraum** von G genannt wird).

(*6i) Mit den Bezeichnungen der vorstehenden Aufgabe zeige man analog, daß die Menge der kantendisjunkten Vereinigungen von Schnitten von G einen Teilraum $\widetilde{W}$ von V bildet (**Schnittraum** oder **Kozyklenraum** von G genannt).
Bestimmen Sie die Dimensionen von W und $\widetilde{W}$. (Vergleiche auch Aufgabe 9k.)

§ 7. Hamiltonsche Graphen

Im vorhergehenden Abschnitt haben wir das Problem diskutiert, wann es in einem gegebenen, zusammenhängenden Graphen G eine geschlossene Linie gibt, die jede Kante enthält. Ganz ähnlich können wir uns auch fragen, ob es eine geschlossene Linie gibt, die genau einmal durch jede Ecke von G geht. Es ist klar, daß so eine Linie ein Kreis sein muß (abgesehen vom Trivialfall, daß G der Graph N_1 ist); wenn solch ein Kreis existiert, so wird er ein **Hamiltonscher Kreis** genannt und G heißt dann ein **Hamiltonscher Graph**. Ein Graph, der einen Weg enthält, der durch jede Ecke geht, heißt **semi-Hamiltonsch**; insbesondere ist also jeder Hamiltonsche Graph semi-Hamiltonsch. In der Abbildung 7.1 bzw. 7.2 bzw. 7.3 ist ein nicht-Hamiltonscher bzw. ein semi-Hamiltonscher bzw. ein Hamiltonscher Graph dargestellt.

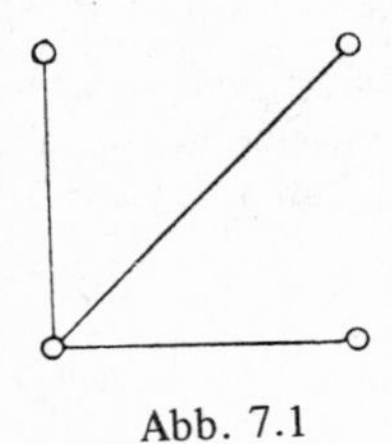

Abb. 7.1

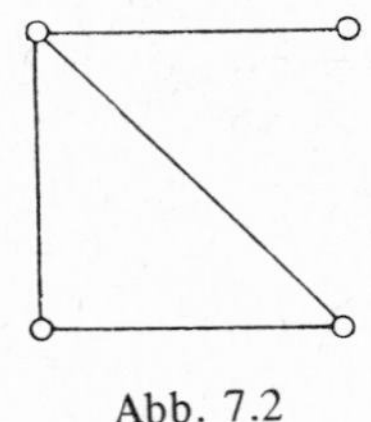

Abb. 7.2

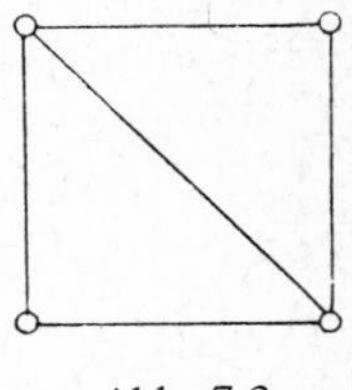

Abb. 7.3

Der Name ‚Hamiltonscher Kreis' hat seinen Ursprung darin, daß Sir William Hamilton die Existenz solcher Kreise im Dodekaedergraphen nachwies (obwohl ein allgemeineres Problem schon früher von T. P. Kirkman untersucht worden war); ein solcher Kreis wird in Abb. 7.4 gezeigt, wobei die durchgezogenen Linien seine Kanten darstellen.

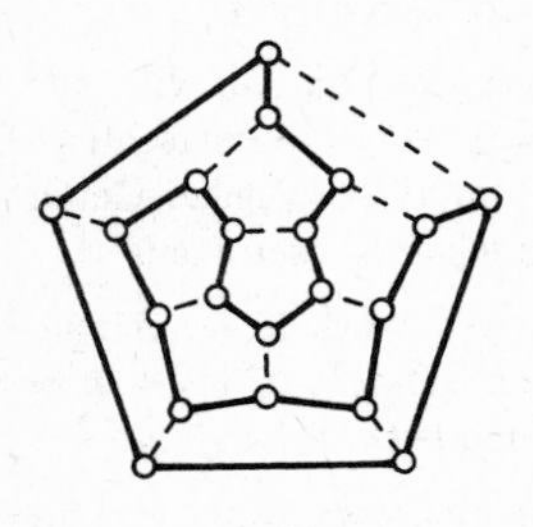

Abb. 7.4

In Satz 6B erhielten wir eine notwendige und hinreichende Bedingung dafür, daß ein zusammenhängender Graph Eulersch ist, und es ist vielleicht naheliegend zu erwarten, daß wir eine ähnliche Charakterisierung für Hamiltonsche Graphen erhalten können. Es ist aber gerade so, daß das Auffinden einer solchen Charakterisierung eines der wesentlichen ungelösten Probleme der Graphentheorie ist! Tatsächlich weiß man im allgemeinen über Hamiltonsche

Graphen herzlich wenig. Die meisten der bekannten Sätze haben die Form ‚wenn G genug Kanten hat, dann ist G Hamiltonsch'; der wahrscheinlich berühmteste davon ist der folgende, der auf G. A. Dirac zurückgeht und, einleuchtend genug, als **Diracs Satz** bekannt ist.

Satz 7A (Dirac 1952). *Ist G ein schlichter Graph mit n ($\geqq 3$) Ecken und $\rho(v) \geqq \frac{1}{2}n$ für jede Ecke v, dann ist G Hamiltonsch.*

Bemerkung. Es gibt verschiedene Beweise dieses wohlbekannten Satzes; der hier wiedergegebene Beweis stammt von D. J. Newman.

Beweis. Zum Beweis dieses Satzes führen wir k neue Ecken ein, die sämtlich mit allen Ecken von G verbunden werden; wir nehmen an, daß k die kleinste Anzahl solcher Ecken ist, die notwendig ist, um den entstehenden Graphen G' Hamiltonsch zu machen. Wir nehmen $k > 0$ an und werden dann einen Widerspruch herleiten.

Sei $v \to p \to w \to \ldots \to v$ ein Hamiltonscher Kreis von G', wobei v und w Ecken von G sind und p eine der neuen Ecken ist. Dann kann w nicht zu v benachbart sein, andernfalls könnten wir p weglassen im Widerspruch zur Minimalität von k. Ferner kann eine zu w benachbarte Ecke (etwa w') nicht unmittelbar auf eine zu v benachbarte Ecke v' folgen, sonst können wir $v \to p \to w \to \ldots \to v' \to w' \to \ldots \to v$ ersetzen durch $v \to v' \to \ldots \to w \to w' \to \ldots \to v$, indem wir den zwischen w und v' gelegenen Teil umkehren. Also ist die Anzahl der nicht zu w benachbarten Ecken von G' mindestens so groß wie die Anzahl der zu v benachbarten Ecken (d. h. mindestens $\frac{1}{2}n + k$); natürlich ist die Anzahl der zu w benachbarten Ecken von G' auch mindestens $\frac{1}{2}n + k$. Da keine Ecke von G' gleichzeitig zu w benachbart und nicht benachbart sein kann, ist folglich die Gesamtzahl $n + k$ der Ecken von G' mindestens gleich $n + 2k$, womit wir den gewünschten Widerspruch haben. //

Aufgaben

(7a) Für welche Werte von m und n sind die folgenden Graphen Hamiltonsch: (i) $K_{m,n}$; (ii) K_n; (iii) W_n? Geben Sie in jedem Falle einen Hamiltonschen Kreis an. Zeigen Sie auch, daß die Platonischen Graphen alle Hamiltonsch sind und finden Sie für jeden einen Hamiltonschen Kreis.

(7b) Zeigen Sie, daß der Petersengraph nicht-Hamiltonsch ist; ist er semi-Hamiltonsch?

(7c) Geben Sie ein Beispiel für einen Graphen, der Eulersch, aber nicht Hamiltonsch ist, und ebenso für einen Hamiltonschen, aber nicht Eulerschen Graphen. Was können Sie über Graphen sagen, die sowohl Eulersch als auch Hamiltonsch sind?

(7d) Kann ein Springer alle Felder eines 8×8-Schachbrettes genau einmal besuchen und dann zu seinem Ausgangspunkt zurückkehren? Stellen Sie sich dieselbe Frage für einen König und für einen Turm. Wie würden sich Ihre Antworten ändern, wenn das Schachbrett 7 × 7 Felder hätte? Geben Sie für Ihre Antworten graphentheoretische Formulierungen.

(7e) Sei H eine Gruppe, die erzeugt wird von den beiden Elementen l und r mit den definierenden Relationen $r^5 = 1$, $lr^2l = rlr$ und $lr^3l = r^2$ (wobei 1 das neutrale Element von H bezeichnet). Beweisen Sie $(lrlr^3l^3r)^2 = 1$. Welcher Zusammenhang besteht zwischen diesem Problem und der Frage nach der Existenz eines Hamiltonschen Kreises im Dodekaedergraphen?

(7f) Belegen Sie mit einem Gegenbeispiel, daß man in den Voraussetzungen des Satzes von Dirac die Bedingung $\rho(v) \geqq \frac{1}{2}n$ nicht ersetzen kann durch $\rho(v) \geqq \frac{1}{2}n - 1$.

(7g) Zeigen Sie, daß ein schlichter Graph mit n ($\geqq 3$) Ecken, in dem für jedes Paar v, w nichtbenachbarter Ecken $\rho(v) + \rho(w) \geqq n$ gilt, Hamiltonsch ist. Folgern Sie daraus den Satz von Dirac.

(*7h) Zeigen Sie, daß der Kantengraph sowohl eines Eulerschen wie auch eines Hamiltonschen schlichten Graphen Hamiltonsch ist. Falls umgekehrt der Kantengraph eines schlichten Graphen als Hamiltonsch vorausgesetzt ist, können wir dann schließen, daß G Eulersch oder Hamiltonsch ist?

(*7i) Geben Sie n Hamiltonsche Kreise in K_{2n+1} an mit der Eigenschaft, daß keine zwei von ihnen eine Kante gemeinsam haben. Neun Feinschmecker besuchen während der Dauer einer Tagung jeden Abend ihre bevorzugte Gaststätte; wenn ihr Tisch rund ist und keine zwei von ihnen öfter als einmal nebeneinander sitzen, was können Sie dann über die Dauer der Tagung sagen?
Stellen Sie sich dieselbe Frage für einen bipartiten Graphen der Form $K_{n,n}$ und finden Sie in diesem Fall eine ähnliche ‚praktische' Anwendung.

§ 8. Unendliche Graphen

In diesem Paragraphen zeigen wir, wie man manche der Begriffe in den vorhergehenden Abschnitten auf unendliche Graphen ausdehnen kann. Der Leser sei daran erinnert, daß ein **unendlicher Graph** G ein Paar $(V(G), E(G))$ ist, wo $V(G)$ eine unendliche Menge von Elementen ist, die wir **Ecken** nennen, und $E(G)$ eine unendliche Familie ungeordneter Paare von Elementen von $V(G)$, **Kanten** genannt. Sind $V(G)$ und $E(G)$ beide abzählbar unendlich, so heißt G ein **abzählbarer Graph**. Beachten Sie, daß wir durch diese Definitionen die Möglichkeit ausgeschlossen haben, daß $V(G)$ unendlich, aber $E(G)$ endlich ist (solche Objekte sind lediglich endliche Graphen zusammen mit unendlich vielen isolierten Ecken) oder daß $E(G)$ unendlich, aber $V(G)$ endlich ist (solche Objekte sind im wesentlichen endliche Graphen, in denen unendlich viele Schlingen oder Mehrfachkanten zugelassen sind).

Einige der Definitionen aus Kapitel 2 (zum Beispiel ‚benachbart', ‚inzident', ‚isomorph', ‚Teilgraph', Vereinigung', ‚zusammenhängend', ‚Komponente') lassen sich unmittelbar auf unendliche Graphen verallgemeinern. Der **Grad** einer Ecke v eines unendlichen Graphen wird definiert als die Kardinalität der Familie der mit v inzidenten Kanten (die Schlingen wie bei endlichen Graphen doppelt gerechnet), er kann also endlich oder unendlich sein; ein unendlicher Graph, dessen sämtliche Ecken endlichen Grad haben, heißt **lokalendlich**, und ein wohlbekanntes Beispiel ist das unendliche quadratische Gitter, von welchem ein Ausschnitt in Abb. 8.1 gezeigt ist. Ähnlich können

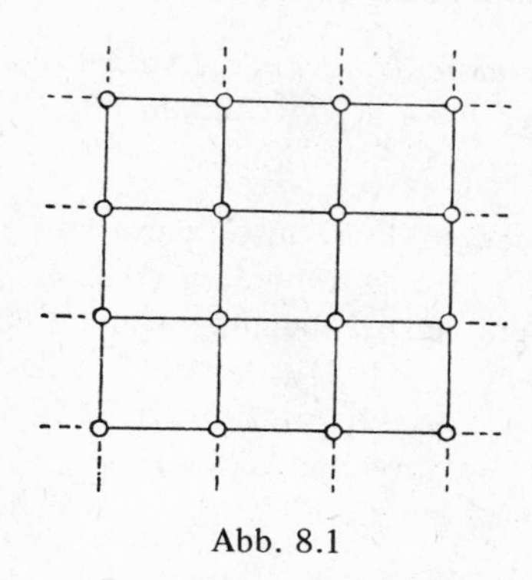

Abb. 8.1

wir einen **lokalabzählbaren,** unendlichen Graphen definieren als einen solchen, dessen sämtliche Ecken abzählbaren Grad haben. Mit diesen Definitionen beweisen wir nun das folgende einfache, aber grundlegende Ergebnis.

Satz 8A. *Jeder zusammenhängende, lokalabzählbare, unendliche Graph ist abzählbar.*

Beweis. Sei v irgendeine Ecke eines solchen unendlichen Graphen, A_1 die Menge der zu v benachbarten Ecken, A_2 die Menge aller Ecken, die zu irgendeiner Ecke aus A_1 benachbart sind, und so weiter. Nach Voraussetzung ist A_1 abzählbar, somit sind auch $A_2, A_3, \ldots$ abzählbar (wobei wir von der Tatsache Gebrauch machen, daß die Vereinigung abzählbar vieler abzählbarer Mengen auch wieder abzählbar ist); also ist $\{v\}$, A_1, $A_2, \ldots$ eine Folge von Mengen, deren Vereinigung abzählbar ist. Ferner enthält diese Folge jede Ecke des unendlichen Graphen, wegen des Zusammenhangs, und damit folgt die Behauptung. //

Korollar 8B. *Jeder zusammenhängende, lokalendliche, unendliche Graph ist abzählbar.* //

Auch den Begriff der Kantenfolge können wir auf einen unendlichen Graphen G ausdehnen, wobei im wesentlichen drei verschiedene Typen auftreten:

(i) eine **endliche Kantenfolge** in G wird genau wie in § 5 definiert;

(ii) eine **einseitig unendliche Kantenfolge** in G (mit **Startecke** v_0) ist eine unendliche Folge von Kanten der Form $\{v_0, v_1\}, \{v_1, v_2\}, \ldots$;

(iii) eine **zweiseitig unendliche Kantenfolge** in G ist eine unendliche Folge von Kanten der Form $\ldots, \{v_{-2}, v_{-1}\}, \{v_{-1}, v_0\}, \{v_0, v_1\}, \{v_1, v_2\}, \ldots$.

Einseitig und zweiseitig unendliche Linien und Wege werden in naheliegender Weise definiert, ebenso wie Begriffe wie Länge einer Linie und Abstand zwischen Ecken. Das folgende Ergebnis, als **Lemma von König** bekannt, sagt uns, daß es nicht schwer ist, zu unendlichen Wegen zu kommen.

Satz 8C (König 1936). *Sei G ein zusammenhängender, lokalendlicher, unendlicher Graph; dann gibt es zu jeder Ecke v von G einen einseitig unendlichen Weg mit Startecke v.*

Beweis. Ist z irgendeine von v verschiedene Ecke in G, dann gibt es einen nichttrivialen Weg von v nach z; daher gibt es unendlich viele Wege in G mit Startecke v. Da der Grad von v endlich ist, beginnen unendlich viele dieser Wege mit derselben Kante, etwa $\{v, v_1\}$. Mit der Ecke v_1 können wir nun für diese unendlich vielen Wege die Argumentation wiederholen und erhalten so eine neue Ecke v_2 und eine entsprechende Kante $\{v_1, v_2\}$. Auf diese Weise fortfahrend gelangen wir zu einem einseitig unendlichen Weg $v \to v_1 \to v_2 \ldots$. //

Die Bedeutung des Lemmas von König liegt darin, daß man mit seiner Hilfe Ergebnisse über unendliche Graphen aus den entsprechenden Ergebnissen über endliche Graphen herleiten kann; der folgende Satz (in welchem wir einige der Definitionen und Ergebnisse von Kapitel 5 vorwegnehmen) kann als typisches Beispiel hierfür betrachtet werden:

Satz 8D. *Sei G ein abzählbarer Graph derart, daß jeder endliche Teilgraph planar ist; dann ist G planar.*

Beweis. Da G abzählbar ist, können wir seine Ecken aufzählen durch $v_1, v_2, v_3, \ldots$; nun konstruieren wir eine streng aufsteigende Folge $G_1 \subset G_2 \subset G_3 \subset \ldots$ von Teilgraphen G, indem wir als G_k denjenigen Teilgraphen nehmen, der genau $v_1, \ldots, v_k$ als Ecken hat und dessen Kanten diejenigen Kanten von G sind, welche zwei dieser Ecken verbinden. Mit Hilfe des Ergebnisses, daß G_i nur auf endlich viele (etwa $m(i)$) topologisch verschiedene Weisen in die Ebene eingebettet werden kann, können wir nun einen anderen unendlichen Graphen H konstruieren, dessen Ecken w_{ij} ($i \geqq 1$, $1 \leqq j \leqq m(i)$) den verschiedenen Einbettungen der Graphen G_i entsprechen und dessen Kanten diejenigen Ecken w_{ij} und w_{kl} verbinden, für welche $k = i + 1$ ist und die w_{kl} entsprechende ebene Einbettung (im naheliegenden Sinne) als Erweiterung der w_{ij} entsprechenden Einbettung aufgefaßt werden kann. H ist natürlich zusammenhängend und lokalendlich, daher folgt nach dem Lemma von König, daß H einen einseitig unendlichen Weg enthält; da G abzählbar ist, liefert dieser unendliche Weg die gewünschte ebene Einbettung von ganz G. //

Es ist bemerkenswert, daß mit der Annahme weiterer Axiome der Mengenlehre (insbesondere der überabzählbaren Version des Auswahlaxioms) mannigfache Ergebnisse, wie das soeben bewiesene, auf unendliche Graphen ausgedehnt werden können, die nicht unbedingt abzählbar sind.

Wir beschließen diese Abschweifung auf unendliche Graphen mit einer kurzen Diskussion unendlicher Eulerscher Graphen. Es erscheint natürlich, einen zusammenhängenden, unendlichen Graphen **Eulersch** zu nennen, wenn es eine zweiseitig unendliche Linie gibt, die jede Kante von G enthält; eine solche unendliche Linie heißt dann eine (zweiseitige) **Eulersche Linie**. Ferner können wir sagen, daß G **semi-Eulersch** ist, wenn es eine (einseitige oder zweiseitige) unendliche Linie gibt, die jede Kante von G enthält. Man beachte, daß diese Definitionen G als abzählbar voraussetzen; die folgenden Sätze liefern weitere notwendige Bedingungen dafür, daß ein unendlicher Graph Eulersch oder semi-Eulersch ist.

Satz 8E. *Sei G ein zusammenhängender abzählbarer Graph, der Eulersch ist; dann gilt:*

(i) *G hat keine Ecken ungeraden Grades;*

(ii) *für jeden endlichen Teilgraphen H von G hat der unendliche Graph $\bar{H}$ (den man aus G durch Entfernung der Kanten von H erhält) höchstens zwei unendliche, zusammenhängende Komponenten;*

(iii) *hat zudem jede Ecke von H geraden Grad, so hat $\bar{H}$ genau eine unendliche, zusammenhängende Komponente.*

Beweis. Sei P eine Eulersche Linie in G.

(i) Auf Grund des Arguments im Beweis von Satz 6B hat jede Ecke von G entweder geraden oder unendlichen Grad.

(ii) Sei P zerlegt in drei Teilwege P_-, P_0 und P_+, sodaß P_0 eine endliche Linie ist, die jede Kante von H enthält (und möglicherweise noch weitere Kanten), und P_- und P_+ beide einseitig unendliche Linien sind. Der aus den Kanten von P_- und P_+ (und den mit diesen inzidenten Ecken) gebildete unendliche Graph K hat dann höchstens zwei unendliche Komponenten; da man zu K nur eine endliche Menge von Kanten hinzunehmen muß, um $\bar{H}$ zu erhalten, folgt hiermit die Behauptung.

(iii) Sei v bzw. w die Startecke bzw. die Zielecke von P_0; wir wollen zeigen, daß v und w in $\bar{H}$ zusammenhängen. Im Falle $v = w$ ist dies offensichtlich; sonst folgt die Behauptung durch Anwendung von Korollar 6D auf denjenigen Graphen, den man aus P_0 durch Entfernung der Kanten von H enthält, denn dieser Graph hat auf Grund der Voraussetzung genau zwei Ecken ungeraden Grades (nämlich v und w). //

Entsprechende notwendige Bedingungen können wir für semi-Eulersche unendliche Graphen erhalten; der Beweis geht ganz ähnlich wie der von Satz

8E (ist aber leichter) und kann dem Leser als Übungsaufgabe überlassen werden.

Satz 8F. *Sei G ein zusammenhängender, abzählbarer Graph, der semi-Eulersch, aber nicht Eulersch ist; dann gilt:* (i) *G hat entweder höchstens eine Ecke ungeraden Grades oder mindestens eine Ecke unendlichen Grades;* (ii) *für jeden endlichen Teilgraphen H von G hat der unendliche Graph $\bar{H}$ (definiert wie oben) genau eine unendliche Komponente.* //

Es zeigt sich, daß die in den beiden vorhergehenden Sätzen aufgestellten Bedingungen nicht nur notwendig, sondern auch hinreichend sind. Wir formulieren dieses Ergebnis formal im folgenden Satz; sein Beweis liegt außerhalb der Reichweite dieses Buches, ist aber in Ore [20] zu finden.

Satz 8G. *Sei G ein zusammenhängender, abzählbarer Graph; dann ist G genau dann Eulersch, wenn die Bedingungen (i), (ii) und (iii) von Satz 8E erfüllt sind. Ferner ist G genau dann semi-Eulersch, wenn entweder diese Bedingungen oder die Bedingungen (i) und (ii) von Satz 8F erfüllt sind.* //

Aufgaben

(8a) Finden Sie eine zu Satz 8A analoge Aussage für unendliche Graphen, deren Eckengrade höhere Kardinalzahlen sind.

(8b) Beweisen Sie Satz 8F.

(8c) Verallgemeinern Sie das Korollar 6C auf unendliche Graphen.

(8d) Belegen Sie mit einem Gegenbeispiel, daß die Behauptung des Lemmas von König falsch wird, wenn wir auf die Bedingung verzichten, daß der unendliche Graph lokalendlich ist.

(8e) Bezeichne S_2 das unendliche quadratische Gitter; zeigen Sie (durch explizite Angabe einer Eulerschen Linie), daß S_2 Eulersch ist, und weisen Sie in allen Einzelheiten nach, daß S_2 die Bedingungen von Satz 8E erfüllt.

(8f) Sind das unendliche Dreiecksgitter T_2 und das unendliche Sechseckgitter H_2 Eulersch? Wenn ja, geben Sie für jedes explizit eine Eulersche Linie an.

(8g) Zeigen Sie, daß S_2 sowohl einseitig als auch zweiseitig unendliche Wege enthält, die genau einmal durch jede Ecke gehen; gilt Entsprechendes auch für T_2 und H_2?

4 Bäume

Der Begriff des Stammbaumes ist uns allen vertraut; in diesem Kapitel werden wir Bäume ganz allgemein untersuchen, unter besonderer Berücksichtigung der Gerüste in zusammenhängenden Graphen und (in § 10) des berühmten Satzes von Cayley über die Aufzählung indizierter Bäume. Das Kapitel schließt mit einem Abschnitt über einige Anwendungen der Graphentheorie.

§ 9. Elementare Eigenschaften von Bäumen

Ein **Wald** wird definiert als ein Graph, der keine Kreise enthält, und ein zusammenhängender Wald wird als **Baum** bezeichnet; Abb. 9.1 zeigt zum Beispiel einen Wald mit vier Komponenten, jede der Komponenten ist ein

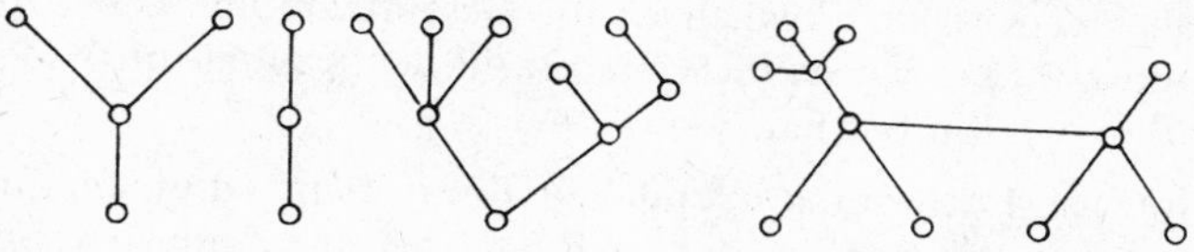

Abb. 9.1

Baum*). Man beachte, daß Bäume und Wälder nach Definition schlichte Graphen sind.

In mancher Hinsicht ist ein Baum der einfachste nichttriviale Typ eines Graphen; wie wir in Satz 9A sehen werden, hat er mehrere ‚hübsche' Eigenschaften, wie zum Beispiel, daß je zwei Ecken durch einen eindeutig bestimmten Weg verbunden sind. Beim Versuch, in der Graphentheorie ein allgemeines Resultat zu beweisen oder eine allgemeine Vermutung zu untersuchen, ist es häufig zweckmäßig, das Ganze zunächst einmal mit Bäumen zu versuchen; tatsächlich gibt es mehrere Vermutungen, die für beliebige Graphen noch nicht bewiesen werden konnten, deren Gültigkeit für Bäume aber bekannt ist.

Der folgende Satz führt einige einfache Eigenschaften von Bäumen auf:

Satz 9A. *Sei T ein Graph mit n Ecken. Dann sind die folgenden Aussagen äquivalent:*

(i) *T ist ein Baum;*

(ii) *T enthält keine Kreise und hat $n - 1$ Ecken;*

---

*) Der letzte Baum in Abb. 9.1 ist vor allem durch sein Gebell bekannt.

(iii) *T ist zusammenhängend und hat n – 1 Ecken;*

(iv) *T ist zusammenhängend und jede Kante ist eine Brücke;*

(v) *je zwei Ecken von T sind durch genau einen Weg miteinander verbunden;*

(vi) *T enthält keine Kreise, aber das Hinzufügen irgendeiner neuen Kante führt zu genau einem Kreis.*

Beweis. Im Falle $n = 1$ sind alle sechs Behauptungen trivial. Wir können daher $n \geqq 2$ annehmen.

(i) ⇒ (ii). Nach Definition enthält T keine Kreise; nach Aufgabe 5c wird daher T durch Entfernung irgendeiner Kante in zwei Graphen zerlegt, von denen jeder ein Baum ist. Mittels Induktion folgt, daß die Anzahl der Kanten von jedem dieser zwei Bäume um eins kleiner ist als die Anzahl seiner Ecken, woraus folgt, daß die Gesamtzahl der Kanten von T $n - 1$ ist.

(ii) ⇒ (iii). Ist T unzusammenhängend, so ist jede Komponente von T ein zusammenhängender Graph ohne Kreise und daher ist nach dem vorhergehenden Teil die Anzahl der Ecken in jeder Komponente um eins größer als die Anzahl der Kanten. Folglich ist die Gesamtzahl der Ecken von T mindestens um zwei größer als die Gesamtzahl der Kanten, im Widerspruch dazu, daß T $n - 1$ Kanten hat.

(iii) ⇒ (iv). Die Entfernung irgendeiner Kante führt zu einem Graphen mit n Ecken und $n - 1$ Kanten, der nach Satz 5B notwendigerweise unzusammenhängend ist.

(iv) ⇒ (v). Da T zusammenhängend ist, ist jedes Eckenpaar durch mindestens einen Weg miteinander verbunden. Falls ein gegebenes Paar von Ecken durch zwei Wege verbunden ist, so bilden diese einen Kreis, was (nach Aufgabe 5c) der Voraussetzung widerspricht, daß jede Kante eine Brücke ist.

(v) ⇒ (vi). Würde T einen Kreis enthalten, so wären je zwei Ecken des Kreises durch wenigstens zwei Wege miteinander verbunden. Wird zu T eine Kante e hinzugefügt, so entsteht ein Kreis, da die mit e inzidenten Ecken in T schon verbunden sind; daß dabei genau ein Kreis entsteht, folgt aus Aufgabe 5f.

(vi) ⇒ (i). Angenommen, T ist unzusammenhängend; fügen wir dann zu T irgendeine Kante hinzu, die eine Ecke einer Komponente mit einer Ecke einer anderen Komponente verbindet, so entsteht dadurch kein Kreis. //

Korollar 9B. *Sei G ein Wald mit n Ecken und k Komponenten; dann hat G n – k Kanten.*

Beweis. Man wende die obige Aussage (ii) auf jede Komponente von G an. //

Nach dem Handschlaglemma ist übrigens die Summe der Grade aller n Ecken gleich der doppelten Anzahl der Kanten (also gleich $2n - 2$); folglich enthält ein Baum mit n Ecken im Falle $n \geqq 2$ stets mindestens zwei Endecken.

Ist ein zusammenhängender Graph gegeben, so können wir einen Kreis auswählen und eine seiner Kanten entfernen, der verbleibende Graph ist dann nach wie vor zusammenhängend; dieses Verfahren können wir mit einem der verbleibenden Kreise wiederholen und so fortfahren, bis es keine Kreise mehr gibt. Der Restgraph ist ein Baum, der alle Ecken von G verbindet; er wird als **Gerüst** von G bezeichnet. In den Abbildungen 9.2 und 9.3 ist ein Graph und eines seiner Gerüste gezeigt.

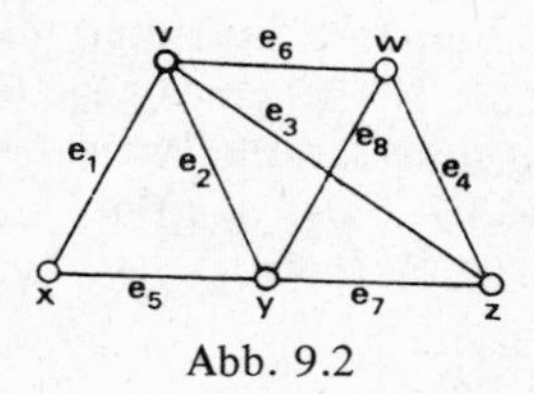

Abb. 9.2

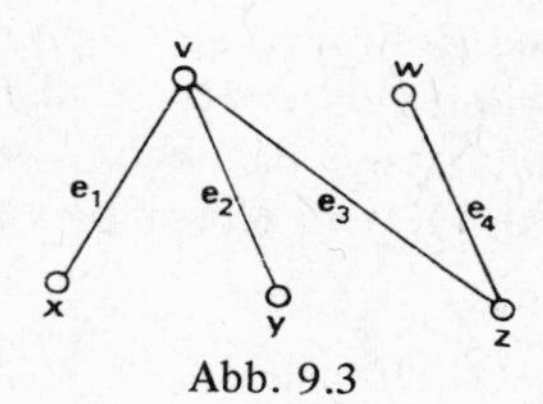

Abb. 9.3

Wenn nun allgemeiner G einen beliebigen Graphen mit n Ecken, m Kanten und k Komponenten bezeichnet, so können wir das obige Verfahren auf jede Komponente von G anwenden; der entstehende Graph heißt ein **aufspannender Wald** (oder ein **Skelett**). Die Anzahl der bei diesem Prozeß entfernten Kanten heißt **Kreisrang** (oder **zyklomatische Zahl**) von G und wird mit $\gamma(G)$ bezeichnet; es gilt $\gamma(G) = m - n + k$ und das ist nach Satz 5B eine nichtnegative ganze Zahl. Der Kreisrang kann also als Maß für den Zusammenhang eines Graphen betrachtet werden (in einem Sinne, den wir in Aufgabe 9k präzisieren werden) – der Kreisrang eines Baumes ist null und der eines Kreises ist eins. Üblicherweise definiert man noch den **Schnittrang** (oder die **kozyklomatische Zahl**) von G als die Anzahl der Kanten eines aufspannenden Waldes; er wird mit $\kappa(G)$ bezeichnet und ist gleich $n - k$.

Bevor wir fortfahren, beweisen wir zwei einfache Ergebnisse über aufspannende Wälder; in diesem Satz verstehen wir unter dem Komplement eines aufspannenden Waldes T eines (nicht notwendig schlichten) Graphen G einfach denjenigen Graphen, den man aus G durch Entfernung jeder Kante von T enthält.

Satz 9C. *Ist T ein aufspannender Wald eines Graphen G, so hat*

(i) *jeder Schnitt von G eine Kante mit T gemeinsam und*

(ii) *jeder Kreis von G eine Kante mit dem Komplement von T gemeinsam.*

Beweis. (i) Sei C^* ein Schnitt von G, dessen Entfernung eine der Komponenten von G in zwei Teilgraphen H und K zerlegt. Da T ein aufspannender Wald ist, enthält T eine Kante, die eine Ecke von H mit einer Ecke von K verbindet; dies ist die gesuchte Kante.

(ii) Sei C ein Kreis von G, der keine Kante mit dem Komplement von T gemeinsam hat; dann liegt C in T, was der Definition von T widerspricht. //

Eng verknüpft mit dem Begriff eines aufspannenden Waldes T eines Graphen G ist der Begriff des mit T assoziierten Fundamentalsystems von Kreisen, das wie folgt gebildet wird: Wenn wir zu T irgendeine nicht in T enthaltene Kante von G hinzufügen, so erhalten wir nach Aussage (vi) von Satz 9A einen eindeutig bestimmten Kreis. Die Menge aller auf diese Weise (d. h. durch Hinzufügen jeweils einer nicht zu T gehörenden Kante von G) entstehenden Kreise wird das **mit T assoziierte Fundamentalsystem von Kreisen** genannt. Gelegentlich spielt die spezielle Wahl des aufspannenden Waldes keine Rolle, wir sprechen dann kurz von einem **Fundamentalsystem von Kreisen von G**. Jedenfalls ist klar, daß die Kreise eines gegebenen Fundamentalsystems paarweise verschieden sind und daß die Anzahl dieser Kreise gleich dem Kreisrang von G ist. Abb. 9.4 zeigt das Fundamentalsystem von Kreisen des in Abb. 9.2 dargestellten Graphen, welches mit dem Gerüst von Abb. 9.3 assoziiert ist.

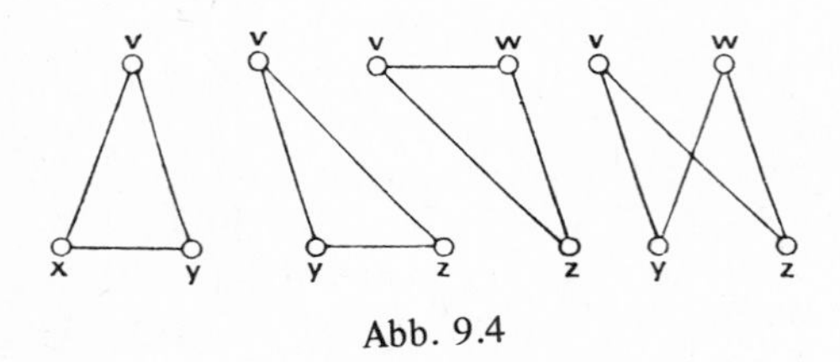

Abb. 9.4

Im Hinblick auf unsere Bemerkungen am Ende von § 5 liegt der Verdacht nahe, daß wir auch ein Fundamentalsystem von Schnitten eines Graphen G definieren können, das mit einem gegebenen, aufspannenden Wald assoziiert ist; wir werden nun zeigen, daß dies in der Tat zutrifft. Nach Aussage (iv) von Satz 9A wird die Eckenmenge von T durch die Entfernung irgendeiner Kante von T in zwei disjunkte Mengen V_1 und V_2 zerlegt. Die Menge aller Kanten von G, die eine Ecke von V_1 mit einer Ecke aus V_2 verbinden, ist ein Schnitt von G, und die Menge aller auf diese Weise (d.h. durch Entfernung jeweils einer Kante von T) gebildeten Schnitte wird das mit T assoziierte **Fundamentalsystem von Schnitten** genannt. Es ist klar, daß die Schnitte in einem gegebenen Fundamentalsystem paarweise verschieden sind, und daß die Anzahl dieser Schnitte gleich dem Schnittrang von G ist. Das mit dem Gerüst in Abb. 9.3 assoziierte Fundamentalsystem von Schnitten des Graphen in Abb. 9.2 ist $\{e_1, e_5\}$, $\{e_2, e_5, e_7, e_8\}$, $\{e_3, e_6, e_7, e_8\}$ und $\{e_4, e_6, e_8\}$.

Aufgaben

(9a) Zeigen Sie, daß es genau sechs nichtisomorphe Bäume mit sechs Ecken gibt, sowie elf mit sieben Ecken.

(9b) Zeigen Sie, daß jeder Baum ein paarer Graph ist; welche Bäume sind vollständig paare Graphen?

(9c) Zeigen Sie, daß die (im Sinne von Aufgabe 1b) den gesättigten Kohlenwasserstoffen (C_nH_{2n+2}) und den Alkoholen ($C_nH_{2n+1}OH$) zugeordneten Graphen tatsächlich Bäume sind.

(9d) Berechnen Sie Kreisrang und Schnittrang (i) von K_n; (ii) von $K_{m,n}$; (iii) von N_n; (iv) von W_n; (v) der Platonischen Graphen; (vi) des Petersengraphen; (vii) eines beliebigen zusammenhängenden Graphen mit n Ecken, der regulär vom Grade r ist.

(9e) Bestimmen Sie ein Gerüst und die zugehörigen Fundamentalsysteme von Kreisen und von Schnitten
(i) von K_5; (ii) von $K_{3,3}$; (iii) von W_5; (iv) von C_6; (v) der Platonischen Graphen; (vi) des Petersengraphen.

(9f) Beweisen Sie, daß jeder Baum entweder eine Zentralecke oder zwei Zentralecken hat.

(9g) Seien T_1 und T_2 Gerüste eines zusammenhängenden Graphen G; zeigen Sie, daß es zu jeder Kante e von T_1 eine Kante f von T_2 gibt derart, daß $(T_1 \setminus \{e\}) \cup \{f\}$ (der aus T_1 dadurch entstehende Graph, daß man e herausnimmt und dafür f hinzufügt) ebenfalls ein Gerüst ist. Zeigen Sie ferner, daß man T_1 durch schrittweisen Austausch jeweils einer Kante von T_1 durch eine Kante von T_2 in T_2 überführen kann und zwar so, daß bei jedem Schritt ein Gerüst entsteht.

(9h) Zeigen Sie, daß eine Menge C^* von Kanten eines Graphen G, die mit jedem aufspannenden Wald von G eine Kante gemeinsam hat, einen Schnitt von G enthält; leiten Sie auch das entsprechende Resultat für Kreise her.

(*9i) Sei A die Inzidenzmatrix eines Baumes mit n Ecken. Zeigen Sie, daß je $n - 1$ Spalten von A über dem Körper der ganzen Zahlen modulo 2 linear unabhängig sind.

(*9j) Seien H und K Teilgraphen eines Graphen G und $H \cup K$, $H \cap K$ in üblicher Weise definiert. Zeigen Sie, daß für den Schnittrang folgendes gilt:
(i) $0 \leqq \kappa(H) \leqq m(H)$ (die Anzahl der Kanten von H);
(ii) ist H ein Teilgraph von K, so gilt $\kappa(H) \leqq \kappa(K)$;
(iii) $\kappa(H \cup K) + \kappa(H \cap K) \leqq \kappa(H) + \kappa(K)$.

(*9k) Sei V der einem schlichten, zusammenhängenden Graphen G zugeordnete Vektorraum und T ein Gerüst von G. Zeigen Sie, daß das mit T assoziierte Fundamentalsystem von Kreisen eine Basis für den Zyklenraum W von G bildet, und beweisen Sie ein entsprechendes Ergebnis für den Schnittraum $\tilde{W}$; folgern Sie, daß die Dimension von W bzw. $\tilde{W}$ gleich $\gamma(G)$ bzw. $\kappa(G)$ ist.

§ 10. Die Aufzählung von Bäumen

Unter dem Problem der Graphenaufzählung versteht man die Aufgabe, herauszufinden, wie viele nichtisomorphe Graphen mit einer gegebenen Eigenschaft es gibt. Diese Fragestellung wurde wahrscheinlich etwa um 1870 von

Cayley aufgeworfen, der die Anzahl gesättigter Kohlenwasserstoffe mit einer gegebenen Anzahl von Kohlenstoffatomen zu bestimmen suchte; er bemerkte, wie auch der Leser in Aufgabe 9c sah, daß dieses Problem auf die Aufgabe hinausläuft, die Anzahl derjenigen Bäume zu bestimmen, deren Ecken den Grad eins oder vier haben.

Viele der Hauptprobleme der Graphenaufzählung sind gelöst worden. Zum Beispiel ist es möglich, die Anzahl der Graphen, der Digraphen, der zusammenhängenden Graphen, der Bäume und der Eulerschen Graphen zu bestimmen, die eine gegebene Anzahl von Ecken und Kanten enthalten; für ebene Graphen und für Hamiltonsche Graphen sind jedoch entsprechende Ergebnisse noch nicht erzielt worden. Die meisten der bekannten Ergebnisse kann man mit Hilfe eines fundamentalen Aufzählungssatzes erhalten, der auf Polya zurückgeht und von dem man eine gute Darstellung in N. G. de Bruijn [6] findet; unglücklicherweise ist es in fast allen Fällen unmöglich, diese Ergebnisse durch einfache Formeln auszudrücken. Eine tabellarische Übersicht über einige der bekannten Ergebnisse findet der Leser im Anhang.

Dieser Abschnitt ist dem Beweis eines berühmten Ergebnisses über die Anzahl indizierter Bäume mit gegebener Eckenzahl gewidmet, das üblicherweise Cayley zugeschrieben wird. Dem Leser sind indizierte Graphen schon am Ende von § 2 begegnet; ein indizierter Graph ist im wesentlichen ein Graph, in dem die Ecken mit ganzen Zahlen von 1 bis n durchnumeriert sind. Präziser formuliert definieren wir eine **Indizierung** eines Graphen G mit n Ecken als eine umkehrbar eindeutige Abbildung der Eckenmenge von G auf die Menge $\{1, \ldots, n\}$; ein **indizierter Graph** ist dann ein Paar (G, φ), wo G ein Graph und φ eine Indizierung von G ist. Häufig werden wir die Zahlen $1, \ldots, n$ die **Indizes** von G nennen und die Ecken von G mit $v_1, \ldots, v_n$ bezeichnen. Ferner nennen wir zwei indizierte Graphen **isomorph**, wenn es einen Isomorphismus zwischen G_1 und G_2 gibt, der die Indizierung der Ecken enthält.

Lassen Sie uns zur Abklärung dieser Begriffe die Abb. 10.1 betrachten, die verschiedene Möglichkeiten zeigt, einen Baum mit vier Ecken zu indizieren. Bei genauerem Hinsehen bemerken wir, daß der zweite indizierte Baum einfach die Umkehrung des ersten ist, und somit sind diese beiden indizierten Bäume wohl isomorph; andererseits ist keiner von diesen isomorph zum dritten indizierten Baum (wie man durch Betrachtung des Grades der Ecke v_3 einsieht). Es folgt, daß die Gesamtzahl der Möglichkeiten, diesen speziellen Baum zu indizieren, gleich $\frac{1}{2}(4!) = 12$ ist, da die Umkehrung irgendeiner Indizierung nicht zu einer neuen führt. Entsprechend ist die Gesamtzahl der Möglichkeiten, den Baum in Abb. 10.2 zu indizieren, gleich vier, da es vier Möglichkeiten für die Indizierung der zentralen Ecke gibt und jede bestimmt die gesamte Indizierung eindeutig. Folglich ist die Gesamtzahl (nichtisomorpher) indizierter Bäume mit vier Ecken gleich sechzehn; wir werden

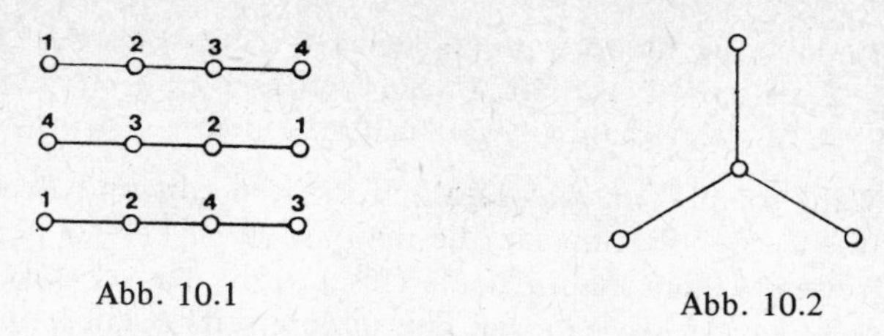

Abb. 10.1

Abb. 10.2

nun den **Satz von Cayley** beweisen, der dieses Ergebnis auf indizierte Bäume mit n Ecken verallgemeinert.

Satz 10A (Cayley 1889). *Es gibt* n^{n-2} *verschiedene indizierte Bäume mit* n *Ecken.*

Bemerkung. Der Beweis, den wir gleich geben werden, stammt von Clarke; verschiedene andere Beweise können Sie bei Moon [18] finden.

Beweis. $T(n, k)$ bezeichne die Anzahl derjenigen indizierten Bäume mit n Ecken, in denen eine gegebene Ecke (etwa v) den Grad k hat. Wir werden für $T(n, k)$ eine Formel herleiten und die Behauptung wird dann durch Summierung von $k = 1$ bis $k = n - 1$ folgen.

Sei A irgendein indizierter Baum mit $\rho(v) = k - 1$. Entfernen wir von A irgendeine Kante $\{w, z\}$, die nicht mit v inzident ist, so bleiben zwei Teilbäume übrig. von denen einer v und entweder w oder z (sagen wir mal w) und der andere z enthält. Verbinden wir nun die Ecken v und z, so entsteht ein indizierter Baum B mit $\rho(v) = k$ (siehe Abb. 10.3). Wir wollen ein Paar

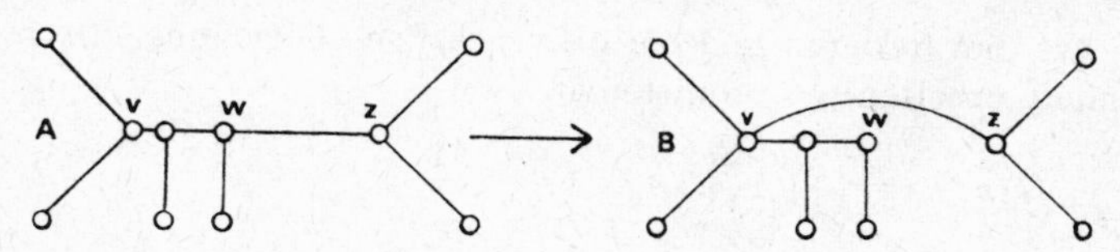

Abb. 10.3

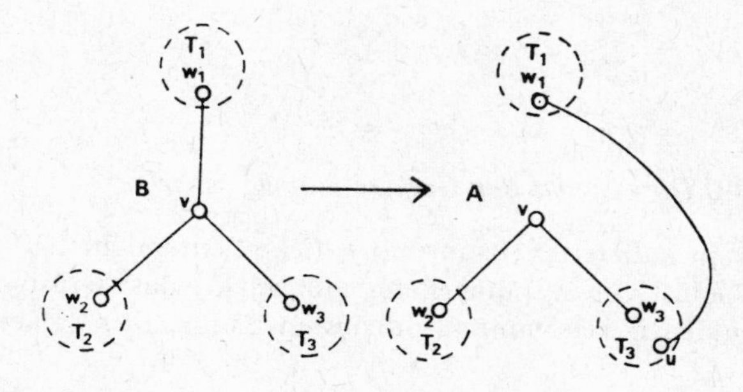

Abb. 10.4

(A, B) indizierter Bäume ein **verwandtes Paar** nennen, wenn man B aus A durch die obige Konstruktion erhält. Unser Ziel ist es nun, die Gesamtzahl der möglichen verwandten Paare (A, B) zu bestimmen.

Da es für die Wahl von A $T(n, k-1)$ Möglichkeiten gibt und B eindeutig durch die Kante $\{w, z\}$ bestimmt ist, die man auf $(n-1)-(k-1)=n-k$ verschiedene Weisen wählen kann, ist die Gesamtzahl der verwandten Paare (A, B) gleich $(n-k)\, T(n, k-1)$. Sei nun andererseits B ein indizierter Baum mit $\rho(v)=k$ und seien $T_1, \ldots, T_k$ die Teilbäume, die man von B durch Entfernung der Ecke v und jeder mit v inzidenten Kante erhält; zu einem indizierten Baum A mit $\rho(v)=k-1$ gelangen wir dann, indem wir von B genau eine dieser Kanten (etwa $\{v, w_i\}$, wobei w_i in T_i liege) entfernen und w_i mit irgendeiner Ecke aus einem der anderen Teilbäume T_j verbinden (siehe Abb. 10.4). Es ist klar, daß das entsprechende Paar (A, B) indizierter Bäume verwandt ist und daß man alle verwandten Paare auf diese Weise erhalten kann. Da es für die Wahl von B $T(n, k)$ Möglichkeiten und für die Wahl der Verbindungskante von w_i mit einer Ecke in einem der T_j $(n-1)-n_i$ Möglichkeiten gibt (wobei n_i die Anzahl der Ecken von T_i bezeichnet), wird die Gesamtzahl der verwandten Paare (A, B) gegeben durch

$$T(n, k)\, \{(n-1-n_1)+\ldots+(n-1-n_k)\} = (n-1)(k-1)\, T(n, k)$$

denn es gilt $n_1+\ldots+n_k = n-1$.

Wir haben also bewiesen, daß

$$(n-k)\, T(n, k-1) = (n-1)(k-1)\, T(n, k).$$

Indem wir dies iterieren und die offensichtliche Gleichung $T(n, n-1)=1$ verwenden, erhalten wir unmittelbar

$$T(n, k) = \binom{n-2}{k-1} (n-1)^{n-k-1}.$$

Nun folgt durch Summation über alle möglichen Werte von k, daß die Anzahl $T(n)$ der indizierten Bäume mit n Ecken gegeben wird durch

$$T(n) = \sum_{k=1}^{n-1} T(n, k) = \sum_{k=1}^{n-1} \binom{n-2}{k-1} (n-1)^{n-k-1}$$

$$= \{(n-1)+1\}^{n-2} = n^{n-2}. \quad /\!/$$

Korollar 10B. *Die Anzahl der Gerüste von* K_n *ist* n^{n-2}.

Beweis. Jedem indizierten Baum mit n Ecken entspricht (auf eindeutige Weise) ein Gerüst von K_n; umgekehrt gibt auch jedes Gerüst von K_n Anlaß zu einem eindeutig bestimmten indizierten Baum mit n Ecken. //

Aufgaben

(10a) Zeigen Sie, daß es genau $2^{\frac{1}{2}n(n-1)}$ indizierte, schlichte Graphen mit n Ecken gibt; wie viele davon haben genau m Kanten?

(10b) Überzeugen Sie sich direkt davon, daß es genau 125 indizierte Bäume mit fünf Ecken gibt.

(10c) Beweisen Sie, daß man einen gegebenen schlichten Graphen G mit n Ecken auf genau $\frac{n!}{g}$ verschiedene Weisen indizieren kann, wobei g die Ordnung der Automorphismengruppe von G bezeichnet.

(10d) Zeigen Sie, daß es zu gegebenen positiven, ganzen Zahlen $\rho_1, \ldots, \rho_k$ genau dann einen indizierten Baum mit n Ecken und den Eckengraden $\rho(v_k) = \rho_k$ (für $k = 1, \ldots, n$) gibt, wenn $\sum \rho_k = 2(n-1)$ gilt.

(10e) Zeigen Sie, daß die Anzahl der kanten-indizierten Bäume mit n Ecken (in denen also die Kanten an Stelle der Ecken durchnumeriert werden) gleich n^{n-3} ist (für $n \geqq 3$).

(10f) Zeigen Sie: Die Wahrscheinlichkeit dafür, daß eine willkürlich herausgegriffene Ecke eines Baumes mit n Ecken eine Endecke ist, beträgt für großes n näherungsweise e^{-1}.

(*10g) $T(n)$ bezeichne die Anzahl der indizierten Bäume mit n Ecken; zeigen Sie (durch Abzählung der Möglichkeiten, einen indizierten Baum mit k Ecken mit einem solchen mit $n-k$ Ecken zu verbinden), daß

$$2(n-1)\,T(n) = \sum_{k=1}^{n-1} \binom{n}{k} k(n-k)\,T(k)\,T(n-k)$$

gilt und leiten Sie daraus folgende Identität ab:

$$\sum_{k=1}^{n-1} \binom{n}{k} k^{k-1} (n-k)^{n-k-1} = 2(n-1)\,n^{n-2}.$$

(*10h) **(Matrix-Gerüst-Satz).** Man kann beweisen, daß die Anzahl der Gerüste eines indizierten schlichten Graphen G mit der Eckenmenge $\{v_1, \ldots, v_n\}$ gegeben wird durch jede Hauptunterdeterminante der $n \times n$ Matrix $M = (m_{ij})$, wobei $m_{ii} = \rho(v_i)$ ist, $m_{ij} = -1$, falls v_i und v_j adjazent sind, und $m_{ij} = 0$ sonst; verifizieren Sie dieses Ergebnis für den Fall, daß G ein vollständiger Graph ist, und überlegen Sie sich, wie Sie dieses Resultat auf Graphen ausdehnen können, die Schlingen oder mehrfache Kanten enthalten.

§ 11. Einige Anwendungen der Graphentheorie

Obwohl wir uns in diesem Buch hauptsächlich mit der *Theorie* der Graphen beschäftigen, ist es höchste Zeit, daß wir einige mögliche Anwendungen erwähnen. Schließlich haben sich die meisten der bedeutenden Fortschritte auf diesem Gebiet aus Versuchen entwickelt, gewisse ‚praktische' Probleme zu lösen – Euler und die Brücken von Königsberg, Cayley und die Aufzählung gesättigter Kohlenwasserstoffe, verschiedene Untersuchungen bezüglich der Färbung von Landkarten, um nur drei zu nennen. Ein großer Teil des heutigen Interesses an diesem Gebiet ist der Tatsache zuzuschreiben, daß die Graphentheorie – ganz abgesehen davon, daß sie auch für sich betrachtet eine elegante mathematische Disziplin darstellt – eine ständig wachsende Rolle spielt in einem weiten Spektrum von Gebieten wie etwa Elektrotechnik und Linguistik, Operations Research und Kristallographie, Wahrscheinlichkeitstheorie und Genetik, sowie Soziologie, Geographie und numerische Analysis.

Für ein Buch dieses Umfangs ist es unangemessen, eine große Zahl von Anwendungen irgendwie in Einzelheiten darstellen zu wollen; diesbezüglich verweisen wir den Leser auf den ausgezeichneten Beitrag in Kapitel 6 von Busacker und Saaty [7]. Wir wollen lediglich den Leser an einige Anwendungen erinnern, denen wir schon begegnet sind, und kurz umreißen, was noch alles dahintersteckt; danach wird eine eingehende Diskussion zweier spezieller Probleme folgen.

Wir haben schon gesehen, wie man Graphen und Digraphen zur Beschreibung vieler Situationen verwenden kann; eingeschlossen sind *Marktwirtschaft* (Aufgabe 3f), wobei ein bipartiter Graph verwendet wird, um verschiedene Fabriken und ihre Warenabnehmer darzustellen; *Spiele* (Aufgabe 1a(v)), wobei die Ecken die verschiedenen Spielstellungen repräsentieren und die Kanten die möglichen Züge; *soziale Beziehungen* (das Handschlaglemma und die Aufgaben 1a(iii), 3f, 3j und 7i); *elektrische Netzwerke* und *Landkarten* (§ 1); *chemische Verbindungen* (§ 10 und Aufgaben 1b und 9c) und *Denksportaufgaben* (der zweite Abschnitt von § 6 und die Aufgaben 6d, 6g, 7d und 7i).

Etwas später werden wir noch solche Anwendungen kennenlernen wie die Verwendung planarer Graphen beim Studium gedruckter Schaltungen (§ 13), chromatischer Polynome bei Stundenplanproblemen (§ 21) und der Transversalentheorie bei der Konstruktion lateinischer Quadrate und in der Gruppentheorie (§ 27). In einiger Ausführlichkeit werden wir ferner den Gebrauch von Digraphen beim Studium Markoffscher Ketten (§ 24) und bei dem Problem diskutieren, die maximalen Flüsse in Transportnetzen zu finden (§ 29).

Der Rest dieser Paragraphen ist einem eingehenderen Studium zweier spezieller Anwendungen gewidmet, die erste betrifft das Problem der kürzesten Verbindung, die zweite ist von recht einfacher Art.

(i) Nehmen wir einmal an, wir hätten ein Eisenbahnnetz zu bauen, das n gegebene Städte derart miteinander verbindet, daß man von jeder Stadt zu jeder anderen fahren kann. Nehmen wir ferner an, daß die Länge der verwendeten Schienen aus wirtschaftlichen Gründen minimal sein soll, so ist es klar, daß der aus den n Städten als Ecken und den Eisenbahnverbindungen als Kanten gebildete Graph notwendig ein Baum ist. Das Problem besteht dann darin, einen Algorithmus zu finden, mit dessen Hilfe man entscheiden kann, welcher der n^{n-2} möglichen Bäume die kleinste Gesamtlänge an Gleisen hat, wobei wir die Abstände aller Paare von Städten als bekannt voraussetzen (siehe Abb. 11.1).

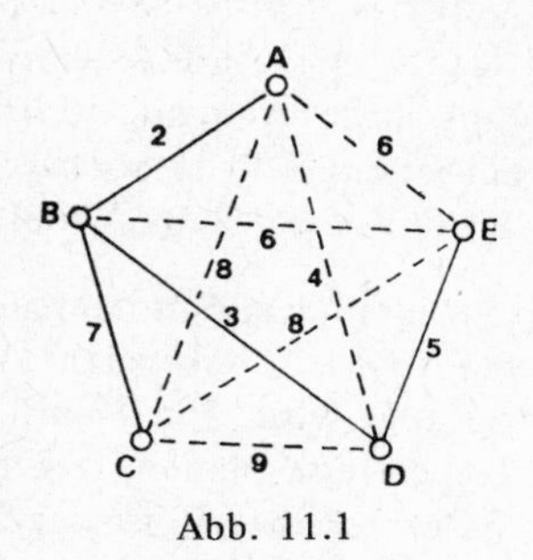

Abb. 11.1

Eine etwas allgemeinere Form dieses Problems können wir graphentheoretisch folgendermaßen formulieren: Sei G ein zusammenhängender Graph und sei vorausgesetzt, daß jeder Kante e von G eine nichtnegative, reelle Zahl $\mu(e)$ zugeordnet ist, die die **Länge** von e genannt wird; dann möchten wir einen Algorithmus finden zur Bestimmung eines Gerüstes T, dessen **Gesamtlänge** $M(T) = \sum \mu(e)$ so klein wie möglich ist, wobei die Summe über alle Kanten von T genommen wird. Dieses Problem ist als das **Problem des Minimalgerüstes** bekannt, und es reduziert sich auf die vorhergehende Frage, wenn man für G den Graphen K_n nimmt und als Länge einer Kante die Entfernung zwischen den entsprechenden beiden Städten; der folgende Satz liefert uns den gewünschten Algorithmus, im allgemeinen als **Kruskals Algorithmus** bezeichnet.

Satz 11A. *Sei G ein zusammenhängender Graph mit n Ecken; dann liefert die folgende Konstruktion ein Minimalgerüst:*
(i) *Sei e_1 eine Kante von G mit minimaler Länge;*
(ii) $e_2, e_3, \ldots, e_{n-1}$ *werden induktiv definiert, indem man bei jedem Schritt eine Kante kleinster Länge unter denjenigen Kanten von G auswählt, die noch nicht gewählt wurden und mit den früher gewählten auch keinen Kreis bilden. Der Teilgraph T von G mit den Kanten $e_1, \ldots, e_{n-1}$ ist dann das gesuchte Gerüst.*

Bemerkung. Der Leser möge sich davon überzeugen, daß diese Konstruktion im Falle des Graphen von Abb. 11.1 zu $e_1 = AB$, $e_2 = BD$, $e_3 = DE$ und $e_4 = BC$ führt.

Beweis: Daß T ein Gerüst von G ist, folgt unmittelbar aus Aussage (ii) von Satz 9A; es bleibt lediglich zu zeigen, daß die Gesamtlänge von T minimal ist. Dazu nehmen wir an, daß S ein von T verschiedenes Gerüst von G mit

$M(S) < M(T)$ ist. Ist e_k die erste Kante der obigen Folge, die nicht zu S gehört, so enthält der Teilgraph von G, den man durch Hinzunahme von e_k zu S bekommt, genau einen Kreis C und dieser enthält die Kante e_k. Da C natürlich eine Kante e enthält, die in S, aber nicht in T liegt, ist der aus S durch Ersetzung von e durch e_k entstehende Teilgraph nach wie vor ein Gerüst (das mit S' bezeichnet sei). Nach Konstruktion ist aber $\mu(e_k) \leqq \mu(e)$ und damit $M(S') \leqq M(S)$ und S' hat eine Kante mehr mit T gemeinsam als S; folglich können wir S durch Wiederholung dieses Vorgangs schrittweise in T überführen, wobei die Gesamtlänge bei jedem Schritt höchstens kleiner wird; daraus folgt $M(T) \leqq M(S)$ und das ist der gewünschte Widerspruch. //

Ein Problem, das auf den ersten Blick dem Problem des Minimalgerüstes ähnelt, ist das wohlbekannte *Problem des Verkaufsreisenden,* bei welchem ein Algorithmus zur Lösung der folgenden Frage verlangt wird: Ein Mann möchte n gegebene Städte besuchen; wie muß er seine Reise planen, daß er in jede Stadt wenigstens einmal kommt und dabei der gesamte Reiseweg so kurz wie möglich ist? (In Abb. 11.1 ist die kürzestmögliche Route $A \to B \to D \to E \to C \to A$ mit der Gesamtlänge 26, wie man durch unmittelbare Betrachtung feststellen kann.) Die praktischen Anwendungen dieses Problems sind weitreichend, unglücklicherweise ist jedoch bis heute kein allgemeiner Algorithmus für seine Lösung bekannt.

(ii) Ein Geduldspiel, das in der letzten Zeit populär geworden und unter dem Namen ‚Problem der Farbwürfel' im Handel ist, besteht aus vier Würfeln, deren Seitenflächen rot, blau, grün und schwarz gefärbt sind und zwar so, daß es auf jedem Würfel zu jeder der vier Farben wenigstens eine in dieser Farbe gefärbte Fläche gibt (wie es in Abb. 11.2 dargestellt ist); die Aufgabe besteht darin, diese vier Würfel so zu einem Turm aufeinander zu stellen, daß auf jeder der vier Seiten des entstehenden quadratischen Prismas Flächen aller vier Farben auftreten.

Um dieses Problem zu lösen, stellen wir jeden der Würfel durch einen Graphen mit vier Ecken dar, wobei jede Ecke einer der Farben entspricht; in jedem solchen Graphen sind zwei Ecken genau dann benachbart, wenn bei dem betreffenden Würfel die entsprechenden Farben auf gegenüberliegenden Seiten vorkommen. Die den Würfeln von Abb. 11.2 entsprechenden Graphen sind in Abb. 11.3 gezeigt.

Es erweist sich als zweckmäßig, diese Graphen zu einem neuen Graphen so aufeinanderzulegen (Abb. 11.4), daß jeweils die denselben Farben entsprechenden Ecken zusammenfallen, und dann die Kanten entsprechend ihrer Herkunft von den einzelnen Teilgraphen zu numerieren. Da bei jeder Lösung der Aufgabe auf jedem der beiden Paare gegenüberliegender Seiten des Turmes zwei Flächen jeder Farbe auftreten, ist unschwer einzusehen, daß man die gewünschte Lösung erhält durch Angabe zweier Teilgraphen H_1 und H_2 von G, die regulär vom Grad zwei sind und genau eine Kante jeder

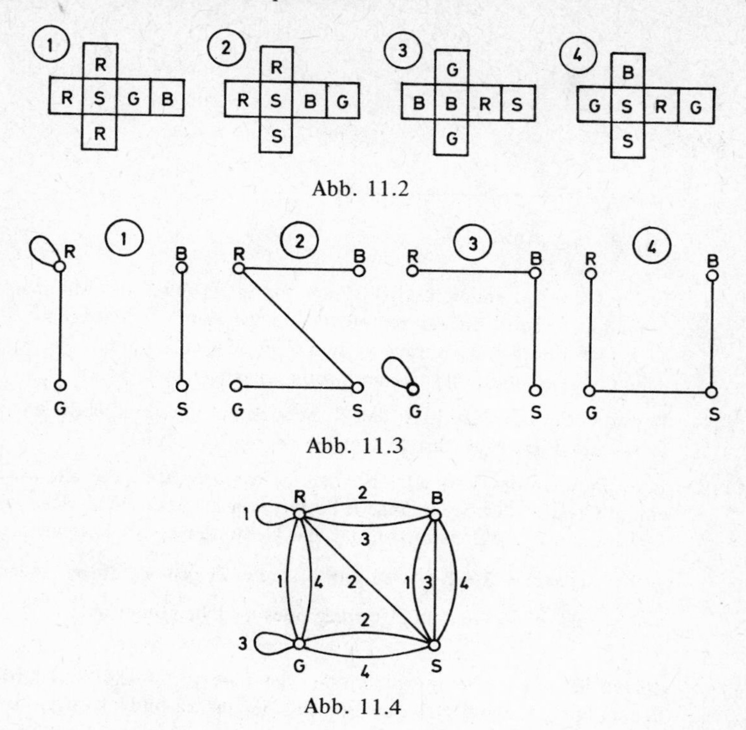

Abb. 11.4

Nummer enthalten (die unserem speziellen Beispiel entsprechenden Teilgraphen sind in Abb. 11.5 gezeigt). H_1 und H_2 repräsentieren dann die auf Vorder- und Rückseite bzw. linker und rechter Seite des Prismas erscheinenden Farben; die Lösung kann dann an diesen Teilgraphen abgelesen werden (Abb. 11.6).

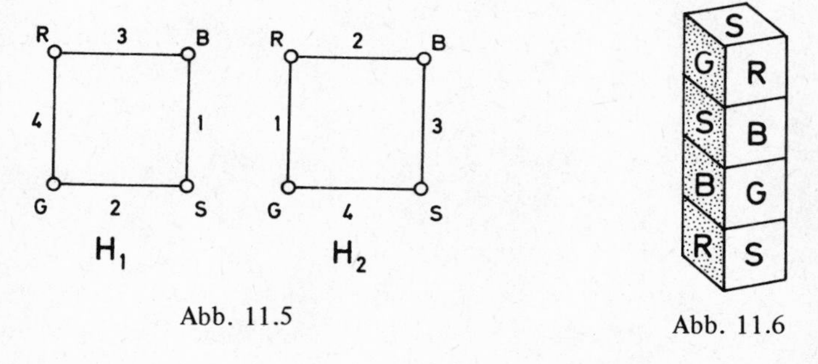

Abb. 11.5

Abb. 11.6

Aufgaben

(11a) Finden Sie mit der Konstruktion von Satz 11A ein Minimalgerüst des in Abb. 11.7 gezeigten Graphen!

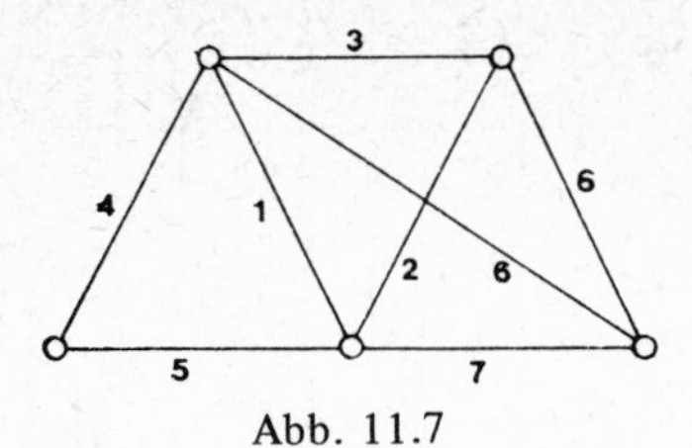

Abb. 11.7

(11b) Geben Sie einen anderen Algorithmus für das Problem des Minimalgerüstes an, der darauf beruht, die Kanten größter Länge von G zu entfernen. Zeigen Sie auch, daß dieser Algorithmus in dem Falle, daß alle Kanten die gleiche Länge haben, eine Methode zur Konstruktion eines Gerüstes liefert.

(*11c) Beweisen Sie mit Satz 11A, daß je zwei Basen eines endlichdimensionalen Vektorraumes V dieselbe Anzahl von Elementen enthalten.

(*11d) Beim Problem des Verkaufsreisenden sei vorausgesetzt, daß alle n Städte in einem Quadrat der Seitenlänge k liegen; zeigen Sie durch Zerlegung dieses Quadrats in m Parallelstreifen, daß die Gesamtlänge des Reisewegs nicht größer als $k(m + 3 + \left[\frac{n}{m}\right])$ zu sein braucht. Zeigen Sie durch passende Wahl von m, daß diese Gesamtlänge für großes n nicht größer als annähernd $2k\sqrt{n}$ ist.

(11e) Zeigen Sie, daß es beim Problem der vier Farbwürfel 41472 verschiedene Möglichkeiten gibt, ein 4×1 quadratisches Prisma zu bilden; zeigen Sie, daß jedoch bei unserem speziellen Beispiel nur eine einzige davon zu einer Lösung des Problems führt.

5 Planarität und Dualität

Wir steigen nun ein in das Studium der topologischen Graphentheorie, wo die Graphentheorie untrennbar verknüpft wird mit topologischen Begriffen wie Planarität, Geschlecht, usw. In § 4 wurde bewiesen, daß jeder Graph in den dreidimensionalen Raum eingebettet werden kann; nun forschen wir nach den Voraussetzungen, unter denen ein Graph in die Ebene oder in eine andere Fläche eingebettet werden kann. In § 12 beweisen wir die Existenz von Graphen, die nicht planar sind, und formulieren Kuratowskis berühmte Charakterisierung planarer Graphen. Der Satz von Euler, der eine Beziehung herstellt zwischen der Anzahl der Ecken, der Anzahl der Kanten und der Anzahl der Flächen eines ebenen Graphen, wird dann in § 13 bewiesen und in § 14 auf Graphen verallgemeinert, die in andere Flächen eingebettet sind. Der Rest des Kapitels ist dem Studium der Dualität unter drei verschiedenen Blickwinkeln gewidmet – aus geometrischer Sicht, mit Hilfe von Kreisen und Schnitten und über die Whitney-Dualität.

§ 12. Planare Graphen

Ein **ebener Graph** ist ein derart in die Ebene gezeichneter Graph, daß keine zwei Kanten (genauer gesagt, die sie darstellenden Kurven) einen Schnittpunkt haben, abgesehen von einer Ecke, mit der beide inzidieren; ein **planarer Graph** ist ein solcher, der zu einem ebenen Graphen isomorph ist. In der Sprechweise von § 4 läuft dies darauf hinaus, zu sagen, ein Graph ist planar, wenn er in die Ebene eingebettet werden kann, und jede solche Einbettung ist ein ebener Graph; zum Beispiel sind alle drei Graphen in Abb. 12.1 planar, aber nur der zweite und dritte sind eben.

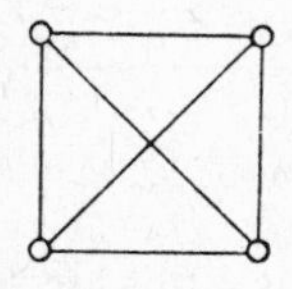
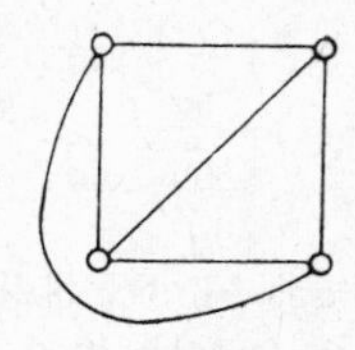
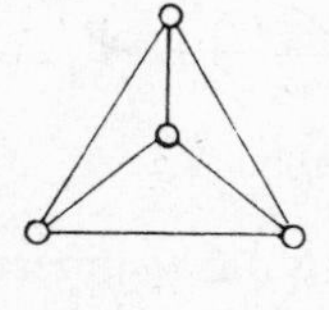

Abb. 12.1

Eine Frage, die sich aus dem eben genannten Beispiel sowie auch aus Aufgabe 4c ergibt, ist die, ob man einen planaren Graphen stets so in die Ebene zeichnen kann, daß alle seine Kanten durch geradlinige Strecken gegeben werden. Obwohl dies für Graphen mit Schlingen oder Mehrfachkanten natürlich falsch ist, ist es für schlichte Graphen tatsächlich richtig, wie Wagner 1937 gezeigt hat. Der daran interessierte Leser kann etwa bei H. Sachs [23], Band II, weitere Einzelheiten finden.

Nicht alle Graphen sind planar, wie der folgende Satz zeigt:

Satz 12A. *K_5 und $K_{3,3}$ sind nicht planar.*

Bemerkung. Wir werden dafür zwei Beweise geben. Der erste, den wir sogleich vorführen werden, beruht auf dem Jordanschen Kurvensatz, und zwar auf der in § 4 gegebenen Form dieses Satzes; der zweite Beweis, den wir bis zum nächsten Abschnitt zurückstellen, wird sich als Korollar zum Satz von Euler ergeben.

Beweis. Angenommen K_5 ist eben. Da K_5 einen Kreis der Länge fünf enthält (wir können etwa $v \to w \to x \to y \to z \to v$ nehmen), tritt dieser Kreis bei jeder ebenen Einbettung als geschlossene Jordankurve auf und wir können ohne Beschränkung der Allgemeinheit annehmen, daß diese die Gestalt eines regulären Fünfecks hat (wie in Abb. 12.2). Nach dem Jordanschen Kurvensatz liegt die Kante $\{z, w\}$ entweder ganz (von den Ecken abgesehen) innerhalb des Fünfecks oder ganz außerhalb (die dritte Möglichkeit, daß nämlich die Kante einen Punkt mit dem Fünfeck gemeinsam hat, kann ja bei einer ebenen Einbettung nicht eintreten); wir wollen uns mit dem Fall befassen, daß $\{z, w\}$ im Inneren des Fünfecks liegt – der andere Fall geht ganz ähnlich und kann dem Leser überlassen bleiben. Da die Kanten $\{v, x\}$ und $\{v, y\}$ die Kante $\{z, w\}$ nicht schneiden können, müssen sie beide außerhalb des Pentagons liegen; damit haben wir eine Situation, wie sie in Abb. 12.3 dargestellt ist. Nun kann aber die Kante $\{x, z\}$ die Kante $\{v, y\}$ nicht

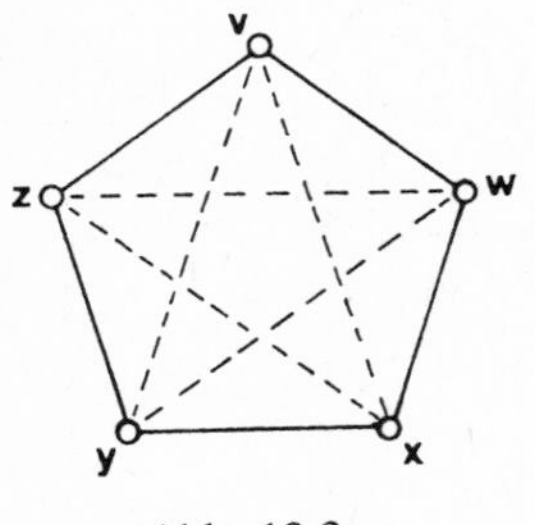

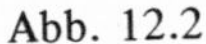
Abb. 12.2

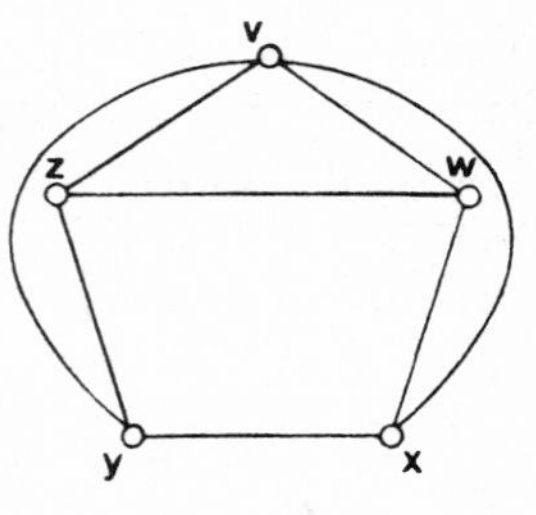

Abb. 12.3

kreuzen und muß daher innerhalb des Fünfecks liegen, und aus ähnlichen Gründen muß auch die Kante $\{w, y\}$ innerhalb des Fünfecks liegen. Da sich dann aber die Kanten $\{w, y\}$ und $\{x, z\}$ kreuzen müssen, haben wir damit den gesuchten Widerspruch.

Mit einem ähnlichen, aber noch einfacheren Argument zeigen wir, daß $K_{3,3}$ nicht planar ist; wir zeichnen einfach den Kreis $u \to v \to w \to x \to y \to z \to u$ als Sechseck wie in Abb. 12.4 und zeigen (mit Hilfe des Jordanschen Kur-

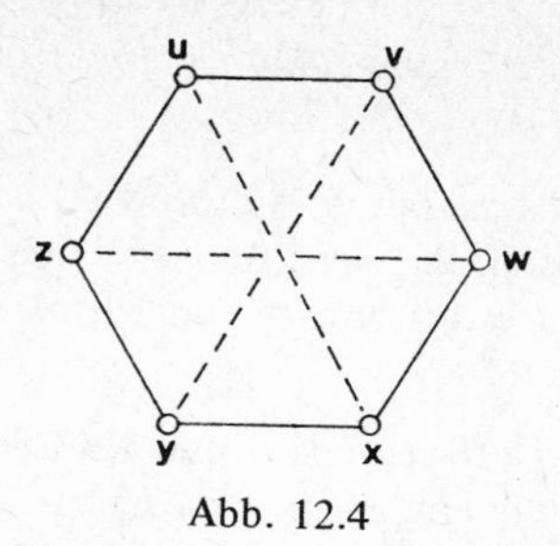

Abb. 12.4

vensatzes), daß zwei der Kanten $\{u, x\}$, $\{v, y\}$, $\{w, z\}$ entweder beide im Inneren oder beide im Äußeren des Sechseckes liegen und sich damit schneiden. //

Es ist klar, daß jeder Teilgraph eines planaren Graphen planar ist, und daß andererseits jeder Graph, der einen nichtplanaren Graphen als Teilgraphen enthält, selbst nichtplanar ist; daraus folgt unmittelbar, daß keiner der Graphen, die K_5 oder $K_{3,3}$ als Teilgraphen enthalten, planar sein kann. Es stellt sich heraus, daß K_5 und $K_{3,3}$ im wesentlichen die einzigen nichtplanaren Graphen sind in dem Sinne, daß jeder nichtplanare Graph einen dieser beiden in gewisser Weise ‚enthält'. Um dies präziser formulieren zu können, brauchen wir den Begriff der ‚homöomorphen Graphen'.

Zwei Graphen sind **homöomorph** (oder **bis auf Ecken vom Grade zwei identisch**), wenn man beide aus ein und demselben Graphen erhalten kann, indem man in dessen Kanten neue Ecken vom Grade zwei einsetzt; zum Beispiel sind die beiden in Abb. 12.5 gezeigten Graphen homöomorph, und

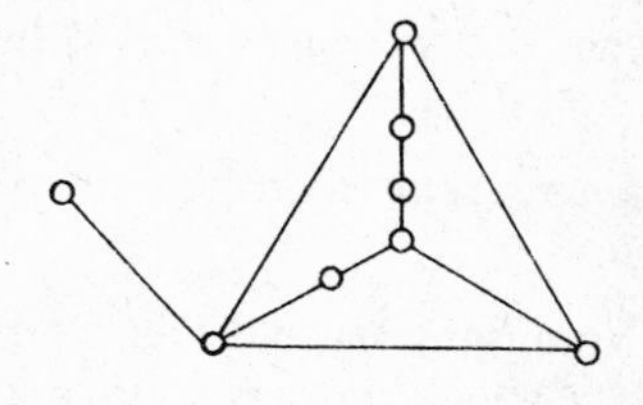

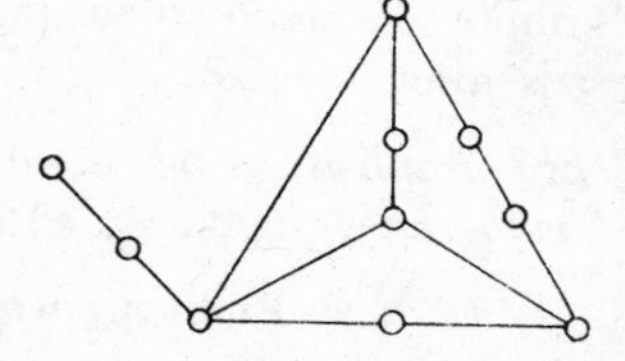

Abb. 12.5

dasselbe gilt für je zwei Kreise. Homöomorphie von Graphen ist offenbar eine Äquivalenzrelation.

Natürlich ist die Einführung des Begriffes ‚homöomorph' an dieser Stelle eine rein technische Angelegenheit – das Einpflanzen oder Auslöschen von Ecken vom Grade zwei in Kanten ist für die Planarität eines Graphen ohne Belang. Mit seiner Hilfe können wir jedoch das folgende wichtige Ergebnis formulieren, das als **Satz von Kuratowski** bekannt ist und eine notwendige und hinreichende Bedingung für die Planarität eines Graphen liefert.

Satz 12B (Kuratowski 1930). *Ein Graph ist genau dann planar, wenn er keinen zu* K_5 *oder* $K_{3,3}$ *homöomorphen Teilgraphen enthält.* //

Der Beweis des Satzes von Kuratowski ist ziemlich lang und schwierig, aus diesem Grunde haben wir uns entschlossen, ihn wegzulassen (siehe etwa Harary [13]). Wir werden jedoch mit Hilfe des Satzes von Kuratowski ein weiteres Kriterium für Planarität herleiten.

Wir brauchen dazu ein paar einleitende Definitionen: Eine **Kantenkontraktion** in einem Graphen liegt vor, wenn wir eine Kante e (die etwa mit den Ecken v und w inzident ist) zu einer einzigen Ecke zusammenschrumpfen lassen – mit anderen Worten, wenn wir e entfernen und v und w miteinander identifizieren und zwar so, daß die entstehende Ecke mit all denjenigen Kanten (außer e) inzident ist, die vorher mit v oder w inzident waren (siehe Abb. 12.6). Eine **Kontraktion** (oder **Zusammenziehung**) eines Graphen G

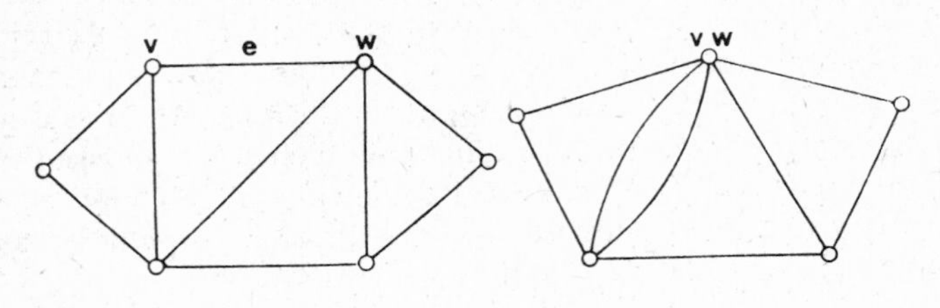

Abb. 12.6

ist dann ein Graph, der aus G durch eine Kette von Kantenkontraktionen entsteht. So ist K_5 eine Kontraktion des Petersengraphen in Abb. 3.5 (man kontrahiere die fünf Kanten, die den inneren Kreis mit dem äußeren verbinden); wir können das auch so ausdrücken, daß wir sagen, der Petersengraph ist auf K_5 **zusammenziehbar**.

Satz 12C. *Ein Graph ist genau dann planar, wenn er keinen auf* K_5 *oder* $K_{3,3}$ *zusammenziehbaren Teilgraphen enthält.*

★ *Beweis.* ⇐ Für diese Richtung wird vorausgesetzt, daß der Graph G nichtplanar ist; dann enthält G nach dem Satz von Kuratowski einen zu K_5 oder $K_{3,3}$ homöomorphen Teilgraphen H. Indem man sukzessive Kanten kontrahiert, die mit wenigstens einer Ecke vom Grade zwei inzident sind, ist leicht zu sehen, daß sich H auf K_5 oder $K_{3,3}$ zusammenziehen läßt.

⇒ Nun sei vorausgesetzt, daß G einen auf $K_{3,3}$ zusammenziehbaren Teilgraphen H enthält, und sei H_v der Teilgraph von H, der dabei zur Ecke v von $K_{3,3}$ schrumpft. (siehe Abb. 12.7). Die Ecke v ist in $K_{3,3}$ mit drei Kanten e_1, e_2 und e_3 inzident; als Kanten von H betrachtet, sind diese Kanten mit drei (nicht notwendig verschiedenen) Ecken v_1, v_2 und v_3 von H_v inzident. Sind v_1, v_2 und v_3 voneinander verschieden, so können wir eine Ecke w in H_v und drei Wege von w zu diesen Ecken finden, die nur die Ecke w ge-

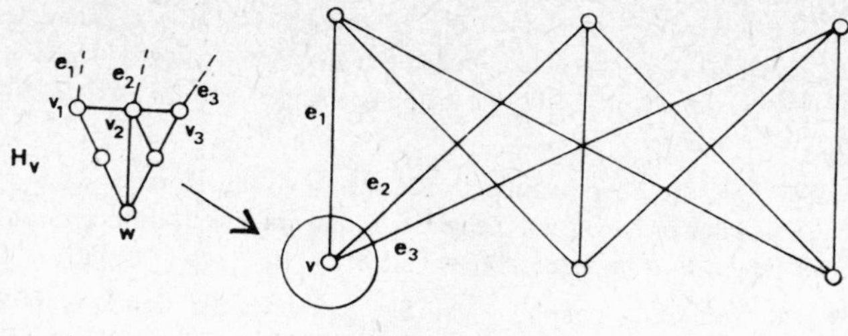

Abb. 12.7

meinsam haben. (Eine ähnliche Konstruktion kann durchgeführt werden, wenn die Ecken nicht voneinander verschieden sind, wenn man zuläßt, daß in diesem Fall gewisse der Wege zu einer einzigen Ecke ausarten.) Folglich enthält H_v einen Teilgraphen bestehend aus der Ecke w und drei (vielleicht teilweise ausgearteten) von w wegführenden Wegen. Führen wir diese Konstruktion für jede Ecke von $K_{3,3}$ aus und verbinden wir die erhaltenen Wege durch die entsprechenden Kanten von $K_{3,3}$, so entsteht ein Teilgraph von G, der natürlich zu $K_{3,3}$ homöomorph ist, womit (nach dem Satz von Kuratowski) gezeigt ist, daß G nichtplanar ist (siehe Abb. 12.8).

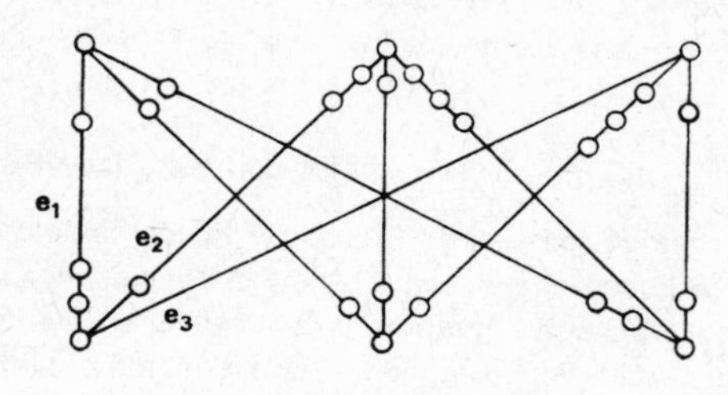

Abb. 12.8

Eine ähnliche Schlußweise kann in dem Falle durchgeführt werden, daß G einen auf K_5 zusammenziehbaren Teilgraphen enthält; die Einzelheiten hierzu überlassen wir dem Leser als Aufgabe (siehe Aufgabe 12l). // ★

Aufgaben

(12a) Drei Nachbarn gehen zum gleichen Lebensmittelgeschäft zum Einkaufen, zur gleichen Gaststätte und zum gleichen Postamt; unglücklicherweise sind sie einander so feindlich gesinnt, daß sie von jedem ihrer Häuser zu jedem der drei Orte Wege finden wollen, die sich nicht schneiden, um sich nur ja nicht zu treffen. Ist dies überhaupt möglich?

(12b) Für welche Werte n sind die Graphen G_n (wie sie in Aufgabe 2a definiert wurden) planar?

(12c) Beweisen Sie mit Hilfe des Satzes von Kuratowski, daß der Petersengraph nichtplanar ist.

(12d) Sei G ein planarer Graph mit der Eckenmenge $\{v_1, \ldots, v_n\}$, und seine $p_1, \ldots, p_n$ irgendwelche n verschiedenen Punkte in der Ebene; begründen Sie heuristisch, daß man G derart in die Ebene einbetten kann, daß für jedes i der Punkt p_i die Ecke v_i darstellt.

(12e) Beweisen Sie die oben geäußerte Behauptung, daß Homöomorphie von Graphen eine Äquivalenzrelation ist. Zeigen Sie, daß für zwei homöomorphe Graphen mit n_i Ecken und m_i Kanten $(i = 1,2)$ $m_1 - n_1 = m_2 - n_2$ gilt.

(12f) Sei G ein schlichter Graph; zeigen Sie, daß auch der Kantengraph $L(G)$ nichtplanar ist, wenn G nichtplanar ist. Wenn G planar ist, ist dann notwendig auch $L(G)$ planar?

(12g) Zeigen Sie, daß man einen planaren Graphen nur auf endlich viele topologisch verschiedene Weisen in die Ebene einbetten kann.

(12h) Die **Kreuzungszahl** $cr(G)$ eines Graphen G ist die kleinstmögliche Anzahl von Kreuzungen, die bei Einbettung des Graphen in die Ebene vorkommen kann (unter einer Kreuzung verstehen wir dabei wie in § 4 den Durchschnitt von genau zwei Kanten). Beweisen Sie: (i) Die Kreuzungszahl eines ebenen Graphen ist null; (ii) $cr(K_5) = cr(K_{3,3}) = 1$. Was ist die Kreuzungszahl des Petersengraphen?

(*12i) Sei G der Graph, der gebildet wird von den Ecken (als Ecken), den Seiten und Hauptdiagonalen (als Kanten) eines regulären $2n$-Ecks $(n \geqq 3)$; beweisen Sie $cr(G) = 1$. Können Sie ein entsprechendes Ergebnis für das $(2n + 1)$-Eck angeben?

(*12j) Zeigen Sie $cr(K_{m,n}) \leqq \frac{1}{16} mn(m-2)(n-2)$ für den Fall, daß m und n beide gerade sind, und leiten Sie entsprechende Ergebnisse für die anderen Fälle her. (Hinweis: Wählen Sie m Ecken in gleichen Abständen voneinander auf der x-Achse und zwar auf jeder Seite des Nullpunkts gleichviele; wählen Sie die anderen n Ecken auf der y-Achse entsprechend – und zählen Sie dann die Kreuzungen.)

(12k) Stellen Sie bei jedem der folgenden Paare von Graphen fest, ob man den zweiten durch eine Kontraktion des ersten erhalten kann: (i) Der Petersengraph, K_5; (ii) K_n, K_{n-1}; (iii) W_6, K_4; (iv) $K_{3,3}$, K_4; (v) der Würfelgraph, W_5; (vi) der Petersengraph, W_6. Finden Sie einen nichtplanaren Graphen, der nicht auf K_5 oder $K_{3,3}$ zusammenziehbar ist; warum widerspricht dies nicht dem Satz 12C?

(*12l) Vervollständigen Sie den Beweis von Satz 12C. (Warnung: Bei einem der Beweisschritte ist sehr sorgfältige Schlußweise nötig.)

§ 13. Der Satz von Euler für ebene Graphen

In diesem Abschnitt werden wir einen Satz beweisen, der eine Beziehung herstellt zwischen der Anzahl der Ecken, der Anzahl der Kanten und der Anzahl der Gebiete eines gegebenen zusammenhängenden, ebenen Graphen G. Bevor wir exakt definieren, was wir unter einem ‚Gebiet' von G verstehen wollen, sei der Leser daran erinnert, daß ein Punkt x der Ebene als disjunkt zu G bezeichnet wird, wenn er weder eine Ecke repräsentiert noch auf einer der die Kanten von G repräsentierenden Linien liegt.

Ist x ein zu G disjunkter Punkt der Ebene, so definieren wir das **Gebiet** von G, **welches x enthält**, als die Menge aller Punkte der Ebene, die man von x aus mit solchen Jordankurven erreichen kann, deren sämtliche Punkte zu G disjunkt sind. Anders ausgedrückt, wir nennen zwei Punkte x und y der Ebene äquivalent, wenn sie beide disjunkt zu G sind und durch eine Jordankurve verbunden werden können, deren sämtliche Punkte disjunkt zu G sind (Abb. 13.1); dies ist eine Äquivalenzrelation auf der Menge der

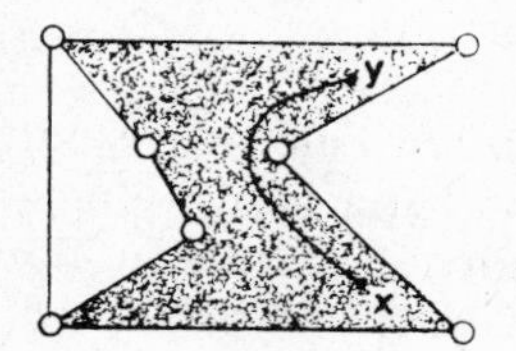

Abb. 13.1

zu G disjunkten Punkte der Ebene und ihre Äquivalenzklassen werden die **Gebiete** von G genannt. Man beachte, daß eins der Gebiete unbeschränkt ist; es wird das **unendliche Gebiet** genannt. Ist zum Beispiel G der Graph von Abb. 13.2, so hat G vier Gebiete, und f_4 ist das unendliche Gebiet.

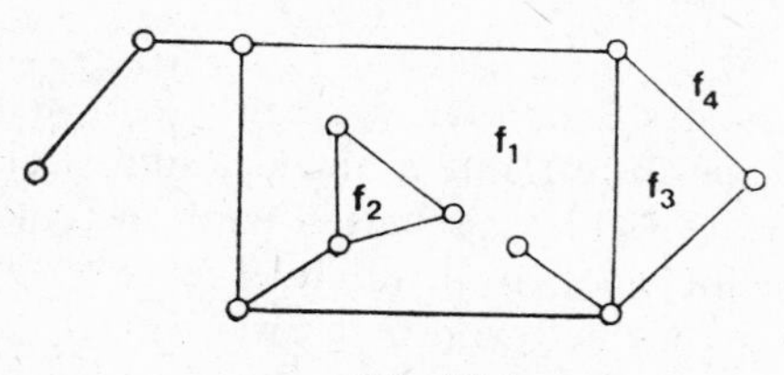

Abb. 13.2

Sollte ein Leser das Gefühl haben, daß unsere Definition eines Gebietes zu pedantisch ist, so mag er sich getrost auf seine Anschauung verlassen.

Die Einsicht ist wichtig, daß das unendliche Gebiet in keiner Weise ausgezeichnet ist – tatsächlich kann man jedes Gebiet als das unendliche Gebiet nehmen. Um dies einzusehen, bilden wir den Graphen gemäß Satz 4B auf die Oberfläche einer Kugel ab; nun drehen wir die Kugel so, daß das Projektionszentrum (d. h. der Nordpol) in das Gebiet zu liegen kommt, welches wir als unendliches Gebiet haben möchten, und projizieren dann den Graphen auf die Ebene, welche die Kugel am Südpol berührt. Das gewünschte Gebiet ist dann das unendliche Gebiet. Abb. 13.3 zeigt eine Darstellung des Graphen in Abb. 13.1, bei welcher das unendliche Gebiet f_3 ist. Wir werden

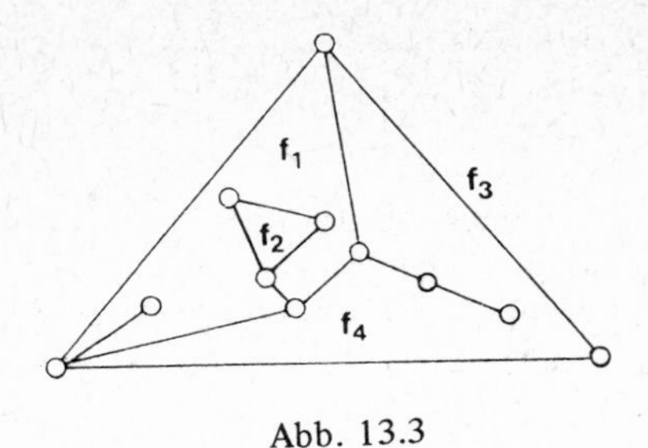

Abb. 13.3

künftig je nach Belieben von Graphen sprechen, die in die Ebene eingebettet sind, oder von Graphen, die in die Oberfläche der Kugel eingebettet sind.

Nun formulieren und beweisen wir den **Satz von Euler**, der besagt, daß die Anzahl der Gebiete, wie auch immer wir den betrachteten Graphen in die Ebene einbetten, allemal dieselbe ist und durch eine einfache Formel gegeben wird; ein anderer Beweis wird in Aufgabe 131 skizziert.

Satz 13A (Euler 1752). *Sei G ein zusammenhängender, ebener Graph mit n Ecken, m Kanten und f Gebieten. Dann gilt*

$$n + f = m + 2.$$

Beweis. Der Beweis wird durch vollständige Induktion über die Anzahl der Kanten von G erbracht. Im Falle $m = 0$ ist $n = 1$ (da G zusammenhängend ist) und $f = 1$ (das unendliche Gebiet); der Satz ist also in diesem Falle richtig.

Nun setzen wir die Richtigkeit des Satzes für den Fall voraus, daß G $m - 1$ Kanten hat und fügen zu G eine neue Kante e hinzu. Dann ist entweder (i) e eine Schlinge, womit ein neues Gebiet geschaffen wird, die Anzahl der Ecken jedoch unverändert bleibt, oder (ii) e verbindet zwei verschiedene Ecken von G, wodurch eins der Gebiete von G in zwei zerlegt wird, was die Anzahl der Gebiete um eins erhöht, die Anzahl der Ecken jedoch unverändert läßt, oder (iii) e ist mit genau einer Ecke von G inzident, in welchem Falle eine neue Ecke hinzugefügt werden muß, was die Anzahl der Ecken um eins erhöht, aber die Zahl der Gebiete unverändert läßt. In jedem Falle ist die Aussage des Satzes richtig. Da dies die einzig möglichen Fälle sind, ist damit der Satz bewiesen. //

Dieses Resultat wird oft als die ‚Eulersche Polyederformel' bezeichnet, da sie eine Beziehung liefert für die Anzahl der Ecken, der Kanten und der Flächen eines konvexen Polyeders; dies sieht man leicht, indem man das Polyeder auf die Oberfläche seiner umbeschriebenen Kugel vom Kugelmittelpunkt aus projiziert und dann Satz 4B benutzt. Der entstehende ebene Graph ist ein zusammenhängender Graph, bei dem jedes Gebiet durch ein Polygon berandet wird – wir wollen einen solchen Graphen einen polyedralen Gra-

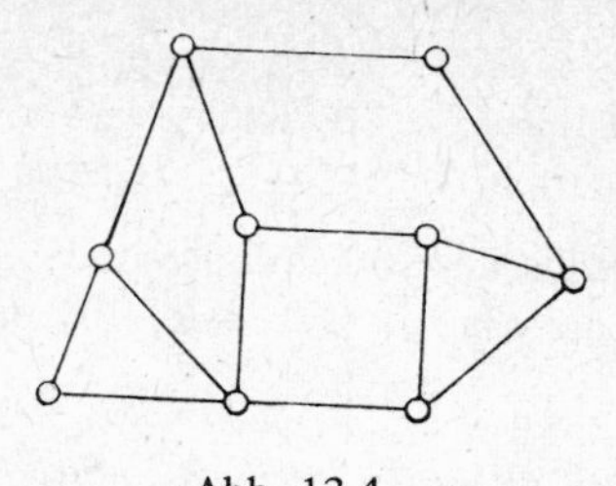

Abb. 13.4

phen nennen (siehe Abb. 13.4). Es ist zweckmäßig, Satz 13A noch einmal für solche Graphen zu formulieren.

Korollar 13B. *Sei G ein polyedraler Graph; dann gilt mit den obigen Bezeichnungen*

$$n + f = m + 2. \quad //$$

Der Eulersche Satz kann leicht auf unzusammenhängende Graphen ausgedehnt werden:

Korollar 13C. *Sei G ein ebener Graph mit n Ecken, m Kanten, f Gebieten und k Komponenten; dann gilt*

$$n + f = m + k + 1.$$

Beweis. Das Ergebnis folgt unmittelbar, indem man den Satz von Euler auf jede Komponente einzeln anwendet, und beachtet, daß das unendliche Gebiet nicht öfter als einmal zu zählen ist. //

All die bisher in diesem Paragraphen erwähnten Resultat sind auf beliebige ebene Graphen anwendbar; nun müssen wir uns auf schlichte Graphen beschränken.

Korollar 13D. *Ist G ein zusammenhängender, schlichter, planarer Graph mit* n ($\geqq 3$) *Ecken und m Kanten, so gilt*

$$m \leqq 3n - 6.$$

Beweis. Ohne Beschränkung der Allgemeinheit dürfen wir annehmen, daß G ein ebener Graph ist. Da jedes Gebiet von mindestens drei Kanten berandet wird, folgt durch Abzählung der Kanten bei jedem der Gebiete $3f \leqq 2m$ (der Faktor zwei kommt daher, daß jede Kante höchstens zwei Gebiete berandet). Indem wir diese Ungleichung mit dem Satz von Euler kombinieren, erhalten wir die Behauptung. //

Mit Hilfe dieses Korollars kann man einen anderen Beweis für Satz 12A geben.

Korollar 13E. K_5 *und* $K_{3,3}$ *sind nicht planar.*

Beweis. Wäre K_5 eben, so würde nach Korollar 13D $10 \leqq 9$ folgen, was natürlich ein Widerspruch ist. Um zu zeigen, daß $K_{3,3}$ nichtplanar ist, bemerken wir, daß jedes Gebiet von mindestens vier Kanten berandet wird (siehe Aufgabe 5g), und damit gilt $4f \leqq 2m$ (d. h. $2f \leqq 9$). Dies ist aber ein Widerspruch, denn der Satz von Euler liefert uns $f = 5$. //

Ein ähnliches Argument wird beim Beweis des folgenden Satzes gebraucht, der sich als nützlich erweisen wird, wenn wir zur Untersuchung der Graphenfärbung kommen.

Satz 13F. *Jeder schlichte, planare Graph enthält eine Ecke, deren Grad höchstens fünf ist.*

Beweis. Ohne Beschränkung der Allgemeinheit dürfen wir annehmen, daß der Graph eben und zusammenhängend ist und mindestens drei Ecken enthält. Hat jede Ecke mindestens den Grad sechs, so gilt mit der obigen Bezeichnung $6n \leqq 2m$ (also $3n \leqq m$). Mit Korollar 13D folgt dann unmittelbar $3n \leqq 3n - 6$, was offensichtlich ein Widerspruch ist. //

Wir beschließen diesen Abschnitt mit einigen Bemerkungen über die ‚Dicke' eines Graphen. In der Elektrotechnik werden häufig Teile von Netzwerken auf eine Seite einer nichtleitenden Platte aufgedruckt (sie werden als ‚gedruckte Schaltungen' bezeichnet). Da diese Leitungen nicht isoliert sind, können sie sich nicht kreuzen und die entsprechenden Graphen müssen planar sein. Für ein allgemeines Netzwerk ist es dann von Wichtigkeit zu wissen, wieviele gedruckte Schaltungen zum Aufbau des ganzen Netzwerkes benötigt werden; zu diesem Zweck definieren wir die **Dicke** eines Graphen G (sie wird mit $t(G)$ bezeichnet) als die kleinste Anzahl planarer Teilgraphen von G, die insgesamt alle Kanten von G enthalten. Wie die Kreuzungszahl ist die Dicke ein Maß dafür, wie ‚nichtplanar' ein Graph ist; zum Beispiel ist die Dicke eines planaren Graphen eins und die von K_5 und $K_{3,3}$ ist zwei.

Wie wir sehen werden, kann man eine untere Schranke für die Dicke eines Graphen leicht mit Hilfe des Eulerschen Satzes erhalten; überraschenderweise stellt sich diese ziemlich triviale untere Schranke häufig als der korrekte Wert heraus, was man in Spezialfällen durch direkte Konstruktion nachweisen kann. Bei der Herleitung dieser unteren Schranke verwenden wir das Symbol $[x]$ zur Bezeichnung der größten ganzen Zahl, die nicht größer als x ist und das Symbol $\{x\}$ zur Bezeichnung der kleinsten ganzen Zahl, die nicht kleiner als x ist (so daß zum Beispiel $[3] = \{3\} = 3$; $[\pi] = 3$ und $\{\pi\} = 4$ ist); übrigens ist $\{x\} = -[-x]$.

Satz 13G. *Sei G ein schlichter Graph mit n ($\geqq 3$) Ecken und m Kanten; dann genügt die Dicke $t(G)$ von G den folgenden Ungleichungen:*

$$t(G) \geqq \left\{\frac{m}{3n-6}\right\}; \quad t(G) \geqq \left[\frac{m+3n-7}{3n-6}\right].$$

Beweis. Der erste Teil ist eine unmittelbare Anwendung von Korollar 13D, wobei sich die geschweiften Klammern aus der Tatsache ergeben, daß die

Dicke eine ganze Zahl ist. Der zweite Teil folgt aus dem ersten mit Hilfe der leicht zu beweisenden Gleichung $\left\{\frac{a}{b}\right\} = \left[\frac{a+b-1}{b}\right]$ (worin a und b positive ganze Zahlen seien). //

Aufgaben

(13a) Verifizieren Sie die Gültigkeit der Eulerschen Formel für (i) W_n; (ii) die Platonischen Graphen; (iii) den von den Ecken, Kanten und Flächen eines $n \times n$ Schachbrettes gebildeten Graphen; (iv) $K_{2,n}$.

(13b) Zeichnen Sie den Graphen von Abb. 13.1 neu (i) mit f_1 als unendlichem Gebiet; (ii) mit f_2 als unendlichem Gebiet.

(13c) Zeigen Sie, daß für einen zusammenhängenden, planaren Graphen G mit der Taille r mit den obigen Bezeichnungen $(r-2)\, m \leqq r\,(n-2)$ gilt; folgern Sie daraus, daß der Petersengraph nichtplanar ist. Beweisen Sie ferner, daß die obige Ungleichung zur Gleichung wird, falls jedes Gebiet von einem Polygon mit r Seiten berandet wird.

(13d) Sei G ein Polyeder (bzw. ein polyedraler Graph), dessen sämtliche Gebiete von Fünfecken und Sechsecken berandet werden; was können Sie über die Anzahl der fünfeckigen Gebiete sagen? Zeigen Sie, daß es genau zwölf fünfeckige Gebiete sind, falls an jeder Ecke genau drei Gebiete zusammenstoßen.

(13e) Sei G ein ebener Graph mit weniger als zwölf Gebieten und der Eigenschaft, daß jede Ecke mindestens den Grad drei hat; zeigen Sie, daß dann ein Gebiet von G existiert, das von höchstens vier Kanten berandet wird.

(13f) Sei G ein zusammenhängender, kubischer, schlichter, ebener Graph und φ_n die Anzahl derjenigen Gebiete von G, die von n Kanten berandet werden. Zeigen Sie (durch Abzählung der Kanten und Ecken von G), daß

$$12 = 3\varphi_3 + 2\varphi_4 + \varphi_5 - \varphi_7 - 2\varphi_8 - 3\varphi_9 - \ldots$$

gilt. Beweisen Sie, daß sich als Spezialfall hiervon der letzte Teil von Aufgabe 13d ergibt, sowie daß mindestens eines der Gebiete von G von nicht mehr als fünf Kanten berandet wird.

(13g) Sei G ein schlichter Graph mit mindestens elf Ecken und sei $\bar{G}$ sein Komplement; zeigen Sie, daß G und $\bar{G}$ nicht beide planar sein können. (Tatsächlich kann man ein ähnliches Resultat mit ‚neun' an Stelle von ‚elf' beweisen.) Geben Sie ein Beispiel eines Graphen mit acht Ecken an derart, daß G und $\bar{G}$ beide planar sind.

(13h) Bestimmen Sie die Dicke des Petersengraphen.

(13i) Zeigen Sie, daß jeder nichtplanare Graph homöomorph zu einem Graphen der Dicke zwei ist.

(13j) Beweisen Sie, daß die Dicke von K_n der Ungleichung $t(K_n) \geqq \left[\frac{1}{6}(n+7)\right]$ genügt. Zeigen Sie (durch direkte Konstruktion unter Zuhilfenahme des Resultats von Aufgabe 13g), daß im Falle $n \leqq 8$ das Gleichheitszeichen gilt, nicht dagegen bei $n = 9$ oder 10. (Tatsächlich weiß man, daß von diesen beiden Ausnahmen abgesehen Gleichheit für alle $n \leqq 51$ gilt sowie für alle n (> 51), die nicht von der Form $6k + 4$ sind und man vermutet, daß sie auch für diese Werte von n gilt.)

(*13k) Bestimmen Sie eine untere Schranke für die Dicke eines Graphen mit m Kanten, n Ecken und der Taille r. Zeigen Sie für gerades m ($= 2k$), daß $t(K_{m,n}) \leqq k$ gilt und folgern Sie daraus, daß die errechnete untere Schranke im Falle $n > \frac{1}{2}(m-2)^2$ der wahre Wert von $t(K_{m,n})$ ist. Versuchen Sie ein ähnliches Ergebnis für ungerades m zu erhalten.

(*13l) Sei G ein polyedraler Graph und W der Zyklenraum von G; zeigen Sie, daß die Polygone, welche die beschränkten Gebiete von G beranden, eine Basis von W bilden, und folgern Sie daraus Korollar 13B. Überlegen Sie sich, wie man dieses Ergebnis auf beliebige ebene Graphen ausdehnen kann.

§ 14. Graphen auf anderen Flächen

★ In den vorhergehenden beiden Paragraphen haben wir Graphen betrachtet, die in die Ebene oder (was damit äquivalent ist) in die Oberfläche der Kugel eingebettet waren. Wir wollen nun einige Anmerkungen machen über die Einbettung von Graphen in andere Flächen – zum Beispiel den Torus. Man sieht leicht, daß man K_5 und $K_{3,3}$ ohne Überschneidungen auf die Oberfläche des Torus zeichnen kann, und es ist naheliegend, die Frage zu stellen, ob es zu den Sätzen von Euler und Kuratowski analoge Aussagen für Graphen gibt, die in solche Flächen eingebettet sind.

Der Torus kann als eine Sphäre mit einem ‚Henkel' betrachtet werden (Abb. 14.1); allgemeiner sagt man, eine Fläche habe das Geschlecht g, wenn sie

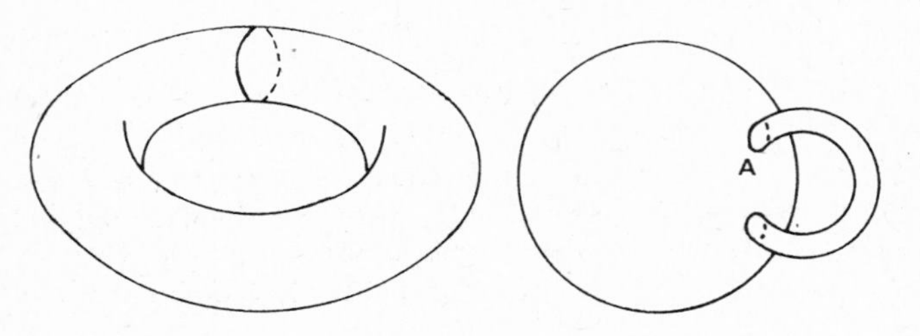

Abb. 14.1

topologisch homöomorph zu einer Sphäre mit g Henkeln ist. (Der Leser, dem diese Begriffe nicht vertraut sind, kann sich die Graphen auf die Oberfläche eines Pfannkuchens mit g Löchern gezeichnet vorstellen.) So ist das Geschlecht einer Sphäre null und das Geschlecht eines Torus eins.

Ein Graph, den man ohne Überschneidungen auf eine Fläche vom Geschlecht g zeichnen kann, aber nicht auf eine vom Geschlecht $g - 1$, wird ein **Graph**

vom Geschlecht *g* genannt. So sind K_5 und $K_{3,3}$ Graphen vom Geschlecht eins (die man auch **toroidale Graphen** nennt). Wir müssen nachweisen, daß das Geschlecht eines Graphen wohldefiniert ist.

Satz 14A. *Das Geschlecht jedes Graphen ist wohldefiniert und nicht größer als seine Kreuzungszahl.*

Beweis. Um zu zeigen, daß das Geschlecht wohldefiniert ist, ist es hinreichend, eine obere Schranke anzugeben. Dazu zeichnen wir den Graphen derart auf die Oberfläche einer Kugel, daß die Anzahl der Kreuzungen so klein wie möglich ist (und damit gleich der Kreuzungszahl c ist). Bei jeder Kreuzung konstruieren wir eine Brücke (wie in Abb. 1.2) und lassen die eine Kante über die Brücke und die andere unter ihr hindurchlaufen. Da jede Brücke als Henkel betrachtet werden kann, haben wir damit den Graphen in die Oberfläche einer Kugel mit c Henkeln eingebettet; somit ist das Geschlecht wohldefiniert und nicht größer als c. //

Zum Zeitpunkt der Niederschrift ist keine dem Satz von Kuratowski entsprechende Aussage für Flächen vom Geschlecht g bekannt. Bis heute erschien auch noch kein Beweis für die Vermutung, daß es für jeden Wert von g eine endliche Gesamtheit ‚verbotener' Teilgraphen gibt, die den für Graphen vom Geschlecht null verbotenen Teilgraphen K_5 und $K_{3,3}$ entsprechen. Im Falle des Satzes von Euler sind wir dagegen besser dran, denn es gibt eine natürliche Verallgemeinerung für Graphen vom Geschlecht g. In dieser Verallgemeinerung wird ein Gebiet eines Graphen vom Geschlecht g in naheliegender Weise definiert, nämlich in Bezug auf eine in die Fläche gezeichnete Jordankurve.

Satz 14B. *Sei G ein zusammenhängender Graph vom Geschlecht g, mit n Ecken, m Kanten und f Gebieten. Dann gilt $n + f = m + (2 - 2g)$.*

Beweisskizze. Wir werden die wesentlichen Schritte des Beweises angeben und die Einzelheiten dem Leser überlassen (Aufgabe 14b).

(i) Ohne Beschränkung der Allgemeinheit dürfen wir annehmen, daß G in die Oberfläche einer Kugel mit g Henkeln eingebettet ist. Wir dürfen ferner voraussetzen, daß die Kurven A (siehe Abb. 14.1), an denen die Henkel an die Kugel angesetzt sind, tatsächlich Kreise von G sind (das ist durch Verzerrung geeigneter Kreise von G erreichbar).

(ii) Als nächstes trennen wir jeden Henkel an einem seiner Ansatzpunkte ab, so daß der Henkel dann ein freies Ende E hat und entsprechend die Kugeloberfläche ein Loch H. Den entsprechenden Kreis von G denken wir uns dabei verdoppelt, so daß ein Exemplar am Ende E des Henkels erscheint und das andere das Loch H begrenzt; da hierbei gleichviele Ecken und Kanten neu hinzukommen, bleibt $n - m + f$ unverändert.

(iii) Zur Vervollständigung des Beweises lassen wir nun die Henkel zusammenschrumpfen, wonach eine Kugeloberfläche mit $2g$ Löchern bleibt. Dieser Schrumpfungsprozeß ändert den Wert von $n - m + f$ nicht. Für eine Sphäre gilt aber $n - m + f = 2 - 2g$. Damit folgt die Behauptung unmittelbar. //

Korollar 14C. *Das Geschlecht $g(G)$ eines schlichten Graphen G mit n ($\geqq 4$) Ecken und m Kanten genügt der Ungleichung*

$$g(G) \geqq \left\{\frac{1}{6}(m - 3n) + 1\right\}.$$

Beweis. Da jedes Gebiet von mindestens drei Kanten berandet wird, haben wir (wie im Beweis von Korollar 13D) $3f \leqq 2m$. Das Resultat folgt nun, indem man diese Ungleichung in Satz 14B einsetzt und beachtet, daß das Geschlecht eines Graphen eine ganze Zahl ist. //

Wie im Falle der Dicke eines Graphen ist wenig über das Problem bekannt, wie man das Geschlecht eines beliebigen Graphen bestimmt. Die übliche Methode besteht darin, mit Hilfe von Korollar 14C eine untere Schranke für das Geschlecht zu bestimmen und dann zu versuchen, mittels direkter Konstruktion die gesuchte Einbettung zu finden.

Um einen Fall besonderer geschichtlicher Bedeutung handelt es sich beim Geschlecht der vollständigen Graphen. Nach Korollar 14C genügt das Geschlecht von K_n der Ungleichung

$$g(K_n) \geqq \left\{\frac{1}{6}\left(\frac{1}{2}n\,(n-1) - 3n\right) + 1\right\} = \left\{\frac{1}{12}(n-3)\,(n-4)\right\}.$$

Heawood vermutete 1890, daß in dieser Ungleichung tatsächlich stets das Gleichheitszeichen gilt, und dies wurde 1968 von Ringel und Youngs nach langwierigem Bemühen schließlich bewiesen.

Satz 14D (Ringel und Youngs 1968). $g(K_n) = \left\{\frac{1}{12}(n-3)\,(n-4)\right\}.$

Bemerkung. Dies werden wir hier nicht beweisen; wegen einer Diskussion dieses Satzes sollte der Leser Ringel [21] oder [22] einsehen. //

Weitere Ergebnisse über die Einbettung von Graphen in andere Flächen kann man in Harary [13] finden.

Aufgaben

(14a) Zeigen Sie, daß man die Oberfläche eines Torus als ein Rechteck betrachten kann, dessen gegenüberliegende Seiten identifiziert wurden (siehe Abb. 14.2). Finden Sie eine entsprechende Darstellung für die Oberfläche einer Kugel mit g Henkeln.

(14b) Vervollständigen Sie die Einzelheiten des Beweises von Satz 14B.

(14c) Kann man K_5 und $K_{3,3}$ in ein Möbiusband einbetten? Finden Sie für diese Fläche eine zum Satz von Euler analoge Aussage.

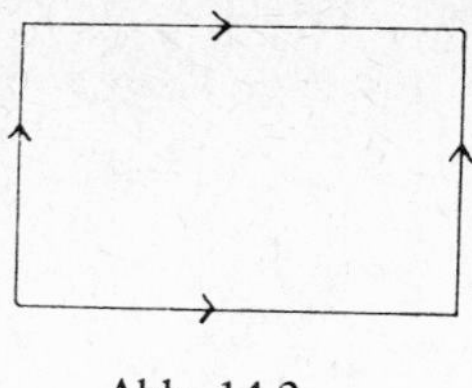

Abb. 14.2

(14d) Geben Sie ein Beispiel eines Graphen vom Geschlecht zwei an.

(14e) Zeigen Sie, daß es keinen vollständigen Graphen vom Geschlecht sieben gibt; welches ist die nächste Zahl, die nicht als Geschlecht eines vollständigen Graphen auftritt?

(14f) Bestimmen Sie eine untere Schranke für das Geschlecht eines Graphen mit der Taille r; folgern Sie daraus, daß für das Geschlecht von $K_{m,n}$

$$g(K_{m,n}) \geqq \left\{\frac{1}{4}(m-2)(n-2)\right\}$$

gilt. (Tatsächlich hat Ringel bewiesen, daß hier das Gleichheitszeichen gilt.)

(*14g) Die **toroidale Dicke** $t_1(G)$ eines Graphen G ist die kleinste Anzahl toroidaler Teilgraphen von G, die insgesamt alle Kanten von G enthalten; beweisen Sie

$$t_1(K_n) \geqq \left[\frac{1}{6}(n+4)\right].$$

Wie würden Sie noch kompliziertere Varianten des Dickebegriffes definieren, und wie würden dann die entsprechenden Ergebnisse für K_n aussehen?

§ 15. Duale Graphen

In den Sätzen 12B und 12C haben wir notwendige und hinreichende Bedingungen für die Planarität eines Graphen gegeben, nämlich daß er keinen Teilgraphen enthält, der zu K_5 oder $K_{3,3}$ homöomorph oder auf einen von diesen zusammenziehbar ist. Unser Ziel ist es, nun noch Bedingungen ganz anderer Art zu diskutieren; in diese geht der Begriff der Dualität ein.

Zu einem gegebenen ebenen Graphen G konstruieren wir einen weiteren Graphen G^*, den man den **(geometrischen) Dualgraphen** von G nennt. Die Konstruktion wird in zwei Schritten durchgeführt: (i) In jedem Gebiet F_i von G wählen wir einen Punkt v_i^* – diese Punkte sind die Ecken von G^*; (ii) zu jeder Kante e von G zeichnen wir eine Kurve e^*, die e schneidet (aber keine weitere Kante von G) und die Ecken v_i^* verbindet, die in den beiden an e angrenzenden (und nicht notwendig verschiedenen) Gebieten liegen – diese Linien sind die Kanten von G^*. Abb. 15.1 illustriert diese Konstruktion, wobei die Ecken v_i^* durch Kreuze dargestellt sind, die Kan-

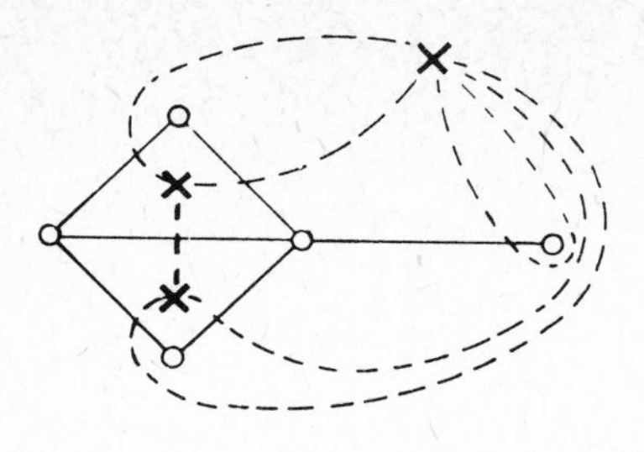

Abb. 15.1

ten e von G durch ausgezogene Linien und die Kanten e^* von G^* durch gestrichelte Linien. Man beachte, daß eine Endecke von G zu einer Schlinge von G^* Anlaß gibt, dasselbe gilt für jede Brücke von G; ferner sei darauf hingewiesen, daß G^* mehrfache Kanten enthält, sofern es zwei Gebiete von G gibt, die mehr als eine Kante gemeinsam haben.

Es ist klar, daß je zwei auf diese Weise zu G gebildete Graphen isomorph sind; dies ist der Grund dafür, daß wir bei G^* von ‚dem Dualgraphen von G' und nicht von ‚einem Dualgraphen von G' reden. Es sei jedoch darauf hingewiesen, daß andererseits der Dualgraph eines zu G isomorphen Graphen nicht notwendig zu G^* isomorph ist; die Aufgabe 15c liefert ein Beispiel hierfür.

Ist G nicht nur eben, sondern auch zusammenhängend, so ist auch G^* eben und zusammenhängend und es gibt einfache Beziehungen zwischen den Anzahlen der Ecken, Kanten und Gebiete von G und von G^*.

Lemma 15A. *Sei G ein ebener, zusammenhängender Graph mit n Ecken, m Kanten und f Gebieten, und sein geometrischer Dualgraph habe n^* Ecken, m^* Kanten und f^* Gebiete; dann gilt $n^* = f$, $m^* = m$ und $f^* = n$.*

Beweis. Die ersten beiden Gleichungen folgen unmittelbar aus der Definition von G^*; die dritte Gleichung folgt dann sofort, indem man den Satz von Euler sowohl auf G als auch auf G^* angewendet und die ersten beiden Gleichungen einsetzt. //

Da der Dualgraph G^* eines ebenen Graphen G ebenfalls ein ebener Graph ist, können wir die oben beschriebene Konstruktion wiederholen und den Dualgraphen von G^* bilden (er wird mit G^{**} bezeichnet); ist G zusammenhängend, so ist die Beziehung zwischen G^{**} und G besonders einfach, wie wir nun zeigen werden.

Satz 15B. *Sei G ein ebener, zusammenhängender Graph; dann ist G^{**} isomorph zu G.*

Beweis. Dies folgt fast unmittelbar aus der Tatsache, daß die Konstruktion, die G^* von G liefert, auch umgekehrt werden kann, um G aus G^* zu erhalten; zum Beispiel ist in Abb. 15.1 der Graph G der Dualgraph von G^*.

Wir müssen nur nachprüfen, daß ein Gebiet von G^* nicht mehr als eine Ecke von G enthalten kann – natürlich enthält es mindestens eine – und dies folgt unmittelbar aus den Gleichungen $n^{**} = f^* = n$, wo n^{**} die Anzahl der Ecken von G^{**} bezeichnet. //

Ist nun G ein planarer Graph, so kann man einen Dualgraphen von G definieren, indem man irgendeine ebene Einbettung nimmt und dazu den geometrischen Dualgraphen bildet, wobei aber die Eindeutigkeit im allgemeinen nicht gegeben ist. Da duale Graphen nur für planare Graphen definiert wurden, ist trivialerweise die Aussage richtig, daß ein Graph dann und nur dann planar ist, wenn er einen Dualgraphen hat; andererseits liefert uns dies, wenn uns ein beliebiger Graph gegeben ist, keine Möglichkeit zur Entscheidung der Frage, ob dieser Graph nun planar ist oder nicht. Offenbar ist es wünschenswert, eine Definition der Dualität zu finden, die den geometrischen Dualgraphen verallgemeinert und es uns gleichzeitig ermöglicht (zumindest im Prinzip), zu entscheiden, ob ein vorgelegter Graph planar ist oder nicht.

Eine dieser Definitionen nutzt die Beziehung aus, die unter der Dualität zwischen den Kreisen und den Schnitten eines planaren Graphen bestehen. Wir beschreiben zunächst diese Beziehung und benutzen sie anschließend, um die gesuchte Definition zu erhalten; eine weitere Definition werden wir im nachfolgenden Paragraphen angeben.

Satz 15C. *Sei G ein planarer Graph und G^* der geometrische Dualgraph von G; dann bildet eine Menge von Kanten in G genau dann einen Kreis, wenn die entsprechende Menge von Kanten von G^* einen Schnitt in G^* bilden.*

Beweis. Ohne Beschränkung der Allgemeinheit dürfen wir annehmen, daß G ein zusammenhängender, ebener Graph ist. Ist C ein Kreis in G, so umschließt C ein oder mehrere Gebiete von G und enthält damit in seinem Inneren eine nichtleere Menge S von Ecken von G^*. Daraus folgt unmittelbar, daß diejenigen Kanten von G^*, welche die Kanten von C schneiden, in G^* einen Schnitt bilden, durch dessen Entfernung G^* in zwei Teilgraphen zerlegt wird, wovon einer S als Eckenmenge hat und der andere diejenigen Ecken von G^* enthält, die nicht zu S gehören (siehe Abb. 15.2). Die andere Richtung wird einfach durch Umkehr dieses Arguments bewiesen. //

Korollar 15D. *Eine Menge von Kanten von G bildet genau dann einen Schnitt in G, wenn die entsprechende Menge von Kanten von G^* einen Kreis in G^* bilden.*

Beweis. Dies folgt unmittelbar, indem man Satz 15C auf G^* anwendet und Satz 15B beachtet. //

Der Satz 15C legt nun die nachfolgende abstrakte Definition der Dualität nahe; man beachte, daß in diese Definition keinerlei spezielle Eigenschaften planarer Graphen eingehen, sondern lediglich von einer Beziehung zwischen zwei Graphen die Rede ist.

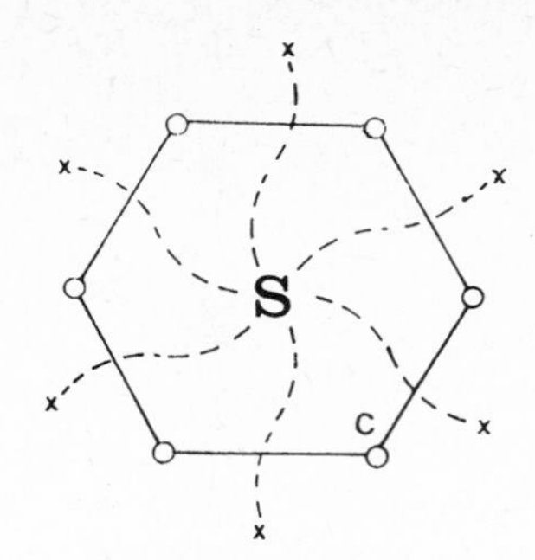

Abb. 15.2

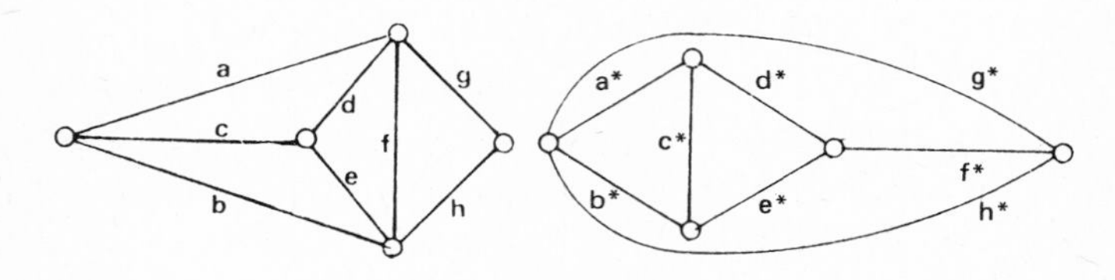

Abb. 15.3

Wir nennen einen Graphen G^* einen **abstrakten Dualgraphen** von G, wenn es eine umkehrbar eindeutige Beziehung zwischen den Kanten von G und denen von G^* gibt derart, daß eine Menge von Kanten von G genau dann einen Kreis in G bildet, wenn die entsprechende Menge von Kanten von G^* einen Schnitt in G^* bildet. Abb. 15.3 zeigt zum Beispiel einen Graphen und seinen abstrakten Dualgraphen, wobei einander entsprechende Seiten durch denselben Buchstaben gekennzeichnet sind.

Nach Satz 15C ist es klar, daß der Begriff des abstrakten Dualgraphen den des geometrischen Dualgraphen in dem Sinne verallgemeinert, daß ein geometrischer Dualgraph eines planaren Graphen G auch ein abstrakter Dualgraph von G ist; nun möchten wir gerne zu einigen der Aussagen über geometrische Dualgraphen analoge Aussagen über abstrakte Dualgraphen gewinnen. Wir werden uns hier nur mit einer von diesen beschäftigen – nämlich mit der zu Satz 15B analogen Aussage für abstrakte Dualgraphen.

Satz 15E. Ist G^* *ein abstrakter Dualgraph von* G, *so ist* G *ein abstrakter Dualgraph von* G^*.

Bemerkung. Man beachte, daß wir dabei nicht verlangen, daß G zusammenhängend ist.

Beweis. Sei C ein Schnitt von G und bezeichne C^* die entsprechende Menge von Kanten von G^*; es genügt, zu zeigen, daß C^* ein Kreis von G^* ist.

Nach dem ersten Teil von Aufgabe 5i hat C mit jedem Kreis von G eine gerade Anzahl von Kanten gemeinsam, folglich hat C^* eine gerade Anzahl von Kanten mit jedem Schnitt von G^* gemeinsam. Daher ist C^* nach dem zweiten Teil von Aufgabe 5i entweder ein einziger Kreis in G^* oder eine kantendisjunkte Vereinigung von zwei oder mehr Kreisen; der zweite Fall kann aber gar nicht eintreten, denn man kann entsprechend zeigen, daß Kreise in G^* kantendisjunktenVereinigungen von Schnitten in G entsprechen, und so wäre C dann eine kantendisjunkte Vereinigung von zwei oder mehr Schnitten und nicht genau ein Schnitt. //

Obwohl die Definition eines abstrakten Dualgraphen auf den ersten Blick etwas seltsam erscheinen mag, stellt sich heraus, daß er die gewünschten Eigenschaften hat. Wir sahen in Satz 15C, daß ein planarer Graph einen abstrakten Dualgraphen (nämlich einen geometrischen Dualgraphen) hat, und nun werden wir zeigen, daß dazu auch die Umkehrung gilt, daß nämlich jeder Graph, der einen abstrakten Dualgraphen besitzt, notwendig planar ist. Mit anderen Worten, wir haben jetzt eine abstrakte Definition der Dualität, welche die geometrische Dualität verallgemeinert und die planaren Graphen charakterisiert. Es wird sich herausstellen, daß die Definition eines abstrakten Dualgraphen eine natürliche Konsequenz des Studiums der Dualität in der Matroidtheorie ist (siehe § 32).

Satz 15F. *Ein Graph ist genau dann planar, wenn er einen abstrakten Dualgraphen besitzt.*

Bemerkung. Es gibt mehrere Beweise für dieses Ergebnis. Wir werden Ihnen einen besonders einfachen vorstellen (der auf T. D. Parson zurückgeht), welcher den Satz von Kuratowski verwendet.

★ *Beweisskizze.* Wie oben erwähnt genügt es zu zeigen, daß jeder Graph, zu dem es einen abstrakten Dualgraphen gibt, ein planarer Graph ist. Der Beweis wird in vier Schritten erbracht:

(i) Als erstes halten wir fest: Wird von G eine Kante e entfernt, so kann man den abstrakten Dualgraphen des Restgraphen einfach dadurch aus G^* erhalten, daß man die entsprechende Kante e^* zusammenzieht. Durch Wiederholung dieses Vorgangs folgt unmittelbar, daß jeder Teilgraph von G einen abstrakten Dualgraphen besitzt, sofern G einen besitzt.

(ii) Als nächstes bemerken wir, daß jeder zu G homöomorphe Graph G' einen abstrakten Dualgraphen besitzt, sofern es zu G einen gibt. Dies folgt aus der Tatsache, daß das Einsetzen oder Entfernen einer Ecke vom Grade zwei in eine Kante von G dem Hinzufügen oder Streichen einer mehrfachen Kante von G^* entspricht.

(iii) Der dritte Schritt dient dem Beweis, daß weder K_5 noch $K_{3,3}$ einen abstrakten Dualgraphen besitzt. Wäre G^* ein Dualgraph von $K_{3,3}$, so würde folgen, da $K_{3,3}$ nur Kreise der Längen vier oder sechs und keine Schnitte mit genau zwei Kanten enthält, daß G^* keine mehrfachen Kanten enthält und daß jede Ecke von G^* mindestens den Grad vier hat. Demnach hat G^* mindestens fünf Ecken und damit mindestens $\frac{1}{2} \cdot 5 \cdot 4 = 10$ Kanten, und das ist ein Widerspruch. Die Begründung für K_5 ist ähnlich und wir überlassen sie dem Leser.

(iv) Nun sei angenommen, daß G ein nichtplanarer Graph ist, der einen abstrakten Dualgraphen besitzt. Nach dem Satz von Kuratowski enthält dann G einen zu K_5 oder $K_{3,3}$ homöomorphen Teilgraphen H. Aus (i) und (ii) folgt dann, daß H und damit auch K_5 oder $K_{3,3}$ einen abstrakten Dualgraphen hat im Widerspruch zu (iii). // ★

Aufgaben

(15a) Zeigen Sie, daß der Dualgraph eines Rades wieder ein Rad ist; können Sie noch andere Graphen angeben, die **selbstdual** sind (d. h. isomorph zu ihren geometrischen Dualgraphen)?

(15b) Bestimmen Sie die Dualgraphen der Platonischen Graphen.

(15c) Beweisen Sie, daß die Graphen in Abb. 15.4 isomorph sind, daß aber ihre geometrischen Dualgraphen nicht isomorph sind.

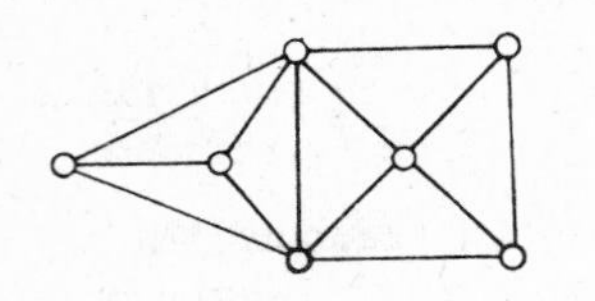
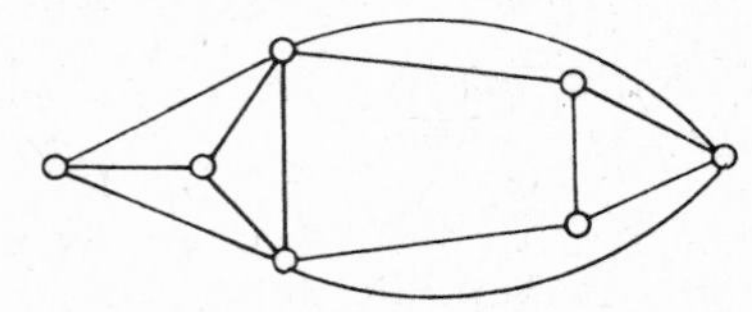

Abb. 15.4

(15d) Zeigen Sie, daß der geometrisch zweifach duale Graph G^{**} zu einem unzusammenhängenden, planaren Graphen G nicht isomorph zu G ist.

(15e) Unter welchen Bedingungen ist der geometrische Dualgraph eines planaren Graphen ein schlichter Graph?

(15f) Können Sie einen ebenen Graphen mit fünf Gebieten angeben, der die Eigenschaft hat, daß je zwei Gebiete eine Kante gemeinsam haben?

(15g) Sei G ein ebener Graph; beweisen Sie mit Aufgabe 5g und Korollar 6c, daß G genau dann bipartit ist, wenn sein geometrischer Dualgraph G^* Eulersch ist.

(*15h) Sei G ein zusammenhängender, ebener Graph, der regulär vom Grad r ist und mindestens drei Ecken hat, und sei sein Dualgraph G ebenfalls regulär (etwa vom Grade r^*); beweisen Sie, daß dann $(r-2)(r^*-2) < 4$ gilt. Zeigen Sie, daß die Platonischen Graphen diese Bedingung erfüllen und bestimmen Sie alle anderen Graphen, die das tun.

(*15i) Beweisen Sie, wenn G^* ein abstrakter Dualgraph von G ist, daß dann jedes Gerüst von G dem Komplement eines Gerüstes von G^* entspricht. Finden Sie auch einen Ausdruck für den Schnittrang eines Teilgraphen von G^* in Abhängigkeit vom Schnittrang des entsprechenden Teilgraphen von G.

(*15j) Ein Graph G^* wird ein **algebraischer Dualgraph** von G genannt, wenn es eine umkehrbar eindeutige Beziehung zwischen den Kanten von G und denen von G^* gibt mit der Eigenschaft, daß die Elemente des Zyklenraumes von G den Elementen des Schnittraumes von G^* entsprechen und umgekehrt. Zeigen Sie, daß G^* genau dann ein algebraischer Dualgraph von G ist, wenn G^* ein abstrakter Dualgraph von G ist.

§ 16. Der Whitney-Dualgraph

★ In den vorhergehenden Abschnitten haben wir eine abstrakte Definition der Dualität gegeben, die zur Charakterisierung planarer Graphen verwendet werden kann. Wir beschließen dieses Kapitel mit einem kurzen Abschnitt, der eine andere Definition der Dualität beschreibt, nämlich die Whitney-Dualität. Obwohl diese Definition auf den ersten Blick reichlich künstlich erscheinen mag, wollen wir sie hier aus historischen Gründen bringen, da Whitney der erste Graphentheoretiker war, der planare Graphen durch Betrachtung ihrer Dualgraphen charakterisiert.

Wir werden einen Graphen G^* einen **Whitney-Dualgraphen** des Graphen G nennen, wenn es eine umkehrbar eindeutige Beziehung zwischen den Kanten von G und denen von G^* gibt derart, daß für jeden Teilgraphen H von G, der dieselbe Eckenmenge wie G hat, und den entsprechenden Teilgraphen H^* von G^*

$$\gamma(H) + \kappa(\tilde{H}^*) = \kappa(G^*)$$

gilt, wobei $\tilde{H}^*$ das Komplement von H^* in G^* bezeichnet (das ist der aus G^* durch Entfernung der Kanten von H^* entstehende Graph) und γ und κ wie in § 9 definiert sind.

Der folgende Satz führt einige triviale Konsequenzen dieser Definition auf:

Satz 16A. *Mit den obigen Bezeichnungen gilt*

$$\gamma(G) = \kappa(G^*); \gamma(G^*) = \kappa(G); \kappa(H) + \gamma(\tilde{H}^*) = \kappa(G).$$

Beweis. Die erste Gleichung folgt aus der Definition des Whitney-Dualgraphen, indem man $H = G$ setzt und beachtet, daß $\tilde{H}^*$ ein Nullgraph und $\kappa(\tilde{H}^*) = 0$ ist. Die zweite Gleichung ergibt sich aus der ersten und den Gleichungen

$$\kappa(G^*) + \gamma(G^*) = m(G^*) = m(G) = \kappa(G) + \gamma(G),$$

wo m(G) bzw. $m(G^*)$ die Anzahl der Kanten von G bzw. G^* bezeichnet.

Für die dritte Gleichung haben wir

$$\begin{aligned}\kappa(H) + \gamma(\tilde{H}^*) &= m(H) - \gamma(H) + m(\tilde{H}^*) - \kappa(\tilde{H}^*)\\ &= m(H) + m(\tilde{H}) - \kappa(G^*) \quad (\text{wegen } m(\tilde{H}^*) = m(\tilde{H}))\\ &= m(G) - \gamma(G) = \kappa(G), \text{ wie behauptet. } /\!/\end{aligned}$$

Korollar 16B. *Ist G^* ein Whitney-Dualgraph von G, so ist G ein Whitney-Dualgraph von G^*.*

Beweis. Dies ergibt sich unmittelbar aus der dritten Gleichung von Satz 16A. //

Obwohl diese Definition, wie schon oben gesagt, höchst abwegig erscheint, stellt sich doch heraus, daß sie die gewünschten Eigenschaften hat. Die wichtigste von diesen wird in dem folgenden grundlegenden Satz ausgesprochen, der auf Whitney zurückgeht.

Satz 16C (Whitney 1932). *Ein Graph ist genau dann planar, wenn er einen Whitney-Dualgraphen besitzt.*

Beweis. Ein direkter Beweis dieses Ergebnisses ist ziemlich schwierig (siehe etwa Ore [19]), daher führen wir einen indirekten, der sich des Satzes 15F bedient; genauer gesagt, wir werden zeigen, daß G^* genau dann ein abstrakter Dualgraph von G ist, wenn G^* ein Whitney-Dualgraph von G ist. Da ein Graph genau dann planar ist, wenn er einen abstrakten Dualgraphen besitzt, folgt dann die Behauptung unmittelbar.

Nehmen wir also an, daß G^* ein abstrakter Dualgraph von G ist. Wir werden zeigen, daß G^* ein Whitney-Dualgraph ist, indem wir nachweisen, daß die der Definition des Whitney-Dualgraphen zugrundeliegende Gleichung sich nicht ändert, wenn wir zu dem Teilgraphen H eine Kante von G hinzufügen; da sie trivialerweise richtig ist, wenn H keine Kanten enthält, folgt dann die Behauptung durch Induktion nach der Anzahl der Kanten von H. Lassen Sie uns also eine Kante e zu H hinzufügen und die entsprechende Kante e^* von H^* entfernen. Dabei sind zwei Fälle zu betrachten:

(i) Falls sich $\gamma(H)$ bei der Hinzunahme von e um eins erhöht, so bleibt die Anzahl der Komponenten von H ungeändert und daher muß e zwei Ecken von H verbinden, die in H schon durch einen Weg verbunden sind; folglich entsteht durch das Hinzufügen der Kante e ein Kreis C. Da G^* ein abstrakter Dualgraph von G ist, bildet die Menge C^* derjenigen Kanten von G^*, die den Kanten von C entsprechen, einen Schnitt in G^*, der die Kante e^* enthält. Daher wächst die Anzahl der Komponenten von $\widetilde{H}^*$ durch die Entfernung von e^* um eins, während sich $\kappa(\widetilde{H}^*)$ um eins verringert; die der Definition des Whitney-Dualgraphen zugrundeliegende Gleichung bleibt also unverändert.

(ii) Falls sich $\gamma(H)$ bei der Hinzunahme von e nicht ändert, so vermindert sich die Anzahl der Komponenten von H um eins, die Hinzunahme von e führt also nicht zu einem neuen Kreis in G. Dann hat auch die Entfernung von e^* keinen neuen Schnitt in G^* zur Folge, also bleibt die Anzahl der Komponenten von $\widetilde{H}^*$ bei Entfernung von e^* unverändert. Daraus können wir schließen, daß sich $\kappa(H^*)$ nicht ändert, und dasselbe gilt dann wieder für die definierende Gleichung.

Es bleibt nur noch zu zeigen, daß jeder Whitney-Dualgraph G^* von G auch ein abstrakter Dualgraph von G ist. Um dies zu beweisen sei angenommen, daß G^* n Ecken und k Komponenten hat und C ein Kreis in G ist. Dann gilt $\gamma(C) = 1$ und $\kappa(G^*) = n - k$ und damit $\kappa(\widetilde{C}^*) = n - k - 1$; folglich ist C^* eine trennende Kantenmenge in G^*. Daß C^* tatsächlich ein Schnitt von G^* ist, folgt aus der Bemerkung, daß für jede echte Teilmenge E von C $\gamma(E) = 0$ und damit $\kappa(\widetilde{E}^*) = n - k$ gilt, was bedeutet, daß E^* keine trennende Kantenmenge ist.

Ebenso einfach ist der Beweis der Tatsache, daß die einem Schnitt C^* von G^* zugeordnete Menge C in G ein Kreis ist; daher überlassen wir dies dem Leser als Aufgabe. //

Aufgaben

(16a) Sei G ein ebener Graph; beweisen Sie direkt, daß jeder geometrische Dualgraph G^* von G auch ein Whitney-Dualgraph von G ist.

(*16b) Sei G^* ein Whitney-Dualgraph eines zusammenhängenden Graphen G; beweisen Sie, daß G^* zusammenhängend ist, sofern G^* keine isolierten Ecken hat. ★

6 Die Färbung von Graphen

In diesem Kapitel untersuchen wir Färbungen von Graphen und Landkarten mit besonderer Berücksichtigung der Vier-Farben-Vermutung und verwandter Probleme. Wir beginnen in § 17 mit einer Diskussion der Bedingungen, die erfüllt sein müssen, damit die Ecken eines Graphen derart gefärbt werden können, daß jede Kante inzident ist mit Ecken verschiedener Farbe; diese Diskussion zieht sich bis in den nächsten Paragraphen, wo dann zwei Hauptsätze bewiesen werden. § 19 ist der Verwandtschaft von Graphenfärbungen und Landkartenfärbungen gewidmet, und in § 20 wird dann eine Beziehung hergestellt zwischen diesen beiden und Problemen, welche die Färbung von Kanten in einem Graphen betreffen. Alle diese Untersuchungen sind im wesentlichen qualitativer Natur, d. h. wir fragen, *ob* ein gegebener Graph unter gewissen Bedingungen gefärbt werden kann, nicht aber, *auf wieviele Weisen* dies geschehen kann; wir schließen mit einer Diskussion dieser zweiten Frage in § 21 (wobei wir chromatische Polynome verwenden).

§ 17. Die Chromatische Zahl

Ein Graph G ohne Schlingen heißt ***k*-färbbar**, wenn man jeder seiner Ecken eine von k gegebenen Farbe so zuordnen kann, daß keine zwei benachbarten Ecken dieselbe Farbe tragen; ist G k-färbbar, aber nicht $(k-1)$-färbbar, so sagen wir, daß G ***k*-chromatisch** ist, oder auch, daß die **chromatische Zahl** von G (sie wird mit $\chi(G)$ bezeichnet) gleich k ist. Abb. 17.1 zeigt einen Graphen,

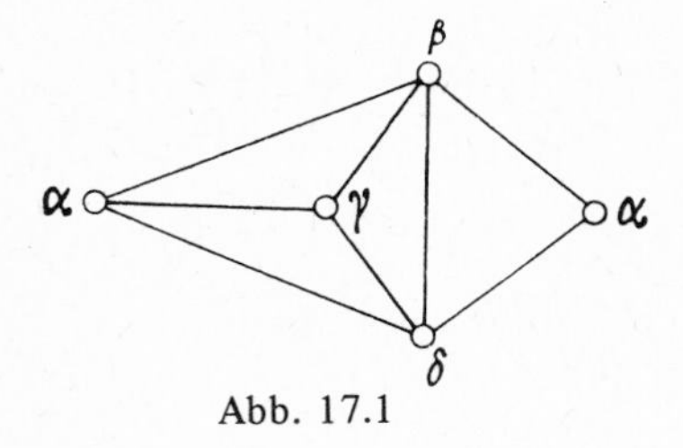

Abb. 17.1

der 4-chromatisch ist (und damit 4-färbbar für jedes $k \geqq 4$); die Farben sind durch griechische Buchstaben ausgedrückt. Aus Zweckmäßigkeitsgründen wollen wir vereinbaren, daß *alle in* § 17 *und* § 18 *auftretenden Graphen keine Schlingen enthalten;* wir werden jedoch mehrfache Kanten zulassen, da sie für unsere Diskussion ohne Belang sind.

Offensichtlich gilt $\chi(K_n) = n$, demnach können wir leicht Graphen mit beliebig großer chromatischer Zahl angeben. Andererseits ist leicht zu sehen, daß $\chi(G) = 1$ genau dann gilt, wenn G ein Nullgraph ist, und $\chi(G) = 2$ genau dann, wenn G ein bipartiter Graph ist, der kein Nullgraph ist; ist G kein Nullgraph, so folgt nämlich aus Aufgabe 5g, daß $\chi(G) = 2$ genau dann gilt, wenn G keine Kreise ungerader Länge enthält. Insbesondere ist dann jeder Baum mit mindestens zwei Ecken 2-chromatisch, und ebenso jeder Kreis mit einer geraden Anzahl von Ecken.

Die notwendigen und hinreichenden Bedingungen dafür, daß ein Graph 3-chromatisch ist, sind nicht bekannt, obwohl man leicht Beispiele solcher Graphen angeben kann; solche Beispiele sind etwa die Kreise mit ungerader Eckenzahl, die Räder mit ungerader Eckenzahl und der Petersengraph. Die Räder mit gerader Eckenzahl sind 4-chromatisch.

Wir können nur wenig sagen über die chromatische Zahl eines beliebigen Graphen; hat der Graph n Ecken, so ist seine chromatische Zahl offenbar nicht größer als n, und enthält der Graph K_r als Teilgraphen, so kann seine chromatische Zahl nicht kleiner als r sein; aber diese Aussagen tragen natürlich nicht sehr weit. Wenn wir jedoch etwas über den Grad der Ecken des Graphen wissen, so können wir meist bedeutend mehr aussagen.

Satz 17A. *Ist G ein Graph mit größtem Eckengrad ρ, dann ist G $(\rho + 1)$-färbbar.*

Beweis. Der Beweis wird durch Induktion über die Anzahl der Ecken von G erbracht. Sei G ein Graph mit n Ecken; wenn wir von G irgendeine Ecke v und die mit v inzidenten Kanten entfernen, so bleibt ein Graph mit $n - 1$ Ecken übrig, dessen größter Eckengrad höchstens ρ ist. Nach Induktionsannahme ist dieser Graph $(\rho + 1)$-färbbar; eine $(\rho + 1)$-Färbung von G erhalten wir dann, indem wir v eine Farbe geben, die nicht unter den Farben der (höchstens ρ) zu v benachbarten Ecken vorkommt. //

Bei etwas sorgfältigerer Schlußweise kann dieser Satz zu folgender Aussage verschärft werden, die als **Satz von Brooks** bekannt ist; den Beweis dazu werden wir im nächsten Paragraphen bringen.

Satz 17B (Brooks 1941). *Ist G ein Graph mit größtem Eckengrad ρ, dann ist G ρ-färbbar, sofern nicht* (i) $K_{\rho + 1}$ *als Komponente von G auftritt, oder* (ii) $\rho = 2$ *gilt und G einen Kreis ungerader Länge als Komponente hat.* //

Diese beiden Sätze sind dann von Nutzen, wenn alle Ecken ungefähr denselben Grad haben; zum Beispiel können wir unmittelbar aus Satz 17A folgern, daß jeder kubische Graph 4-färbbar ist, und aus Satz 17B, daß jeder zusammenhängende kubische Graph (außer K_4) sogar 3-färbbar ist. Wenn dagegen unser Graph ein paar Ecken mit ziemlich großem Grad enthält, dann sagen uns diese Sätze ziemlich wenig; das wird sehr gut durch den Stern $K_{1,n}$ demonstriert, der nach dem Satz von Brooks n-färbbar, tatsächlich aber 2-chromatisch ist. Es gibt bis heute keine wirklich durchschlagende Methode zur Umgehung dieser Schwierigkeit, obwohl die Methode, die wir in Aufgabe 17*g* beschreiben werden, ein wenig weiterhilft.

In diese recht entmutigende Situation geraten wir nicht, wenn wir unsere Aufmerksamkeit auf planare Graphen beschränken; in der Tat können wir sehr leicht die ziemlich starke Aussage beweisen, daß jeder planare Graph 6-färbbar ist.

Satz 17C. *Jeder planare Graph ist 6-färbbar.*

Beweis. Der Beweis ist dem von Satz 17A sehr ähnlich. Wir beweisen den Satz durch Induktion nach der Anzahl der Ecken, wobei die Aussage für planare Graphen mit weniger als sieben Ecken trivial ist. Nehmen wir an, daß G ein planarer Graph mit n Ecken ist und daß alle planaren Graphen mit $n - 1$ Ecken 6-färbbar sind. Ohne Beschränkung der Allgemeinheit dürfen wir annehmen, daß G ein schlichter Graph ist, und damit enthält G nach Satz 13F eine Ecke v, deren Grad höchstens fünf ist; entfernen wir v und alle mit v inzidenten Kanten, so hat der verbleibende Graph $n - 1$ Ecken und ist somit 6-färbbar. Eine 6-Färbung von G erhält man dann, indem man v eine Farbe zuordnet, die unter den Farben der (höchstens fünf) zu v benachbarten Ecken nicht vorkommt. //

Wie im Falle des Satzes 17A kann man diese Aussage durch eine genauere Argumentation verschärfen zu einem Satz, den man den **Fünffarbensatz** nennt; auch diesen wollen wir im nächsten Paragraphen beweisen, aber schon hier formulieren.

Satz 17D. *Jeder planare Graph ist 5-färbbar.* //

Es ist naheliegend, zu fragen, ob man dieses Ergebnis noch einmal verschärfen kann, und diese Frage führt zum berühmtesten ungelösten Problem der Graphentheorie – der **Vierfarbenvermutung**; wir formulieren hier diese Vermutung ganz abstrakt – eine andere Formulierung werden wir in § 19 bringen.

Vierfarbenvermutung. Jeder planare Graph ist 4-färbbar.

Schon seit hundert Jahren versuchen Mathematiker, diese Vermutung zu beweisen, aber bis heute ohne Erfolg. Es sind jedoch bedeutende Fortschritte in dieser Richtung errungen worden. Wir beschließen diesen Abschnitt damit, ohne Beweis einige der Resultate anzugeben, die erzielt worden sind; weitere Ergebnisse werden später in diesem Kapitel erscheinen.

(i) Falls die Vierfarbenvermutung falsch ist, so werden Gegenbeispiele recht kompliziert sein; zum Beispiel weiß man, daß jeder planare Graph mit weniger als 96 Ecken 4-färbbar ist.

(ii) Jeder planare Graph, der keine Dreiecke enthält, ist 4-färbbar (Satz von Grötzsch).

(iii) Für den Beweis der Vierfarbenvermutung ist es hinreichend, sie für Hamiltonsche planare Graphen zu beweisen (ein ziemlich überraschendes Ergebnis von Whitney).

Aufgaben

(17a) Bestimmen Sie die chromatischen Zahlen der Platonischen Graphen. Was können Sie sagen über die chromatische Zahl (i) der Summe zweier Graphen; (ii) der Vereinigung zweier Graphen?

(17b) Sei G ein schlichter Graph mit n Ecken, der regulär vom Grade d ist; beweisen $\chi(G) \geqq \frac{n}{n-d}$.

(17c) Sei G ein schlichter Graph mit der Dicke t; geben Sie eine obere Schranke an für die Summe der Grade aller Ecken, und folgern Sie daraus $\chi(G) \leqq 6t$. Nun habe G zudem die Taille r; beweisen Sie $\chi(G) \leqq \frac{2rt}{r-2}$ und folgern Sie daraus, daß jeder schlichte planare Graph ohne Dreiecke 4-färbbar ist.

(17d) Ein Graph heißt **kritisch**, wenn die Entfernung irgendeiner Ecke (und der mit ihr inzidenten Kanten) zu einem Graphen mit kleinerer chromatischer Zahl führt; beweisen Sie, daß (i) K_n für jedes $n > 1$ kritisch ist; (ii) C_n genau dann kritisch ist, wenn n ungerade ist. Zeigen Sie ferner, daß für ungerades n die Summe $C_n + C_n$ ein kritischer Graph mit chromatischer Zahl sechs ist.

(17e) Zeigen Sie, daß jeder kritische, k-chromatische Graph die folgenden Eigenschaften hat: (i) Er ist zusammenhängend; (ii) jede Ecke hat mindestens den Grad $k - 1$; (iii) es gibt keine Ecke, durch deren Entfernung der Graph zerfällt. Zeigen Sie ferner, daß jeder k-chromatische ($k > 1$) Graph einen kritischen, k-chromatischen Graphen als Teilgraphen enthält, und finden Sie einen solchen Teilgraphen für den in Abb. 17.1 gezeigten Graphen.

(17f) Eine Vermutung (als **Hadwigers Vermutung** bekannt) besagt, daß sich jeder zusammenhängende, k-chromatische Graph auf K_k zusammenziehen läßt; beweisen Sie diese Vermutung für die Fälle $k = 2$ und $k = 3$ und zeigen Sie, daß ihre Richtigkeit im Falle $k = 5$ die Richtigkeit der Vierfarbenvermutung nach sich zieht.

(*17g) Sei G ein zusammenhängender, schlichter Graph, der kein vollständiger Graph und auch kein Kreisgraph mit ungerader Eckenzahl ist; man kann beweisen, daß $\chi(G) \geqq \{\lambda\}$ gilt, wobei λ den größten Eigenwert von G (siehe Aufgabe 3m) bezeichnet. Benutzen Sie dies zur Bestimmung einer oberen Schranke für die chromatische Zahl (i) eines Sterns; (ii) von $K_{2,n}$; (iii) des Würfelgraphen. Vergleichen Sie diese oberen Schranken mit denen, die der Satz von Brooks liefert.

(*17h) Sei G ein abzählbarer Graph, von dem jeder endliche Teilgraph k-färbbar ist, und folgern Sie daraus, daß jeder abzählbare, planare Graph 5-färbbar ist.

(17i) Es bezeichne χ bzw. $\overline{\chi}$ die chromatische Zahl eines schlichten Graphen G mit n Ecken bzw. seines Komplements $\overline{G}$. Beweisen Sie $\chi\overline{\chi} \geqq n$ sowie $\chi + \overline{\chi} \geqq 2\sqrt{n}$; zeigen Sie ferner $\chi + \overline{\chi} \leqq n + 1$ durch vollständige Induktion nach n und folgern Sie daraus $\chi\overline{\chi} \leqq \frac{1}{4}(n^2 + 2n + 1)$. Belegen Sie mit Beispielen, daß alle diese Schranken erreicht werden können.

(*17j) Wieviel von dem Stoff dieses Paragraphen läßt sich auf k-Graphen verallgemeinern?

§ 18. Zwei Beweise

★ Um den roten Faden unserer Ausführungen nicht zu zerreißen, hatten wir die Beweise der Sätze 17B und 17B zurückgestellt; diese Beweise wollen wir nun nachholen.

Satz 17D. *Jeder planare Graph ist 5-färbbar.*

Beweis. Die Beweismethode ist der von Satz 17C ganz ähnlich, nur sind die Einzelheiten ein bißchen verwickelter. Wir beweisen den Satz durch Induktion nach der Anzahl der Ecken, wobei die Behauptung für den Fall planarer Graphen mit weniger als sechs Ecken trivial ist. Sei nun angenommen, daß G ein planarer Graph mit n Ecken ist und daß alle planaren Graphen mit $n - 1$ Ecken 5-färbbar sind. Wir dürfen ferner annehmen, daß G ein schlichter, ebener Graph ist und daß (nach Satz 13F) G eine Ecke v enthält, deren Grad höchstens fünf ist; wie früher entfernen wir v und alle mit v inzidenten Kanten, wonach ein Graph mit $n - 1$ Ecken übrigbleibt, der folglich 5-färbbar ist. Unser Ziel ist, v eine unserer fünf Farben zuzuordnen, um damit zu einer 5-Färbung von G zu kommen.

Ist $\rho(v) < 5$, dann kann v mit irgendeiner Farbe gefärbt werden, die unter den (höchstens vier) zu v benachbarten Ecken nicht vorkommt, womit in diesem Fall dann nichts mehr zu zeigen ist. Daher setzen wir nun $\rho(v) = 5$ voraus und bezeichnen die zu v benachbarten Ecken wie in Abb. 18.1 entsprechend ihrer Anordnung um v im Uhrzeigersinn mit $v_1, \ldots, v_5$. Tragen zwei der Ecken v_i dieselbe Farbe, so sind wir wieder fertig, da dann v mit einer Farbe gefärbt werden kann, die keine der Ecken v_i trägt.

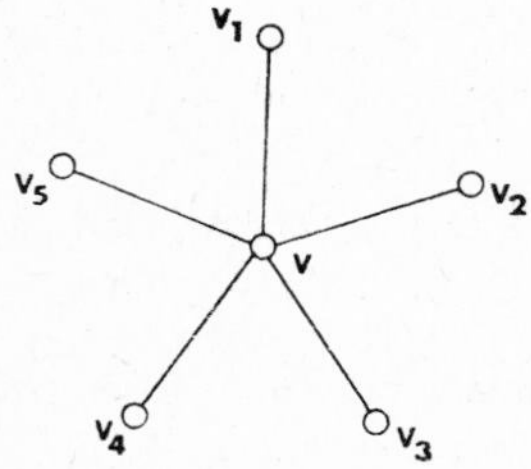

Abb. 18.1

Wir kommen nun zu dem entscheidenden Fall, daß alle v_i verschiedene Farben tragen; die Farbe von v_i sei mit c_i bezeichnet $(1 \leqq i \leqq 5)$. Sei H_{ij} der

Teilgraph von G, dessen Ecken alle diejenigen Ecken von G sind, die mit c_i oder c_j gefärbt sind, und dessen Kanten alle diejenigen Kanten von G sind, die mit einer Ecke der Farbe c_i und einer Ecke der Farbe c_j inzident sind. Nun gibt es zwei Möglichkeiten:

(i) v_1 und v_3 gehören nicht zur gleichen Komponente von H_{13} (siehe Abb. 18.2); in diesem Fall vertauschen wir die Farben aller Ecken in der Komponente von H_{13}, die v_1 enthält. Nach dieser Umfärbung trägt v_1 nun die Farbe c_3, und das erlaubt uns, v mit der Farbe c_1 zu färben, womit der Beweis in diesem Falle erbracht ist.

(ii) v_1 und v_3 liegen in derselben Komponente von H_{13} (siehe Abb. 18.3); in diesem Falle gibt es einen Kreis C der Form $v \to v_1 \to \ldots \to v_3 \to v$, der

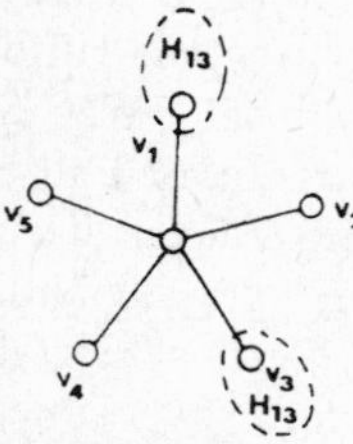

Abb. 18.2

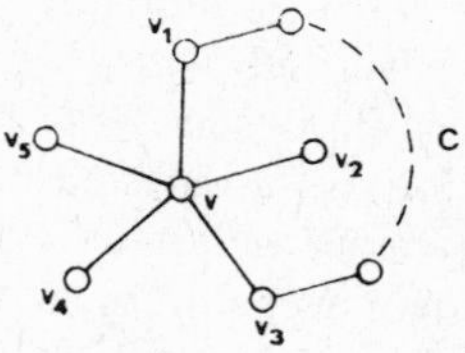

Abb. 18.3

abgesehen von v und den beiden mit v inzidenten Kanten ganz in H_{13} liegt. Da v_2 innerhalb C und v_4 außerhalb C liegt, kann es keinen Weg von v_2 nach v_4 geben, der ganz in H_{24} liegt; daher können wir die Farben aller Ecken in derjenigen Komponente von H_{24} vertauschen, die v_2 enthält. Die Ecke v_2 trägt dann die Farbe c_4, wonach wir v mit der Farbe c_2 versehen können. Damit ist der Beweis vollständig. //

Wir beweisen nun den Satz von Brooks; wir werden ihn in einer Form aussprechen, die sich geringfügig von der des Satzes 17B unterscheidet, die Äquivalenz beider Aussagen ist jedoch leicht einzusehen.

Satz 18A. *Ist G ein schlichter, zusammenhängender Graph, der kein vollständiger Graph ist und dessen größter Eckengrad gleich* ρ ($\geqq 3$) *ist, so ist G ρ-färbbar.*

Beweis. Wie gewöhnlich geschieht der Beweis durch Induktion nach der Anzahl der Ecken von G. Angenommen, G habe n Ecken; gibt es dann in G irgendeine Ecke mit einem Grad kleiner als ρ, so kann man den Beweis genau wie im Beweis von Satz 17A zu Ende führen. Wir dürfen daher ohne Beschränkung der Allgemeinheit annehmen, daß G regulär vom Grade ρ ist.

Wir entfernen nun eine beliebig gewählte Ecke v (und die mit ihr inzidenten Kanten); der verbleibende Graph ist ein Graph mit $n-1$ Ecken, dessen größter Eckengrad höchstens ρ ist. Nach unserer Induktionsannahme ist dieser Graph ρ-färbbar. Unser Ziel ist nun, v mit einer der ρ zu färben; wie gehabt können wir annehmen, daß die zu v benachbarten Ecken $v_1, \ldots, v_\rho$ entsprechend ihrer zirkularen Anordnung um v numeriert sind und daß sie mit verschiedenen Farben $c_1, \ldots, c_\rho$ gefärbt sind.

Indem wir die Teilgraphen H_{ij} ($i \neq j$, $1 \leqq i, j \leqq \rho$) wie im Beweis des vorhergehenden Satzes definieren, können wir den Fall (i) jenes Beweises nachvollziehen und damit den Fall erledigen, daß v_i und v_j in verschiedenen Komponenten von H_{ij} liegen; wir dürfen somit annehmen, daß für jedes Paar i und j die Ecken v_i und v_j durch einen Weg verbunden sind, der ganz in H_{ij} verläuft. Die Komponente von H_{ij}, welche v_i und v_j enthält, sei mit C_{ij} bezeichnet.

Ist v_i zu mehr als einer Ecke mit der Farbe c_j benachbart, so ist klar, daß es dann eine (von c_i verschiedene) Farbe gibt, die unter den zu v_i benachbarten Ecken nicht vorkommt; in diesem Falle kann v_i mit Hilfe dieser Farbe umgefärbt werden, was uns ermöglicht, v mit der Farbe c_i zu färben, womit der Beweis in diesem Falle beendet ist. Tritt dieser Fall nicht ein, so können wir mit Hilfe eines ähnlichen Arguments zeigen, daß jede (von v_i und v_j verschiedene) Ecke von C_{ij} den Grad zwei hat; ist nämlich w die erste Ecke auf dem Weg von v_i nach v_j mit einem Grad größer als zwei, dann kann w umgefärbt werden mit Hilfe einer von c_i und c_j verschiedenen Farbe, wodurch die Eigenschaft zerstört wird, daß v_i und v_j verbunden sind durch einen Weg, der ganz in C_{ij} verläuft. So können wir schließlich annehmen, daß die Komponente C_{ij} für jedes Paar $i \neq j$ nur aus einem Weg von v_i nach v_j besteht.

Wie wir nun bemerken, dürfen wir weiter einschränkend annehmen, daß sich zwei Wege der Form C_{ij} und C_{jl} (wobei $i \neq l$) nur bei v_j treffen, denn wenn w ein anderer Schnittpunkt ist, so kann w mit einer von c_i, c_j und c_l verschiedenen Farbe umgefärbt werden, wonach v_i und v_j nicht mehr durch einen Weg in H_{ij} verbunden wären.

Um den Beweis abzuschließen wählen wir (sofern möglich) zwei Ecken v_i und v_j, die nicht benachbart sind, und bezeichnen mit w die zu v_i benachbarte Ecke mit der Farbe c_j. Da C_{il} (für jedes $l \neq j$) ein Weg ist, können wir die Farben der Ecken dieses Weges vertauschen, ohne dadurch mit der Färbung des restlichen Graphen in Konflikt zu kommen; dies aber führt zu einem Widerspruch, denn dann wäre w eine Ecke, die zu beiden Wegen C_{ij} und C_{jl} gehört. Folglich ist es unmöglich, zwei nicht benachbarte Ecken v_i und v_j zu wählen, was bedeutet, daß G der vollständige Graph $K_{\rho+1}$ ist. Da dieser ausgeschlossen worden war, haben wir damit alle möglichen Fälle behandelt. //

Aufgabe

(18a) Versuchen Sie die Vierfarbenvermutung zu beweisen, indem Sie die Schlüsse des obigen Beweises zum Fünffarbensatz verwenden. An welcher Stelle bricht der Beweis zusammen? ★

§ 19. Die Färbung von Landkarten

Die historische Entwicklung der Vierfarbenvermutung hat ihre Wurzeln in der Färbung von Landkarten. Bei einer politischen Landkarte mit mehreren Ländern werden häufig die einzelnen Länder derart eingefärbt, daß keine zwei benachbarten Länder dieselbe Farbe haben, und man fragt sich, mit wievielen Farben man dabei auskommt. Die wohl geläufigste Form der Vierfarbenvermutung ist die Vermutung, daß man bei jeder Landkarte mit höchstens vier Farben auskommt.

Zur präzisen Formulierung dieser Aussage müssen wir genauer sagen, was wir unter einer ‚Landkarte' verstehen. Bei einer politischen Karte kann man in naheliegender Weise die Grenzen als Kanten und Ecken eines ebenen Graphen ansehen, die Länder sind dann seine Gebiete; dabei hat dieser Graph keine Brücken (denn kein Land bildet ja eine Grenze mit sich selbst). Daher ist es zweckmäßig, eine **Landkarte** zu definieren als einen zusammenhängenden, ebenen Graphen, der keine Brücke enthält. (Beachten Sie, daß wir Schlingen oder mehrfache Kanten bei der Definition einer Landkarte nicht ausschließen; der Ausschluß der Brücken entspricht, wie wir sehen werden, dem Ausschluß der Schlingen in § 17.)

Eine Landkarte können wir nun als ***k*-färbbar(*f*)** bezeichnen, wenn sich ihre Gebiete so mit k Farben einfärben lassen, daß keine zwei benachbarten Gebiete (das sind Gebiete, deren Ränder eine Kante gemeinsam haben) dieselbe Farbe bekommen. Wo die Möglichkeit der Verwechslung besteht, werden wir auch ‚k-färbbar(v)' sagen, wenn wir k-Färbbarkeit im gewöhnlichen Sinne meinen. Als Beispiel sei erwähnt, daß die in Abb. 19.1 gezeigte Landkarte 3-färbbar(f) und 4-färbbar(v) ist.

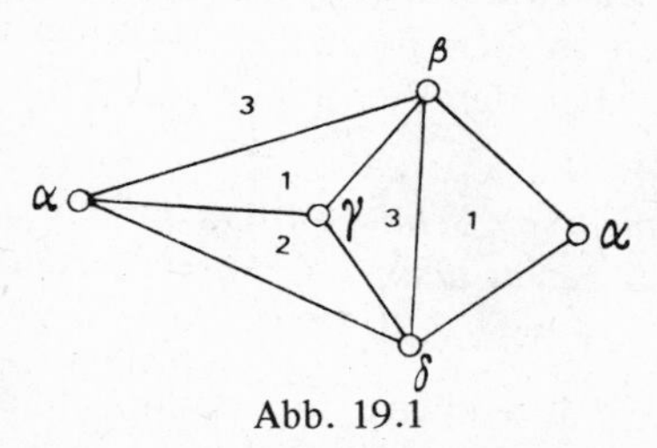

Abb. 19.1

Die **Vierfarbenvermutung** für Landkarten läßt sich nun einfach als die Vermutung formulieren, daß jede Landkarte 4-färbbar(f) ist. Wir werden die Äquivalenz der beiden Formen der Vierfarbenvermutung in Korollar 19C beweisen. Vorher jedoch untersuchen wir die Bedingungen, unter denen eine Landkarte mit zwei Farben gefärbt werden kann. Es zeigt sich, daß diese Bedingungen eine besonders einfache Gestalt annehmen.

Satz 19A. *Eine Landkarte G ist genau dann 2-färbbar(f), wenn G ein Eulerscher Graph ist.*

Erster Beweis. ⇒ Jede Ecke v von G wird von einer geraden Anzahl von Gebieten umgeben, da diese mit zwei Farben gefärbt werden können; folglich hat jede Ecke geraden Grad und somit ist G Eulersch, nach Satz 6B.

⇐ Wir werden eine Methode beschreiben, die uns tatsächlich eine Färbung der Gebiete liefert. Wir wählen irgendein Gebiet F und färben dieses rot. Ist F′ irgendein weiteres Gebiet, so zeichnen wir nun eine Jordankurve von einem Punkt x in F zu einem Punkt in F' und zwar so, daß sie durch keine Ecke von G geht; schneidet die Kurve eine gerade Anzahl von Kanten, so

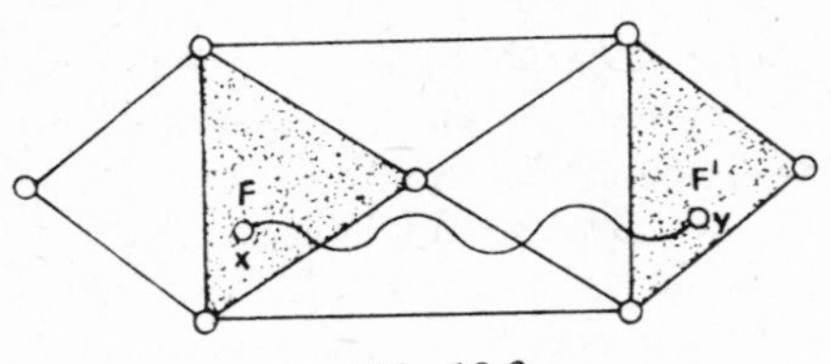

Abb. 19.2

färben wir F' rot, andernfalls färben wir sie blau (siehe Abb. 19.2). Daß damit die Färbung wohldefiniert ist, kann man ohne Schwierigkeiten dadurch zeigen, daß man einen ‚Kreis' bestehend aus zwei solchen Jordankurven nimmt und nachweist, daß dieser Kreis eine gerade Anzahl von Kanten von G schneidet (indem man etwa die Anzahl der im Inneren gelegenen Ecken betrachtet und die Tatsache ausnutzt, daß jede Ecke mit einer geraden Anzahl von Kanten inzident ist). //

Einen zweiten Beweis werden wir erhalten, indem wir das Problem übersetzen in das Problem, die Ecken des dualen Graphen zu färben. Wir werden zunächst einen Satz beweisen, der dieses Vorgehen rechtfertigt, und es dann anwenden, indem wir unseren zweiten Beweis zu Satz 19A bringen und die Äquivalenz der beiden Formen der Vierfarbenvermutung nachweisen.

Satz 19B. *Sei G ein planarer Graph ohne Schlingen und G^* ein geometrischer Dualgraph von G; dann ist G genau dann k-färbbar(v) wenn G^* k-färbbar(f) ist.*

Beweis. ⇒ Wir können annehmen, daß G eben und zusammenhängend und somit G^* eine Landkarte ist. Wenn wir eine k-Färbung(v) von G haben, so können wir, da jedes Gebiet von G^* genau eine Ecke von G enthält, die Gebiete von G^* derart k-färben, daß jedes Gebiet die Farbe derjenigen Ecke erbt, die es enthält. Daß dann keine zwei benachbarten Gebiete von G^* die gleich Farbe haben, folgt unmittelbar daraus, daß die Ecken von G, die sie enthalten, in G benachbart und somit verschieden gefärbt sind. Also ist G^* k-färbbar(f).

⇐ Sei nun vorausgesetzt, daß wir eine k-Färbung(f) von G^* haben; da jede Ecke von G in einem Gebiet von G^* liegt, können wir die Ecken von G dadurch k-färben, daß jede Ecke die Farbe von dem Gebiet erbt, in dem es liegt. Daß dann keine zwei benachbarten Ecken von G dieselbe Farbe haben, folgt unmittelbar durch einen ähnlichen Schluß wie oben. //

Aus diesem Ergebnis folgt, daß wir jeden Satz über die Färbung der Ecken eines planaren Graphen dualisieren können zu einem Satz über die Färbung der Gebiete einer Landkarte und umgekehrt. Als Beispiel hierzu betrachten wir Satz 19A:

Satz 19A. *Eine Landkarte G ist genau dann 2-färbbar(f) wenn G ein Eulerscher Graph ist.*

Zweiter Beweis. Da (nach Aufgabe 15g) der Dualgraph eines Eulerschen planaren Graphen ein paarer, planarer Graph ist und umgekehrt, genügt es zu zeigen, daß ein planarer Graph ohne Schlingen genau dann 2-färbbar(v) ist, wenn er bipartit ist; das ist aber offensichtlich. //

Ähnlich können wir die Äquivalenz der beiden Formen der Vierfarbenvermutung nachweisen.

Korollar 19C. *Die Vierfarbenvermutung für Landkarten ist äquivalent mit der Vierfarbenvermutung für planare Graphen.*

Beweis. ⇒ Sei G ein planarer Graph ohne Schlingen; ohne Beschränkung der Allgemeinheit dürfen wir annehmen, daß G eben und zusammenhängend ist. Dann ist sein geometrischer Dualgraph G^* eine Landkarte, und die 4-Färbbarkeit(v) von G folgt vermöge Satz 19B unmittelbar aus der Tatsache, daß diese Landkarte 4-färbbar(f) ist.

⇐ Sei nun umgekehrt G eine Landkarte und G^* sein geometrischer Dualgraph, dann ist G^* ein planarer Graph ohne Schlingen und damit 4-färbbar(v). Dann folgt unmittelbar, daß G 4-färbbar(f) ist. //

Die Dualität kann auch beim Beweis des folgenden Satzes verwendet werden:

Satz 19D. *Sei G ein kubische Landkarte; dann ist G genau dann 3-färbbar(f), wenn jedes Gebiet von einer geraden Anzahl von Kanten berandet wird.*

Beweis. Betrachten wir irgendein Gebiet F von G, so sind die Gebiete von G, die F umgeben, in zwei Farben abwechselnd gefärbt; folglich ist ihre Anzahl gerade und mithin ist jedes Gebiet von einer geraden Anzahl von Kanten begrenzt.

Wir werden die duale Aussage beweisen – wenn G ein zusammenhängender, ebener Graph ohne Schlingen ist, dessen sämtliche Gebiete Dreiecke sind und dessen sämtliche Ecken geraden Grad haben (d. h. G ist Eulersch), dann ist G 3-färbbar(v). Wir wollen die drei Farben mit α, β und γ bezeichnen.

Da G Eulersch ist, können nach Satz 19A die Gebiete von G mit zwei Farben gefärbt werden, etwa rot und blau; die gewünschte 3-Färbung der Ecken von G erhält man nun wie folgt: Zuerst färbt man die Ecken eines beliebig gewählten roten Gebietes im Uhrzeigersinn mit den Farben α, β und γ, dann färbt man die Ecken der umliegenden Gebiete derart, daß die Farben α, β und γ genau bei den roten Gebieten im Uhrzeigersinn auftreten (siehe Abb. 19.3). Es ist leicht zu sehen, daß man diese Färbung der Ecken auf den ganzen Graphen fortsetzen kann, womit der Satz bewiesen ist. //

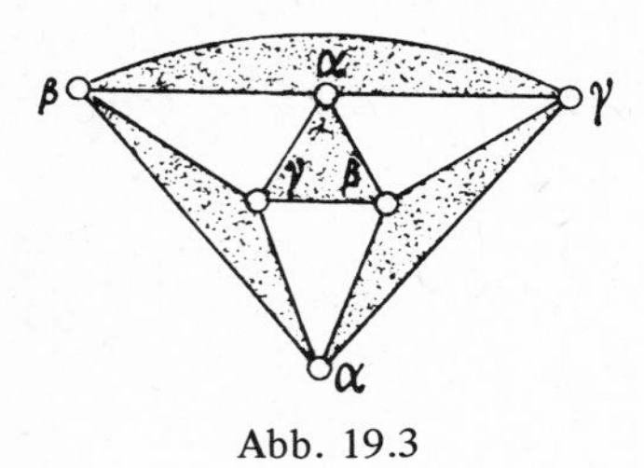

Abb. 19.3

Im obigen Satz war die Landkarte als kubisch vorausgesetzt; tatsächlich kann man jedoch oft ohne Beschränkung der Allgemeinheit auf diese Bedingung verzichten. Unser nächster Satz ist ein gutes Beispiel hierfür:

Satz 19E. *Die Vierfarbenvermutung für planare Graphen ist genau dann wahr, wenn jede kubische Landkarte 4-färbbar(f) ist.*

Beweis. Nach Korollar 19C genügt es, zu zeigen, daß die 4-Färbbarkeit(f) jeder kubischen Landkarte die 4-Färbbarkeit(f) jeder Landkarte nach sich zieht.

Sei G eine beliebige Landkarte; die Entfernung der Ecken vom Grade zwei, falls G solche enthält, ist für die k-Färbung(f) ohne Belang. Somit ist nur noch zu zeigen, wie man mit Ecken vom Grade vier oder mehr fertig wird; wenn aber v eine solche Ecke ist, so können wir v ‚mit einem Fleck überkleben' (d. h. wir zeichnen eine geschlossene Jordankurve um v, welche keine Ecke außer v enthält, wie in Abb. 19.4). Indem wir dies für jede Ecke

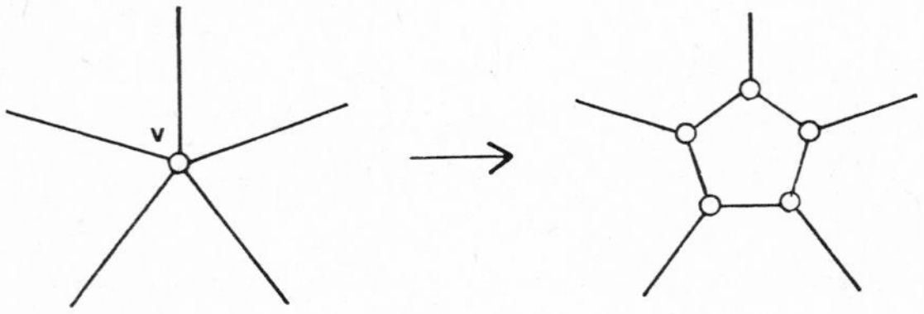

Abb. 19.4

vom Grad größer als drei machen, erhalten wir eine kubische Landkarte, die nach Voraussetzung 4-färbbar(f) ist. Die verlangte 4-Färbung der Gebiete von G erhält man dann, indem man jeden Fleck auf die entsprechende

Ecke zusammenschrumpfen läßt und die Ecken vom Grade zwei in die betreffenden Kanten wieder einsetzt. //

Aufgaben

(19a) Zeigen Sie (sowohl direkt als auch mit Hilfe der Dualität), daß man die Gebiete jeder Landkarte mit höchstens sechs Farben so färben kann, daß benachbarte Gebiete verschiedene Farben tragen.

(*19b) Stellen Sie sich dasselbe Problem mit ‚fünf' an Stelle von ‚sechs'.

(19c) Die Ebene sei durch beliebig gewählte Geraden in eine endliche Anzahl von Gebieten zerlegt. Zeigen Sie (auf drei verschiedene Weisen), daß man diese Gebiete 2-färben kann.

(19d) Sei G ein schlichter, ebener Graph mit weniger als zwölf Gebieten und jede Ecke von G habe höchstens den Grad drei; beweisen Sie mit Hilfe von Aufgabe 13e, daß G 4-färbbar(f) ist. Dualisieren Sie dieses Ergebnis.

(19e) Was können Sie sagen über einen ebenen Graphen, der sowohl 2-färbbar(f) als auch 2-färbbar(v) ist?

(19f) Zeigen Sie, daß die Gebiete eines in die Oberfläche eines Torus eingebetteten toroidalen Graphen mit sieben Farben gefärbt werden können; zeigen Sie ferner, daß es solche Graphen gibt, die alle sieben Farben brauchen.

(*19g) Beweisen Sie, daß jeder Graph vom Geschlecht g ($g \geqq 1$) h-färbbar(f) ist mit $h = \left[\frac{1}{2}(7 + \sqrt{1 + 48g})\right]$. (Die Tatsache, daß es Graphen vom Geschlecht g gibt, die diese Anzahl wirklich brauchen, wurde 1968 von Ringel und Youngs bewiesen (siehe Ringel [22]). Unglücklicherweise konnte man das obige Resultat für Graphen vom Geschlecht null nicht beweisen!)

§ 20. Kantenfärbungen

Dieser kurze Abschnitt ist dem Studium von Kantenfärbungen der Graphen gewidmet. Es wird sich herausstellen, daß die Vierfarbenvermutung für planare Graphen äquivalent ist zu einer Vermutung über Kantenfärbungen kubischer Landkarten.

Ein Graph G heißt ***k*-färbbar(*e*)** (oder ***k*-kantenfärbbar**), wenn seine Kanten so mit k Farben gefärbt werden können, daß keine zwei benachbarten Kanten dieselbe Farbe haben; ist G k-färbbar(e), aber nicht ($k - 1$)-färbbar(e), so sagen wir, daß die **kantenchromatische Zahl** (oder der **chromatische Index**) von G gleich k ist und schreiben $\chi_e(G) = k$. Abb. 20.1 zeigt einen Graphen G mit $\chi_e(G) = 4$.

Natürlich gilt $\chi_e(G) \geqq \rho$, wenn ρ den größten Eckengrad von G bezeichnet. Das folgende Ergebnis, bekannt als **Satz von Vizing**, liefert überraschend

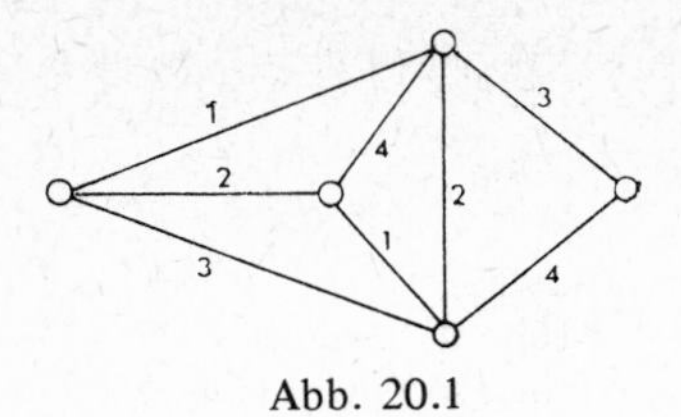

Abb. 20.1

scharfe Schranken für die kantenchromatische Zahl von G; seinen Beweis findet man etwa in Behzad–Chartrand [1].

Satz 20A (Vizing 1964). *Sei G ein Graph ohne Schlingen, dessen größter Eckengrad gleich ρ ist; dann gilt*

$$\rho \leqq \chi_e(G) \leqq \rho + 1. \quad /\!/$$

Es ist ein ungelöstes Problem, genau zu bestimmen, welche Graphen die kantenchromatische Zahl ρ und welche $\rho + 1$ haben; für einige spezielle Typen von Graphen ist die Antwort jedoch leicht zu finden. Zum Beispiel gilt $\chi_e(C_n) = 2$ oder 3 je nachdem ob n gerade oder ungerade ist, und $\chi_e(W_n) = n - 1$ (für $n \geqq 4$); die entsprechenden Ergebnisse für vollständige Graphen und für vollständige paare Graphen kann man ebenfalls leicht errechnen, wie wir nun sehen werden.

Satz 20B. $\chi_e(K_{m,n}) = \rho = max\ (m,n)$.

Bemerkung. Es zeigt sich, daß die kantenchromatische Zahl jedes bipartiten Graphen gleich ρ ist; den Beweis für dieses Ergebnis werden wir in § 27 bringen.

Beweis. Ohne Beschränkung der Allgemeinheit dürfen wir $m \geqq n$ annehmen, und wir denken uns $K_{m,n}$ wie in Abb. 20.2 dargestellt, sodaß die n Ecken

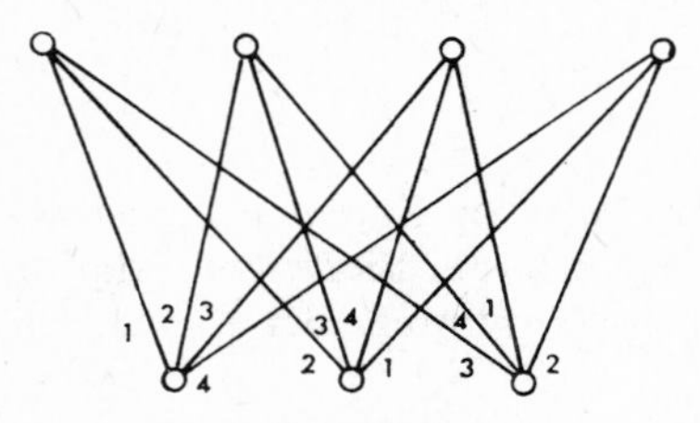

Abb. 20.2

auf einer waagerechten Linie unter den m Ecken liegen. Die gewünschte Kantenfärbung erhält man dann, indem man die mit diesen n Ecken inzidenten Kanten sukzessive färbt mit den Farben

$$\{1, 2, \ldots, m\}; \{2, 3, \ldots, m, 1\}; \ldots; \{n, \ldots, m, 1, \ldots, n-1\}$$

und zwar in der Reihenfolge, wie diese Kanten eine dicht über den n Ecken liegende Parallele schneiden. //

Satz 20C. *$\chi_e(K_n) = n$, falls n ungerade und $\neq 1$ ist, und $\chi_e(K_n) = n - 1$, falls n gerade ist.*

Beweis. Ist n ungerade, so gelangt man zu einer n-Kantenfärbung von K_n, indem man die Ecken von K_n in Form eines regulären n-Ecks anordnet, dann die Kanten des Randes mit allen n Farben färbt, und nun jeder weiteren Kante diejenige Farbe zuordnet, welche die zu ihr parallele Randkante hat (siehe Abb. 20.3). Die Tatsache, daß K_n nicht $(n - 1)$-färbbar(e) ist, folgt

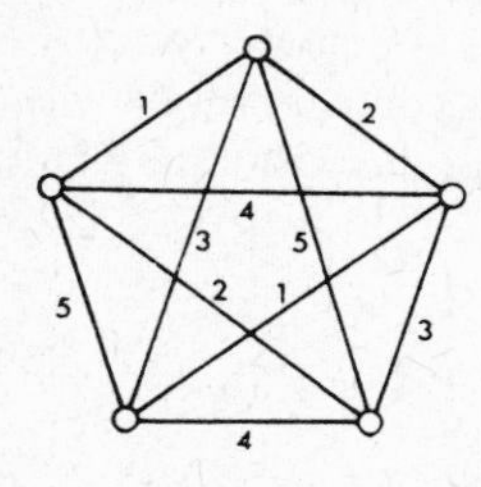

Abb. 20.3

unmittelbar aus der Bemerkung, daß höchstens $\frac{1}{2}(n - 1)$ Kanten dieselbe Farbe haben können.

Ist n ($\geqq 4$) gerade, so kann K_n als Summe eines vollständigen $(n - 1)$-Graphen K_{n-1} und einer einzelnen Ecke betrachtet werden. Werden die Kanten von K_{n-1} nach der oben beschriebenen Methode gefärbt, so tritt bei jeder Ecke genau eine Farbe nicht auf und diese fehlenden Farben sind alle verschieden. Die Färbung der Kanten von K_n kann somit dadurch vervollständigt werden, daß man die restlichen Kanten mit diesen fehlenden Farben färbt (siehe Abb. 20.4). //

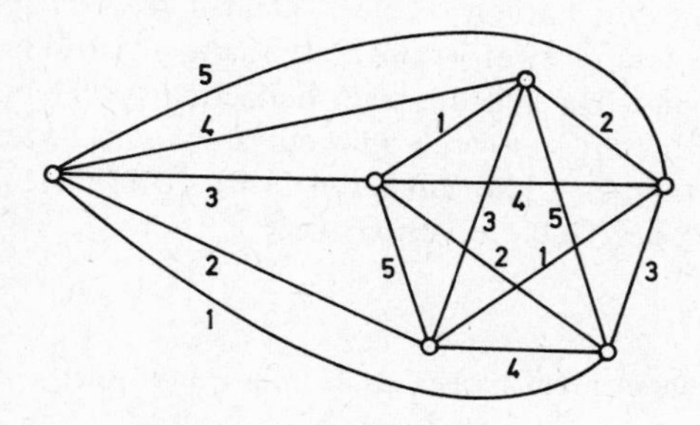

Abb. 20.4

Wir zeigen nun den Zusammenhang zwischen der Vierfarbenvermutung und der Färbung der Kanten von Graphen; dieser Zusammenhang ist es, der für einen guten Teil des Interesses an Kantenfärbungen verantwortlich ist.

Satz 20D. *Die Vierfarbenvermutung ist genau dann richtig, wenn für jede kubische Landkarte G $\chi_e(G) = 3$ gilt.*

Beweis. $\Rightarrow$ Es sei eine 4-Färbung der Gebiete von G gegeben, und die Farben seien mit $\alpha = (1,0)$, $\beta = (0,1)$, $\delta = (1,1)$ und $\gamma = (0,0)$ bezeichnet. Eine 3-Färbung der Kanten von G erhält man dann, indem man jede Kante e mit derjenigen Farbe färbt, die herauskommt, wenn man die Farben der beiden an e angrenzenden Gebiete vektoriell addiert, wobei modulo zwei gerechnet wird; wenn zum Beispiel e an zwei Gebiete mit den Farben α und γ angrenzt, so erhält e die Farbe β, denn es ist $(1,0) + (1,1) = (0,1)$. Man beachte, daß die Farbe δ bei der Kantenfärbung nicht auftreten kann, da für jede Kante die Farben der angrenzenden Gebiete verschieden sein müssen; überdies ist es natürlich unmöglich, daß dabei zwei benachbarte Kanten dieselbe Farbe bekommen. Wir haben also die gesuchte Kantenfärbung (siehe Abb. 20.5).

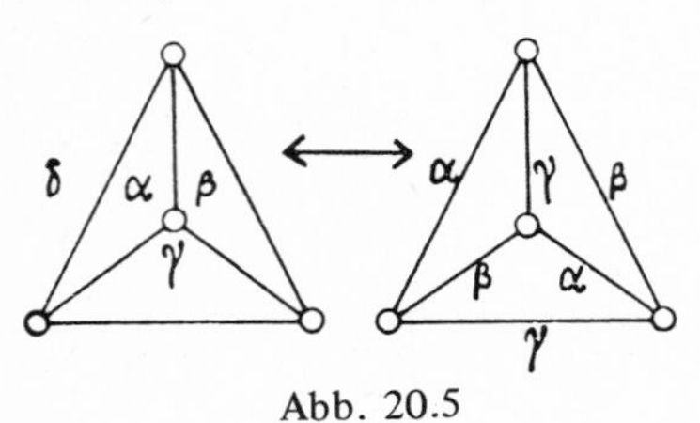

Abb. 20.5

$\Leftarrow$ Sei nun eine 3-Färbung der Kanten von G gegeben; dann gibt es bei jeder Ecke von jeder Farbe eine Kante. Der aus denjenigen Kanten, die mit α oder β gefärbt sind, gebildete Teilgraph ist regulär vom Grade zwei und so können die Gebiete dieses Teilgraphen mit zwei Farben gefärbt werden, die wir mit 0 und 1 bezeichnen (hierbei wird eine naheliegende Verallgemeinerung von 19A auf unzusammenhängende Graphen verwendet). Entsprechend können die Gebiete des Teilgraphen, der von den Kanten mit den Farben α und γ gebildet wird, mit den Farben 0 und 1 gefärbt werden. Folglich können wir jedem Gebiet von G zwei Koordinaten (x, y) zuordnen, wobei x und y gleich 0 oder 1 sind. Da sich die zwei benachbarten Gebieten von G auf diese Weise zugeordneten Vektoren an wenigstens einer Stelle unterscheiden müssen, liefern folglich diese Vektoren $(1,0)$, $(0,1)$, $(1,1)$, $(0,0)$ die gewünschte 4-Färbung der Gebiete von G. //

Aufgaben

(20a) Berechnen Sie die kantenchromatischen Zahlen der Platonischen Graphen und des Petersengraphen.

(20b) Zeigen Sie, daß die kantenchromatische Zahl von G mit der chromatischen Zahl des Kantengraphen von G übereinstimmt, sofern G kein Nullgraph ist; bestimmen Sie alle Graphen mit der kantenchromatischen Zahl zwei.

(20c) Verifizieren Sie Satz 20D im Falle des Dodekaedergraphen.

(20d) Sei G eine kubische Landkarte, bei der für jedes Gebiet die Anzahl der umgebenden Kanten durch drei teilbar ist; zeigen Sie, daß G 4-färbbar(*f*) ist.

(*20e) Sei G ein Graph, den man aus K_{2n+1} durch Entfernung von nicht mehr als $n-1$ Kanten erhält; beweisen Sie $\chi_e(G) = 2n+1$.

§ 21. Chromatische Polynome

★ Zum Abschluß dieses Kapitels kehren wir zu den Eckenfärbungen zurück. In diesem Abschnitt werden wir jedem Graphen eine Funktion zuordnen, die uns unter anderem sagen wird, ob ein Graph 4-färbbar ist oder nicht; man kann hoffen, durch Untersuchung dieser Funktion einige hilfreiche Informationen zur Vierfarbenvermutung zu gewinnen. Ohne Beschränkung der Allgemeinheit können wir unsere Aufmerksamkeit auf schlichte Graphen beschränken.

Sei G ein schlichter Graph, und bezeichne $P_G(k)$ die Anzahl der Möglichkeiten, die Ecken von G so mit k Farben zu färben, daß keine zwei benachbarten Ecken dieselbe Farbe haben; P_G wollen wir (im Augenblick) die **chromatische Funktion** von G nennen. Ist zum Beispiel G der in Abb. 21.1 ge-

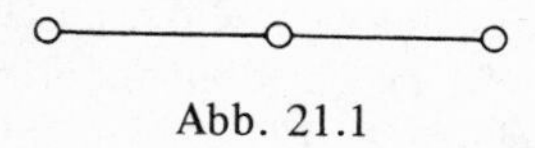

Abb. 21.1

zeigte Graph, so ist $P_G(k) = k(k-1)^2$, denn für die Färbung der mittleren Ecke gibt es k Möglichkeiten und für die Färbung der beiden Endecken dann noch je $k-1$ Möglichkeiten; dieses Resultat kann man dahin verallgemeinern, daß für jeden Baum T mit n Ecken $P_T(k) = k(k-1)^{n-1}$ gilt. Ist G der vollständige Graph K_3, so gilt entsprechend $P_G(k) = k(k-1)(k-2)$; dies kann man verallgemeinern zu $P_G(k) = k(k-1)(k-2)\dots(k-n+1)$ wenn G der Graph K_n ist.

Im Falle $k < \chi(G)$ gilt natürlich $P_G(k) = 0$, und im Falle $k \geqq \chi(G)$ $P_G(k) > 0$. Ferner sei bemerkt, daß die Vierfarbenvermutung äquivalent ist zu der Aussage: Wenn G ein schlichter planarer Graph ist, dann ist $P_G(4) > 0$.

Ist ein beliebiger, schlichter Graph gegeben, so ist es im allgemeinen schwierig, allein durch Betrachtung die chromatische Funktion zu bestimmen. Der folgende Satz und sein Korollar geben uns eine systematische Methode in die Hand, die chromatische Funktion eines schlichten Graphen als Summe der chromatischen Funktionen vollständiger Graphen zu gewinnen.

Satz 21A. *Sei G ein schlichter Graph und seien v, w nichtbenachbarte Ekken von G. G_1 sei der Graph, den man aus G erhält, wenn man v und w durch eine Kante verbindet, und G_2 sei der Graph, den man aus G durch Identifizierung von v und w (und, falls nötig, Identifizierung mehrfacher Kanten) erhält; dann gilt*

$$P_G(k) = P_{G_1}(k) + P_{G_2}(k).$$

(Als Beispiel zu diesem Satz nehmen wir für G den in Abb. 21.2 gezeigten Graphen; die entsprechenden Graphen G_1 und G_2 sind dann die in Abb. 21.3 dargestellten Graphen und der Satz besagt

$$k(k-1)(k-2)^2 = k(k-1)(k-2)(k-3) + k(k-1)(k-2).)$$

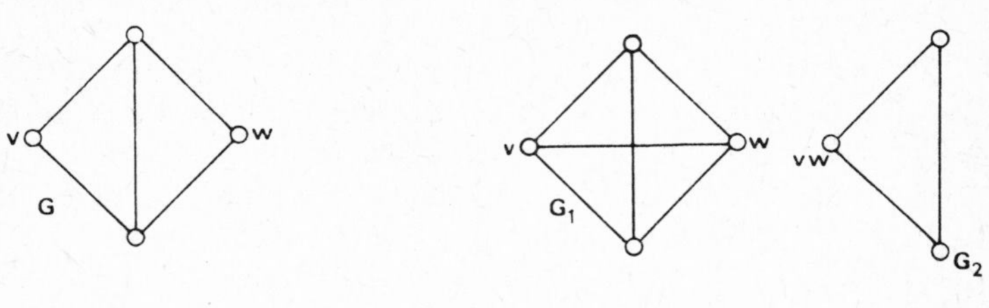

Abb. 21.2 Abb. 21.3

Beweis. Bei jeder zulässigen Färbung der Ecken von G haben v und w entweder verschiedene Farben oder sie haben dieselbe Farbe. Die Anzahl derjenigen Färbungen, bei denen v und w verschiedene Farben haben, wird nicht geändert, wenn wir v und w durch eine Kante verbinden; daher ist diese Anzahl gleich $P_{G_1}(k)$. Entsprechend wird die Anzahl derjenigen Färbungen, bei denen v und w dieselbe Farbe haben, durch Identifizierung von v und w nicht verändert und sie ist folglich gleich $P_{G_2}(k)$. //

Korollar 21B. *Die chromatische Funktion eines schlichten Graphen ist ein Polynom.*

Beweis. Das im obigen Satz beschriebene Verfahren kann wiederholt werden, indem man nichtbenachbarte Ecken in G_1 und in G_2 wählt und sie in der oben beschriebenen Weise verbindet bzw. identifiziert, wonach man dann vier neue Graphen hat. Jetzt wiederholen wir das obige Verfahren für diese neuen Graphen, und so fort. Das Verfahren kann nicht mehr fortgesetzt werden, wenn jedes Paar von Ecken in jedem der Graphen benachbart ist – mit anderen Worten, wenn jeder Graph ein vollständiger Graph ist. Da die chromatische Funktion eines vollständigen Graphen ein Polynom ist, folgt durch wiederholte Anwendung von Satz 21A, daß die chromatische Funktion des Graphen G eine Summe von Polynomen und damit selbst ein Polynom ist. (Ein ausführliches Beispiel zur Illustration dieses Verfahrens bringen wir etwas später in diesem Abschnitt.) //

Von nun an nennen wir P_G das **chromatische Polynom** von G. Dem soeben geführten Beweis ist leicht zu entnehmen, daß $P_G(k)$ vom Grade n ist, wenn G n Ecken hat, denn bei keinem Schritt werden neue Ecken eingeführt. Da außerdem die Konstruktion nur einen einzigen vollständigen Graphen mit n Ecken liefert, ist der Koeffizient von k^n gleich eins. Ferner kann man zeigen (siehe Aufgabe 21d), daß der Koeffizient von k^{n-1} gleich $-m$ ist, wobei m die Anzahl der Kanten von G bezeichnet, und daß die Koeffizienten alternierendes Vorzeichen haben. Wenn wir gar keine Farben zur Verfügung haben, so können wir den Graphen nicht färben und hieraus folgt, daß der konstante Term des chromatischen Polynoms 0 ist.

Es ist höchste Zeit, daß wir ein Beispiel zur Illustration der obigen Theorie geben; wir wollen mit Hilfe von Satz 21A das chromatische Polynom des in Abb. 21.4 gezeigten Graphen G bestimmen und werden dann sehen, daß

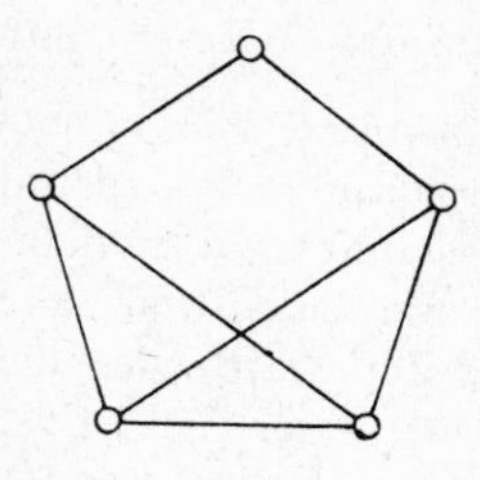

Abb. 21.4

dieses Polynom die Gestalt $k^5 - 7k^4 + ak^3 - bk^2 + ck$ (mit positiven Koeffizienten a, b, c) hat, die es ja nach dem obigen Absatz haben muß. Es ist zweckmäßiger, bei jedem Schritt den Graphen selbst zu zeichnen, statt sein chromatisches Polynom aufzuschreiben; statt zum Beispiel $P_G(k) = P_{G_1}(k) + P_{G_2}(k)$ aufzuschreiben, wo G, G_1 und G_2 die Graphen der Abb. 21.2 und 21.3 bezeichnet, ist es bequemer, die in Abb. 21.5 gegebene ‚Gleichung' festzuhalten.

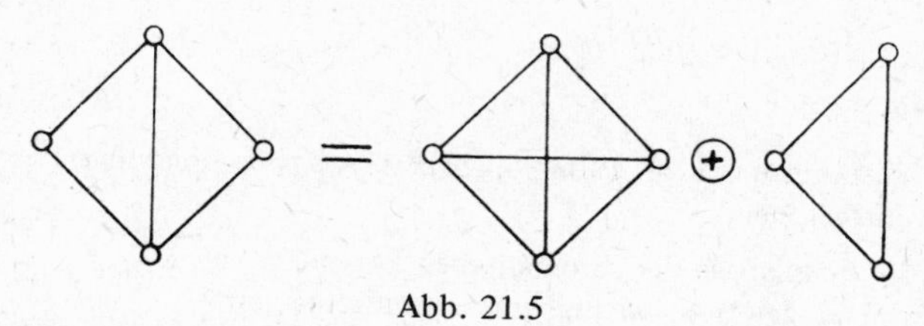

Abb. 21.5

Mit dieser Vereinbarung haben wir

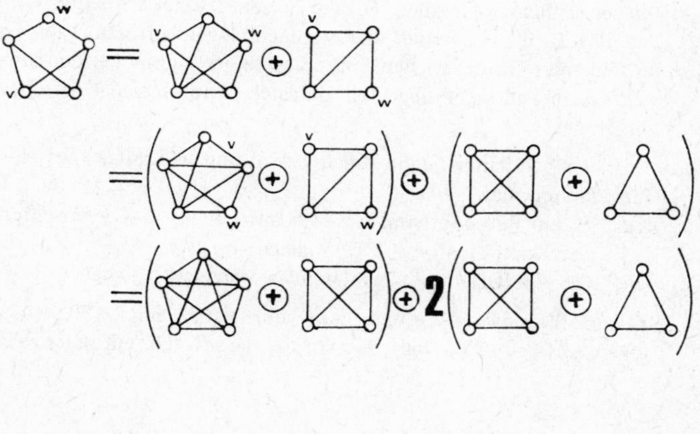

Somit gilt

$$P_G(k) = k(k-1)(k-2)(k-3)(k-4) + 3k(k-1)(k-2)(k-3) + 2k(k-1)(k-2) =$$
$$= k(k-1)(k-2)(k^2-4k+5) =$$
$$= k^5 - 7k^4 + 19k^3 - 23k^2 + 10k.$$

(Man beachte, daß wir hieraus folgern können, daß G 3-chromatisch ist.)

Wir beschließen dieses Kapitel mit einigen Hinweisen, wie das Studium der chromatischen Polynome und der Färbungen zusammenhängt mit solchen Problemen wie etwa Stundenplangestaltung. Nehmen wir zum Beispiel an, daß wir die Zeiten von Vorlesungen festzusetzen haben und dabei wissen, daß gewisse der Vorlesungen nicht zur selben Zeit stattfinden dürfen (etwa weil es Studenten gibt, die beide hören wollen); unser Ziel ist es, herauszufinden, ob wir einen Stundenplan machen können, der diesen Bedingungen Rechnung trägt. Dies geschieht durch Konstruktion eines Graphen, dessen Ecken den verschiedenen Vorlesungen entsprechen und dessen Kanten diejenigen Vorlesungen verbinden, die nicht zur gleichen Zeit angesetzt werden können. Wenn wir jeder Zeit, die für Vorlesungen zur Verfügung steht, eine Farbe zuordnen, so entspricht jede Eckenfärbung des Graphen einer geglückten Festsetzung aller Vorlesungen, d. h. einem Stundenplan. Die Kenntnis des chromatischen Polynoms des Graphen sagt uns in diesem Beispiel, ob ein Stundenplan, der den genannten Bedingungen genügt, überhaupt möglich ist, und wenn ja, wieviele Möglichkeiten es dafür gibt.

Aufgaben

(21a) Bestimmen Sie mit Hilfe von Satz 21A das chromatische Polynom des Oktaedergraphen.

(21b) Bestimmen Sie die chromatischen Polynome von $K_{1,n}$, $K_{2,n}$ und $K_{3,n}$; können Sie die gewonnenen Ergebnisse verallgemeinern?

(21c) Was können Sie sagen über das chromatische Polynom (i) der Vereinigung zweier schlichter Graphen; (ii) die Summe zweier schlichter Graphen? Zeigen Sie, daß P_G im Falle eines unzusammenhängenden, schlichten Graphen G das Produkt der chromatischen Polynome seiner Komponenten ist; was können Sie in diesem Fall sagen über den kleinsten Grad, dessen Koeffizient nicht verschwindet?

(*21d) Sei G ein schlichter Graph mit n Ecken und m Kanten; beweisen Sie in allen Einzelheiten, daß
- (i) P_G ein Polynom vom Grade n mit höchstem Koeffizienten 1 ist;
- (ii) der Koeffizient von k^{n-1} gleich $-m$ ist;
- (iii) die Koeffizienten alternierendes Vorzeichen haben.

(21e) Zeigen Sie, daß G genau dann ein Baum mit n Ecken ist, wenn $P_G(k) = k(k-1)^{n-1}$ gilt; folgern Sie daraus, daß ein gegebenes Polynom als chromatisches Polynom von mehr als nur einem Graphen auftreten kann. Können Sie ein Polynom angeben, das die Bedingungen von Aufgabe 21d erfüllt, aber nicht als chromatisches Polynom eines Graphen auftritt?

(*21f) Sei G ein schlichter Graph mit n Ecken und m Kanten und sei $P_G(k)$ das chromatische Polynom von G; beweisen Sie, daß der Koeffizient von k^r in $P_G(k)$ gleich $\sum_{s=0}^{m} (-1)^s N(r,s)$ ist, worin $N(r,s)$ die Anzahl derjenigen Teilgraphen von G bezeichnet, die n Ecken, r Komponenten und s Kanten haben.

(*21g) Wie würden Sie kantenchromatische und gebietschromatische Polynome definieren? Untersuchen Sie ihre Eigenschaften. ★

7 Digraphen

In diesem und im nachfolgenden Kapitel beschäftigen wir uns mit der Theorie der Digraphen und einigen ihrer Anwendungen. Wir beginnen in § 22 mit den grundlegenden Definitionen, danach diskutieren wir, unter welchen Voraussetzungen man die Kanten eines Graphen derart orientieren kann, daß der entstehende Digraph stark zusammenhängend ist. Dem folgt in § 23 eine Diskussion der Eulerschen und Hamiltonschen gerichteten Linien und Kreise, wobei wir insbesondere auf Turniere eingehen. Wir beschließen das Kapitel mit einem Studium der Klassifikation der Zustände einer Markoffschen Kette aus der Sicht der Theorie der Digraphen.

§ 22. Definitionen

Wir beginnen damit, Ihnen einige der Definitionen von § 2 ins Gedächtnis zurückzurufen. Ein **Digraph** D ist definiert als ein Paar $(V(D), A(D))$, wo $V(D)$ eine nichtleere, endliche Menge von Elementen ist, die **Ecken** genannt werden, und $A(D)$ eine endliche Familie geordneter Paare von Elementen von $V(D)$, **Bögen** (oder **gerichtete Kanten**) genannt; $V(D)$ und $A(D)$ werden als die **Eckenmenge** und die **Bogenfamilie** von D bezeichnet. So stellt Abb. 22.1 einen Digraphen mit den Bögen (u, v), (v, v), (v, w), (v, w), (w, v), (w, u) und (z, w) dar, wobei die Anordnung der Ecken eines Bogens durch einen Pfeil angedeutet ist. Ist D ein Digraph, so wird derjenige Graph, den man aus D durch ‚Weglassen der Pfeile' erhält (d. h. man ersetzt jeden Bogen der Form (v, w) durch eine entsprechende Kante $\{v, w\}$), der D **zugrundeliegende Graph** genannt (siehe Abb. 22.2). Ferner sagen wir, daß D ein

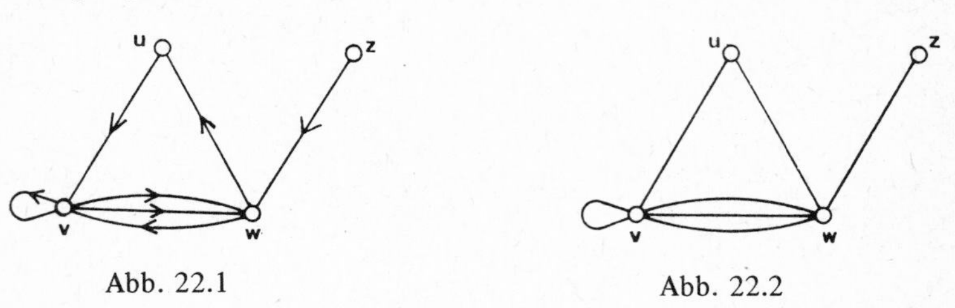

Abb. 22.1

Abb. 22.2

schlichter Digraph ist, wenn die Bögen von D alle voneinander verschieden sind; man beachte, daß der einem schlichten Digraphen zugrundeliegende Graph nicht schlicht zu sein braucht (siehe Abb. 1.8).

Viele der in § 2 für Graphen gegebenen Definitionen können wir hier nachahmen. Zum Beispiel heißen zwei Ecken v und w eines Digraphen D **be-**

nachbart, wenn es in $A(D)$ einen Bogen der Form (v, w) oder (w, v) gibt; die Ecken v und w heißen dann **inzident** mit jeder solchen Kanten. Zwei Digraphen heißen **isomorph**, wenn es einen Isomorphismus zwischen ihren zugrundeliegenden Graphen gibt, der in jedem Bogen die Anordnung der Ecken erhält; man beachte, daß demgemäß die beiden in den Abb. 2.3 und 22.1 gezeigten Digraphen nicht isomorph sind. Die **Nachbarschaftsmatrix** eines Digraphen mit der Eckenmenge $\{v_1, \ldots, v_n\}$ ist die Matrix $A = (a_{ij})$, worin a_{ij} die Anzahl der Bögen in $A(D)$ von der Form (v_i, v_j) bezeichnet. Die Matrix in Abb. 22.3 ist eine Nachbarschaftsmatrix des in Abb. 22.1 gezeigten Digraphen.

$$\begin{pmatrix} 0 & 1 & 0 & 0 \\ 0 & 1 & 2 & 0 \\ 1 & 1 & 0 & 0 \\ 0 & 0 & 1 & 0 \end{pmatrix}$$

Abb. 22.3

Ferner lassen sich einige der Definitionen aus § 5 in natürlicher Weise auf Digraphen verallgemeinern. Eine **Bogenfolge** in einem Digraphen D ist eine endliche Folge von Bögen der Form $(v_0, v_1), (v_1, v_2), \ldots, (v_{m-1}, v_m)$. Gelegentlich werden wir diese Folge als $v_0 \to v_1 \to \ldots \to v_m$ schreiben und von einer **Bogenfolge von v_0 nach v_m** sprechen. Ganz analog können wir **gerichtete Linien**, **gerichtete Wege** und **gerichtete Kreise** definieren, die wir kurz auch als **Dilinien**, **Diwege** und **Dikreise** bezeichnen. Man beachte, daß eine Dilinie zwar einen gegebenen Bogen (v, w) nicht mehr als einmal enthalten kann, wohl aber kann sie die beiden Bogen (v, w) und (w, v) enthalten; in Abb. 22.1 zum Beispiel ist $z \to w \to v \to w \to u$ eine Dilinie.

Wir sind nun in der Lage den Zusammenhang zu definieren. Genauer gesagt, wir werden hier zwei naheliegende und zweckmäßige Zusammenhangsbegriffe für Digraphen einführen, wobei der eine oder der andere Verwendung findet je nachdem, ob wir die Richtung der Bögen berücksichtigen oder nicht; diese Definitionen übertragen die in § 3 und § 5 gegebenen Definitionen des Zusammenhangs in natürlicher Weise auf Digraphen.

Ein Digraph D heißt **zusammenhängend** (oder **schwach zusammenhängend**), wenn er nicht als Vereinigung zweier disjunkter Digraphen ausgedrückt werden kann; hierzu äquivalent ist die Aussage, daß der D zugrundeliegende Graph ein zusammenhängender Graph ist. Setzen wir zusätzlich voraus, daß es zu je zwei Ecken v und w von D einen gerichteten Weg von v nach w gibt, so heißt D **stark zusammenhängend**. (Diese Bezeichnung ist so gebräuchlich, daß auch wir sie benutzen an Stelle des vielleicht näherliegenden ‚dizusammenhängend'.) Es ist klar, daß jeder stark zusammenhängende Digraph zusammenhängend ist, das Umgekehrte gilt dagegen nicht – Abb. 22.1 zeigt einen zusammenhängenden Digraphen, der nicht stark zusammenhängend ist, denn es gibt keinen Diweg von v nach z.

Der Unterschied zwischen einem zusammenhängenden Digraphen und einem stark zusammenhängenden wird vielleicht deutlicher, wenn wir den Plan einer Stadt betrachten, in der sämtliche Straßen Einbahnstraßen sind. Zu sagen, daß der Straßenplan zusammenhängend ist, bedeutet, daß wir von jedem Stadtteil in jeden anderen gelangen können, wenn wir die Einbahnstraßen benutzen ohne Rücksicht auf die vorgeschriebene Fahrtrichtung; wenn der Straßenplan stark zusammenhängend ist, dann können wir von jedem Stadtteil in jeden anderen fahren, ohne durch ‚Fahren in falscher Richtung' die Verkehrsvorschriften zu übertreten.

Natürlich ist es wichtig, daß ein Einbahnstraßensystem stark zusammenhängend ist, und es liegt nahe, zu fragen, ‚wann man ein Straßensystem derart in ein Einbahnsystem verwandeln kann, daß man noch von jeder Stelle der Stadt zu jeder anderen fahren kann?' Wenn zum Beispiel die Stadt aus zwei Teilen besteht, die durch eine einzige Brücke miteinander verbunden sind, so können wir die Straßen niemals alle in Einbahnstraßen verwandeln, denn welche Fahrtrichtung wir der Brücke auch immer geben, einer der beiden Stadtteile ist nicht mehr erreichbar. (Dies schließt übrigens auch den Fall ein, daß wir eine Sackgasse haben.) Wenn es dagegen keine Brücken gibt, dann kann man ein solches Einbahnsystem immer finden; dies ist das Hauptergebnis dieses Paragraphen und wir werden es abstrakt in Satz 22A formulieren.

Es ist bequem, einen Graphen G **orientierbar** zu nennen, wenn man jede Kante (als Paar von Ecken betrachtet) von G derart anordnen kann, daß der entstehende Digraph stark zusammenhängend ist. Einen solchen Vorgang, die Ecken jeder Kante anzuordnen, bezeichnen wir als ‚Orientierung des Graphen' oder als ‚Orientierung der Kanten'. Wenn zum Beispiel G der in Abb. 22.4 gezeigt Graph ist, so kann G so orientiert werden, daß der stark zusammenhängende Digraph von Abb. 22.5 herauskommt.

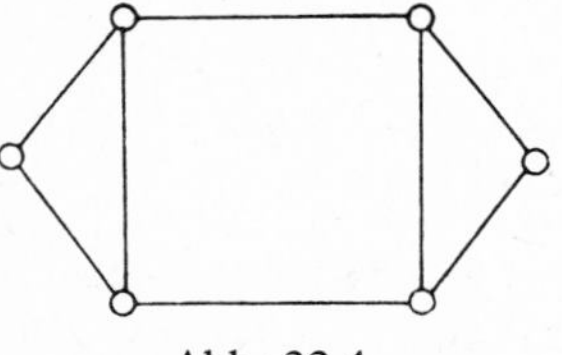

Abb. 22.4

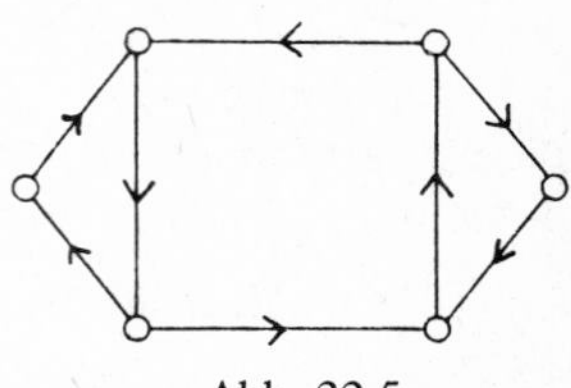

Abb. 22.5

Leicht sieht man, daß jeder Eulersche Graph orientierbar ist, wir brauchen nur irgendeiner Eulerschen Linie zu folgen und die Kanten so zu orientieren, wie wir diese Linie durchlaufen. Wir geben nun eine notwendige und hinreichende Bedingung (die von H. E. Robbins stammt) dafür, daß ein Graph orientierbar ist.

Satz 22A. *Sei G ein zusammenhängender Graph; dann ist G genau dann orientierbar, wenn jede Kante von G in wenigstens einem Kreis enthalten ist.*

Beweis. Die Notwendigkeit der Bedingung ist klar. Um zu zeigen, daß sie auch hinreichend ist, wählen wir einen Kreis C und orientieren seine Kanten zyklisch (in einer der beiden möglichen Richtungen). Ist jede Kante von G in C enthalten, so ist nichts weiter zu zeigen; ist dies nicht der Fall, so wählen wir eine Kante e, die nicht zu C gehört, aber zu einer Kante von C benachbart ist. Nach Voraussetzung gehört e zu irgendeinem Kreis C', dessen Kanten wir nun wieder zyklisch orientieren können (soweit sie nicht schon orientiert sind, d. h. soweit sie nicht zu C gehören). Man überzeugt sich leicht davon, daß der entstehende (aus C und C' bestehende) Digraph stark zusammenhängend ist; Abb. 22.6 illustriert die Situation, wobei gestrichelte

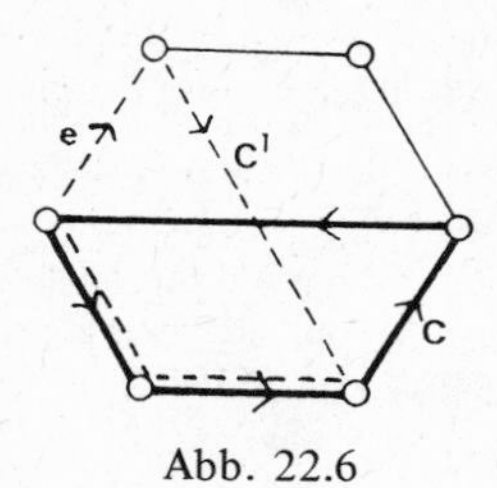

Abb. 22.6

Linien die Kanten von C' darstellen. Auf diese Weise fahren wir fort, wobei jedesmal wenigstens eine neue Kante orientiert wird, bis schließlich der ganze Graph orientiert ist. Da der bei jedem Schritt entsprechende Digraph stark zusammenhängend ist, folgt somit die Behauptung. //

Aufgaben

(22a) Sei D ein schlichter Digraph mit n Ecken und m Bögen; zeigen Sie, daß dann $n - 1 \leqq m \leqq n(n-1)$ gilt, falls D zusammenhängend ist, und bestimmen Sie entsprechende Schranken für m für den Fall, daß D stark zusammenhängend ist.

(22b) Sei D ein Digraph, und für je zwei Ecken v und w gelte $v \leqq w$ genau dann, wenn es einen Diweg von v nach w gibt; zeigen Sie, daß $\leqq$ genau dann eine teilweise Ordnung ist, wenn D keine Dikreise enthält. Wie würden Sie stark zusammenhängende Digraphen mit Hilfe von $\leqq$ charakterisieren?

(22c) Der **konverse Digraph** eine Digraphen D wird dadurch gebildet, daß man die Richtung jedes Bogens von D umkehrt; geben Sie ein Beispiel eines Digraphen an, der zu seinem konversen Digraphen isomorph ist. Was können Sie über die Nachbarschaftsmatrizen eines Digraphen und seines konversen Digraphen sagen?

(22d) Sei A die Nachbarschaftsmatrix eines Digraphen mit der Eckenmenge $\{v_1, \ldots, v_n\}$. Beweisen Sie, daß das (i, j)-te Element von A^k die Anzahl der Bogenfolgen der Länge k von v_i nach v_j angibt. Welche Bedeutung kann man den Zeilensummen und den Spaltensummen von A geben?

(22e) Drei Missionare und drei Kannibalen befinden sich an einem Ufer eines Flusses, den sie überqueren wollen; unglücklicherweise trägt ihr Boot nur zwei Leute, und außerdem können zwar alle Missionare rudern, aber nur einer der Kannibalen. Benutzen Sie das Resultat der vorhergehenden Aufgabe um herauszufinden, wieviele Flußüberquerungen nötig sind, um alle an das andere Ufer zu bringen, wohlgemerkt unter der Bedingung, daß die Kannibalen niemals an einem der Ufer die Missionare an Zahl übertreffen (natürlich von dem Fall abgesehen, daß dort gar keine Missionare sind).

(22f) Wie würden Sie die Automorphismengruppe eines Digraphen definieren? Zeigen Sie, daß jeder Digraph dieselbe Automorphismengruppe hat wie sein konverser Digraph.

(22g) Beweisen Sie ohne Satz 22A zu benutzen, daß jeder Hamiltonsche Graph orientierbar ist. Zeigen Sie ferner, daß K_n $(n \geqq 3)$ und $K_{m,n}$ $(m, n \geqq 2)$ orientierbar sind und geben Sie für jeden explizit eine Orientierung an. Finden Sie Orientierungen für den Petersengraphen und für die Platonischen Graphen.

(*22h) Zeigen Sie, wie man die Eigenschaften der symmetrischen Gruppe der Permutationen von drei Elementen (die erzeugt wird von a und b mit $a^3 = b^2 = abab = 1$) beschreiben kann durch den in Abb. 22.7 dargestellten Digraphen; finden Sie ähnliche Digraphen für die symmetrische Gruppe auf vier Elementen und für die Diedergruppen der Ordnungen acht und zehn.

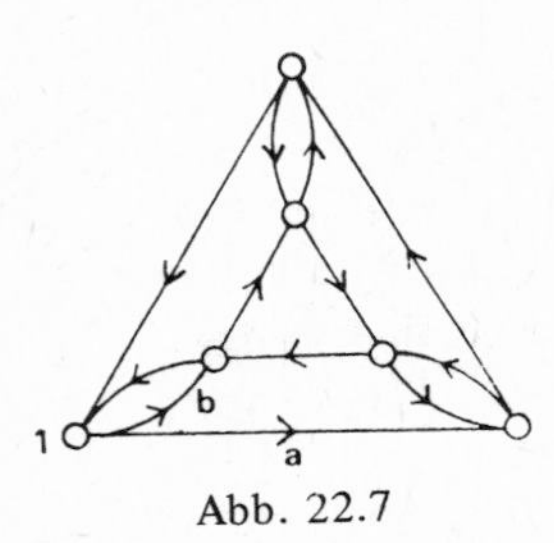

Abb. 22.7

§ 23. Eulersche Digraphen und Turniere

In diesem Abschnitt wollen wir versuchen, einige der Ergebnisse der Paragraphen 6 und 7 auf Digraphen zu übertragen. Dies wird uns zum Studium Hamiltonscher Dikreise in einer besonderen Art von Digraphen führen, die man Turniere nennt.

Ein zusammenhängender Digraph heißt **Eulersch**, wen es eine geschlossene Dilinie gibt, die jeden Bogen von D enthält; eine solche Dilinie wird eine **Eulersche Dilinie** genannt. Zum Beispiel ist der in Abb. 23.1 gezeigte Digraph nicht Eulersch, obwohl der zugrundeliegende Graph ein Eulerscher Graph ist. Unser erstes Ziel ist es, für zusammenhängende Digraphen eine notwendige und hinreichende Bedingung (analog zu der von Satz 6B) dafür zu geben, daß sie Eulersch sind. Leicht ist zu sehen, daß ein solcher Digraph notwendigerweise stark zusammenhängend ist.

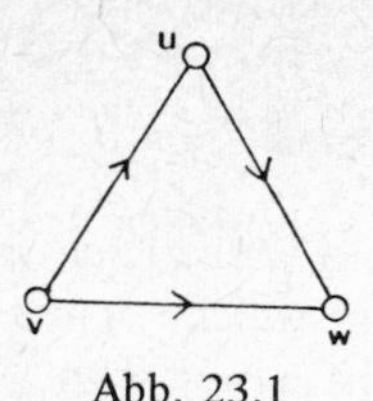

Abb. 23.1

Wir benötigen ein paar einleitende Definitionen. Ist v eine Ecke eines Digraphen D, so definieren wir den **Ausgangsgrad** von v (mit $\overleftarrow{\rho}(v)$ bezeichnet, wobei der Pfeil ‚von v wegzeigt') als die Anzahl der Bögen von D von der Form (v, w); entsprechend ist der **Eingangsgrad** von v (mit $\overrightarrow{\rho}(v)$ bezeichnet) die Anzahl der Bögen von D der Form (w, v). Es folgt unmittelbar, daß die Summe der Eingangsgrade aller Ecken von D gleich der Summe ihrer Ausgangsgrade ist, denn jeder Bogen von D leistet zu jeder der beiden Summen genau den Beitrag eins; wir wollen dieses Resultat kurz das **Handschlag-Di-Lemma** nennen!

Für späteren Gebrauch definieren wir gleich noch eine **Quelle** von D als eine Ecke, deren Eingangsgrad null ist, und eine **Senke** von D als eine solche, deren Ausgangsgrad null ist; so ist in Abb. 23.1 v eine Quelle und w eine Senke. Beachten Sie, daß ein Eulerscher Digraph (abgesehen von dem trivialen, der keine Bögen enthält) keine Quellen oder Senken enthalten kann.

Wir sind nun in der Lage, den grundlegenden Satz über Eulersche Digraphen zu formulieren.

Satz 23A. *Ein zusammenhängender Digraph ist genau dann Eulersch, wenn $\overrightarrow{\rho}(v) = \overleftarrow{\rho}(v)$ für jede Ecke v von D gilt.*

Beweis. Der Beweis verläuft ganz analog zum Beweis des Satzes 6B und wird dem Leser als Aufgabe überlassen. //

Ebenso stellen wir es dem Leser anheim, semi-Eulersche Digraphen zu definieren und Aussagen analog zu den Korollaren 6C und 6D zu beweisen.

Das entsprechende Studium Hamiltonscher Dikreise ist, wie zu erwarten ist, sehr viel weniger erfolgreich als die Untersuchung der Eulerschen Frage. Ein Digraph D heißt **Hamiltonsch**, wenn es einen Dikreis gibt, der jede Ecke von D enthält; ein Digraph, der einen Diweg enthält, der durch jede Ecke läuft, heißt **semi-Hamiltonsch**. Man weiß recht wenig über Hamiltonsche Digraphen, und es sieht wirklich so aus, als ließen sich manche Sätze über Hamiltonsche Graphen nicht leicht (wenn überhaupt) auf Digraphen verallgemeinern. Es liegt nahe, zu fragen, ob es eine Verallgemeinerung des Satzes von Dirac (Satz 7A) auf Digraphen gibt. Eine solche Verallgemeinerung stammt von Ghouila-Houri; ihr Beweis ist um einiges schwieriger als der des Satzes von Dirac und liegt jenseits der Reichweite dieses Buches.

Satz 23B. *Sei D ein stark zusammenhängender Digraph mit n Ecken. Gilt* $\vec{\rho}(v) \geqq \frac{1}{2}n$ *und* $\overleftarrow{\rho}(v) \geqq \frac{1}{2}n$ *für jede Ecke v, so ist D Hamiltonsch.* //

Es scheint, als wären Ergebnisse in dieser Richtung nicht leicht zu erhalten, und so wollen wir uns stattdessen lieber umsehen, welche Arten von Hamiltonschen Digraphen man kennt. In dieser Hinsicht ist ein Typ von Digraphen ganz besonders bekannt, nämlich das Turnier, und die Resultate nehmen in diesem Falle eine besonders einfache Gestalt an.

Ein **Turnier** ist ein Digraph, in dem je zwei Ecken durch genau einen Bogen verbunden sind (siehe Abb. 23.2). Der Grund für den Namen ‚Turnier' ist

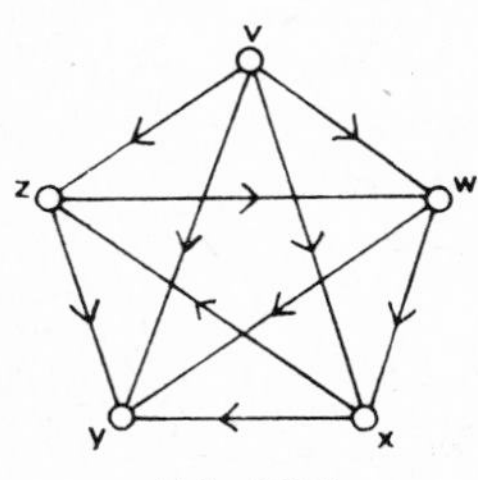

Abb. 23.2

darin zu suchen, daß ein solcher Digraph verwendet werden kann, das Ergebnis eines Tennisturniers festzuhalten (oder irgendeines anderen Wettbewerbs, bei dem kein Unentschieden auftreten kann). In Abb. 23.2 beispielsweise hat die Mannschaft z die Mannschaft w geschlagen, ist aber ihrerseits der Mannschaft v unterlegen, usw.

Da ein Turnier möglicherweise eine Quelle oder eine Senke hat, sind Turniere im allgemeinen nicht Hamiltonsch. Jedoch zeigt der folgende Satz (der auf L. Redei und P. Camion zurückgeht), daß jedes Turnier ‚fast Hamiltonsch' ist.

Satz 23C. (i) *Jedes Turnier ist semi-Hamiltonsch;* (ii) *jedes stark zusammenhängende Turnier ist Hamiltonsch.*

Beweis. (i) Die Behauptung ist offenbar richtig, wenn das Turnier weniger als vier Ecken hat. Wir werden die Behauptung durch Induktion über die Anzahl der Ecken beweisen und wollen dazu annehmen, daß jedes Turnier mit n Ecken Hamiltonsch ist. Sei nun T ein Turnier mit $n + 1$ Ecken, dann erhalten wir aus T durch Entfernung einer Ecke v und aller mit v inzidenten Bögen ein Turnier T' mit n Ecken. Nach Induktionsannahme gestattet also T' einen semi-Hamiltonschen Diweg $v_1 \to v_2 \to \ldots \to v_n$. Drei Fälle sind nun zu betrachten:

(1) Ist (v, v_1) ein Bogen in T, so hat man in $v \to v_1 \to v_2 \to \ldots \to v_n$ den gewünschten Diweg.

(2) Ist (v, v_1) kein Bogen in T (dann ist (v_1, v) einer) und gibt es ein i, sodaß (v, v_i) ein Bogen in T ist, so wählen wir das kleinste derartige i und haben mit $v_1 \to v_2 \to \ldots \to v_{i-1} \to v \to v_i \to \ldots \to v_n$ (siehe Abb. 23.3) einen Diweg der verlangten Art.

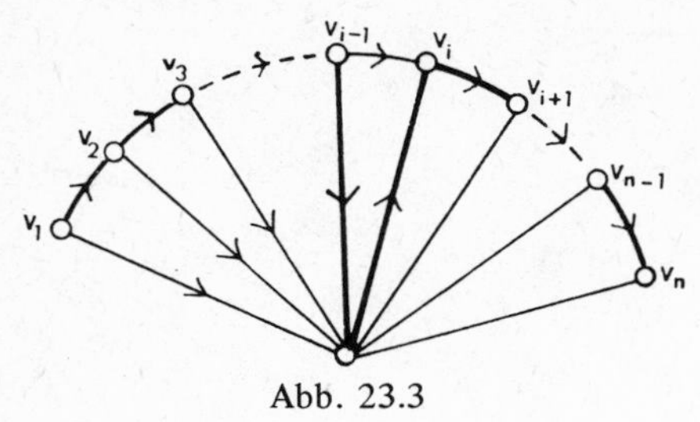

Abb. 23.3

(3) Gibt es in T keinen Bogen der Form (v, v_i), dann ist $v_1 \to v_2 \to \ldots \to v_n \to v$ der gesuchte Diweg.

(ii) Wir werden etwas mehr beweisen, daß nämlich ein stark zusammenhängendes Turnier T mit n Ecken Dikreise der Längen $3, 4, \ldots, n$ enthält.

Zum Beweis, daß T einen Dikreis der Länge drei enthält, sei v irgendeine Ecke von T, W die Menge aller Ecken w derart, daß (v, w) ein Bogen in T ist, und Z die Menge aller Ecken z, sodaß (z, v) ein Bogen ist. Da T stark zusammenhängend ist, sind W und Z beide nichtleer und es gibt einen Bogen in T von der Form (w', z') mit w' aus W und z' aus Z. Der gesuchte Kreis der Länge drei ist dann $v \to w' \to z' \to v$.

Nun ist nur noch zu zeigen, daß aus der Existenz eines Dikreises der Länge $k (k < n)$ die Existenz eines solchen der Länge $k + 1$ folgt. Sei also $v_1 \to \ldots \to v_k \to v_1$ ein Dikreis der Länge k. Wir betrachten zuerst den Fall, daß es eine nicht auf diesem Kreis liegende Ecke v gibt mit der Eigenschaft, daß in T Bögen der Form (v, v_i) und der Form (v_j, v) existieren. Dann muß es eine Ecke v_i geben, sodaß sowohl (v_{i-1}, v) als auch (v, v_i) Bögen in T sind; der gewünschte Dikreis ist dann

$$v_1 \to v_2 \to \ldots \to v_{i-1} \to v \to v_i \to \ldots \to v_k \to v_1 \text{ (siehe Abb. 23.4).}$$

Falls es keine Ecke mit der obengenannten Eigenschaft gibt, dann kann man die Menge der nicht auf diesem Dikreis liegenden Ecken in zwei disjunkte Mengen W und Z zerlegen, wobei W die Menge derjenigen Ecken w ist, sodaß (v_i, w) für jedes i ein Bogen von T ist, und Z die Menge der Ecken z, sodaß (z, v_i) für jedes i ein Bogen ist. Da T stark zusammenhängend ist, sind W und Z beide nichtleer und es muß in T einen Bogen der Form (w', z') geben mit w' aus W und z' aus Z. Dann hat man in

$$v_1 \to w' \to z' \to v_3 \to \ldots \to v_k \to v_1$$

den gewünschten Dikreis (siehe Abb. 23.5). //

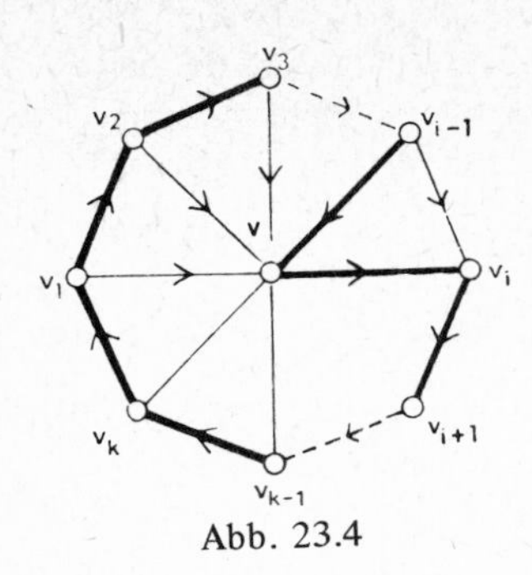

Abb. 23.4

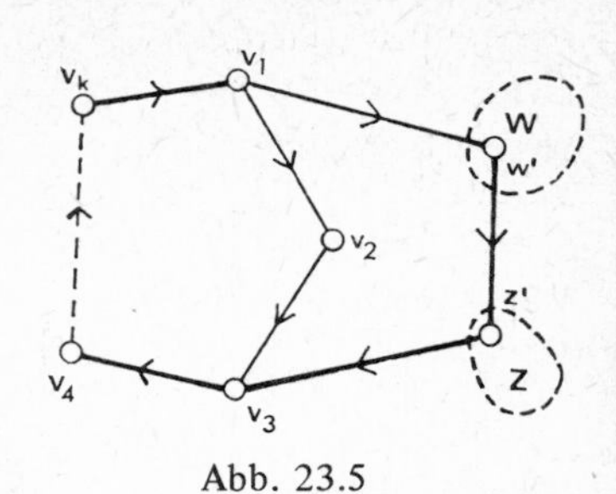

Abb. 23.5

Aufgaben

(23a) Finden Sie in dem in Abb. 23.6 gezeigten Turnier
(i) Dikreise der Längen drei, vier und fünf;
(ii) eine Eulersche Dilinie; (iii) einen Hamiltonschen Dikreis.

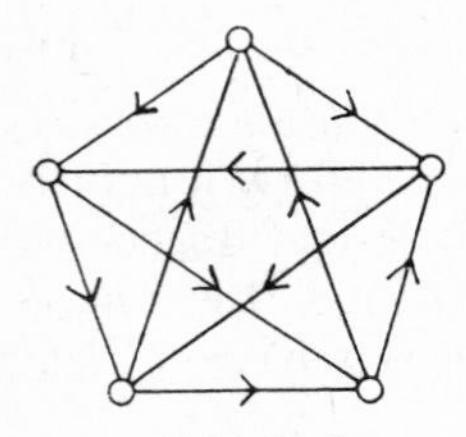
Abb. 23.6

(23b) Beweisen Sie, daß ein Turnier nicht mehr als eine Quelle oder eine Senke enthalten kann.

(23c) Finden Sie eine kreisförmige Anordnung von neun Einsen, neun Zweien und neu Dreien, sodaß jede der siebenundzwanzig möglichen dreistelligen Zahlen, die man aus den Ziffern, 1, 2 und 3 bilden kann (z. B. 111, 233, usw.), genau einmal auftritt. (Hinweis: Konstruieren Sie einen Digraphen, dessen Ecken die Paare von Ziffern sind und in dem es genau dann einen Bogen von *ij* nach *kl* gibt, wenn $j = k$ ist; nun suchen Sie einen Eulerschen Diweg.)

(23d) Sei T ein Turnier mit n Ecken; beweisen Sie die folgenden Gleichungen, wobei die Summen über alle Ecken v von T zu erstrecken sind:

(i) $\Sigma\, \vec{\rho}(v) = \Sigma\, \overleftarrow{\rho}(v)$;

(ii) $\Sigma\, (\vec{\rho}(v))^2 = \Sigma\, (\overleftarrow{\rho}(v))^2$.

(23e) Ein Turnier T heißt **irreduzibel**, wenn es unmöglich ist, die Eckenmenge von T so in zwei disjunkte Teilmengen V_1 und V_2 zu zerlegen, daß jeder Bogen, der eine Ecke von V_1 mit einer Ecke von V_2 verbindet, *von* V_1 *nach* V_2 *gerichtet* ist. Zeigen Sie, daß ein Turnier genau dann irreduzibel ist, wenn es stark zusammenhängend ist.

(23f) Ein Turnier heißt **irreduzibel**, wenn es unmöglich ist, die Eckenmenge von T (v, w) die Existenz eines Bogens (u, w) folgt. Interpretieren Sie dies im Falle eines Tennisturniers (etwa für Herren-Einzel) und zeigen Sie, daß man im Falle eines transitiven Turniers die Spieler so numerieren kann, daß jeder Spieler besser ist als alle seine Konkurrenten mit höherer Ordnungszahl.

(23g) Zeigen Sie mit Hilfe des Resultats der vorstehenden Aufgabe, daß (i) ein transitives Turnier mit mindestens zwei Ecken nicht stark zusammenhängend sein kann; (ii) jedes transitive Turnier einen eindeutig bestimmten, semi-Hamiltonschen Diweg besitzt.

(23h) Die **Gewinnzahl** einer Ecke eines Turniers ist ihr Ausgangsgrad; die **Gewinnzahlsequenz** eines Turniers erhält man, in dem man die Gewinnzahlen sämtlicher Ecken des Turniers der Größe nach nichtfallend anordnet (sodaß zum Beispiel das Turnier in Abb. 23.2 die Gewinnzahlensequenz (0, 2, 2, 2, 4) hat). Zeigen Sie, daß für die Gewinnzahlensequenz eines Turniers folgende Aussagen gelten:

(i) $s_1 + \ldots + s_n = \frac{1}{2} n\,(n-1)$;

(ii) für jede positive, ganze Zahl $k < n$ gilt

$$s_1 + \ldots + s_k \geqq \frac{1}{2} k\,(k-1),$$

wobei Ungleichheit für jedes k genau dann besteht, wenn T stark zusammenhängend ist;

(iii) für jedes k gilt $\frac{1}{2}(k-1) \leqq s_k \leqq \frac{1}{2}(n+k-2)$;

(iv) T ist genau dann transitiv, wenn $s_k = k - 1$ für jedes k gilt.

(*23i) Zeigen Sie, daß die Automorphismengruppe eines Turniers eine Gruppe ungerader Ordnung ist.

(*23j) Sei T_n ein Turnier mit n Ecken, und sei $c(T_n)$ die Anzahl der Dikreise der Länge drei in T_n. Beweisen Sie

$$c(T_n) = \binom{n}{3} - \sum_{i=1}^{n} \binom{s_i}{2} = \frac{1}{24}(n^3 - n) - \frac{1}{2}\sum_{i=1}^{n} \left(s_i - \frac{1}{2}(n-1)\right)^2,$$

worin s_i die Gewinnzahl der Ecke v_i bezeichnet $(1 \leqq i \leqq n)$. Folgern Sie daraus $c(T_n) \leqq \frac{1}{24}(n^3 - n)$ für ungerades n, und beweisen Sie ein entsprechendes Ergebnis für gerades n.

(*23k) Ein **bipartites Turnier** ist ein Digraph, den man aus einem vollständigen bipartiten Graphen erhält, indem man jeder Kante eine Richtung gibt. Untersuchen Sie (mit Beweisen oder Gegenbeispielen), ob sich Satz 23C auf bipartite Turniere übertragen läßt.

§ 24. Markoffsche Ketten

★ Wie der Leser erwarten wird, treten Digraphen bei einer großen Vielfalt von Situationen des ‚realen Lebens' in Erscheinung; statt nun eine große Anzahl davon erfassen zu wollen, beschränken wir uns lieber auf zwei und verweisen den Leser, der an weiteren Anwendungen interessiert ist, auf Kapitel 6 von Busacker und Saaty [7]. Die beiden Anwendungen, die wir hier präsentieren, haben wir einerseits deshalb gewählt, weil sie auch für sich betrachtet von Interesse sind und weil man sie diskutieren kann, ohne erst viel einführende Terminologie bringen zu müssen. Wir beginnen mit einer nicht sehr tiefschürfenden, nichtsdestoweniger lehrreichen Anwendung der Theorie der Digraphen auf das Studium der Markoffschen Ketten; die andere Anwendung – die Untersuchung von Flüssen in Netzwerken – werden wir im nächsten Kapitel diskutieren.

Betrachten wir zunächst das wohlbekannte Problem des Betrunkenen, der genau zwischen seinen beiden Lieblingskneipen steht, der ‚Markoffschen Kette' und der ‚Quelle und Senke' (siehe Abb. 24.1). Jede Minute torkelt er

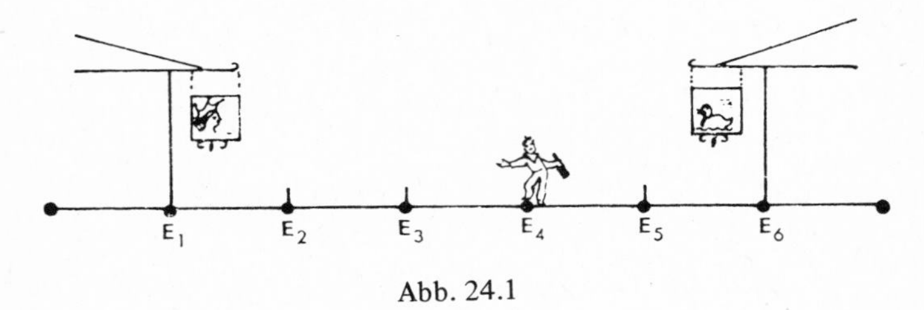

Abb. 24.1

entweder zehn Meter auf die erste Kneipe $\left(\text{mit der Wahrscheinlichkeit } \frac{1}{2}\right)$ oder auf die zweite Kneipe zu $\left(\text{mit der Wahrscheinlichkeit } \frac{1}{3}\right)$, oder aber er bleibt da wo er gerade steht $\left(\text{mit der Wahrscheinlichkeit } \frac{1}{6}\right)$ – ein solcher Vorgang wird eine eindimensionale **Irrfahrt** genannt. Wir wollen ferner annehmen, daß die beiden Wirtshäuser in dem Sinne ‚anziehend' sind, daß der Mann dort bleibt, sobald er eines von beiden erreicht. Ist die Entfernung der beiden Kneipen voneinander gegeben sowie die Ausgangsposition des Betrunkenen, so können wir mehrere Fragen stellen; zum Beispiel können wir fragen, bei welcher Kneipe er mit größerer Wahrscheinlichkeit landet, und wie lange er wohl braucht, bis er dort ankommt.

Um das Problem des Betrunkenen genauer studieren zu können, nehmen wir einmal an, daß der Abstand der beiden Kneipen fünfzig Meter beträgt und daß unser Freund anfangs zwanzig Meter von der ‚Quelle und Senke' entfernt ist. Bezeichnen wir die verschiedenen Stellen, an denen er stehen bleibt, mit $E_1, \ldots, E_6$, wobei E_1 und E_6 die zwei Kneipen sind, so kann seine Anfangsposition E_4 beschrieben werden durch den Vektor (0, 0, 0, 1, 0, 0), in welchem die i-te Komponente die Wahrscheinlichkeit dafür ist, daß er sich anfangs bei E_i befindet. Ferner sind die Wahrscheinlichkeiten seines Standortes nach einer Minute gegeben durch den Vektor $\left(0, 0, \frac{1}{2}, \frac{1}{6}, \frac{1}{3}, 0\right)$ und nach zwei Minuten durch $\left(0, \frac{1}{4}, \frac{1}{6}, \frac{13}{36}, \frac{1}{9}, \frac{1}{9}\right)$. Es wird natürlich mühsam, die Wahrscheinlichkeit für seinen Aufenthalt an einer bestimmten Stelle nach k Minuten direkt auszurechnen, und es zeigt sich, daß es am bequemsten ist, zunächst die Übergangsmatrix einzuführen.

Sei p_{ij} die Wahrscheinlichkeit dafür, daß er sich in einer Minute von E_i nach E_j bewegt; dann ist zum Beispiel $p_{23} = \frac{1}{3}$ und $p_{24} = 0$. Die Wahrscheinlichkeiten p_{ij} werden die **Übergangswahrscheinlichkeiten** genannt, und die 6×6-Matrix $P = (p_{ij})$ heißt die **Übergangsmatrix** (siehe Abb. 24.2); man beachte,

$$\begin{pmatrix} 1 & 0 & 0 & 0 & 0 & 0 \\ \frac{1}{2} & \frac{1}{6} & \frac{1}{3} & 0 & 0 & 0 \\ 0 & \frac{1}{2} & \frac{1}{6} & \frac{1}{3} & 0 & 0 \\ 0 & 0 & \frac{1}{2} & \frac{1}{6} & \frac{1}{3} & 0 \\ 0 & 0 & 0 & \frac{1}{2} & \frac{1}{6} & \frac{1}{3} \\ 0 & 0 & 0 & 0 & 0 & 1 \end{pmatrix}$$

Abb. 24.2

daß alle Elemente von P nichtnegativ sind und daß die Summe der Elemente jeder Zeile gleich eins ist. Wenn x der oben definierte Anfangszeilenvektor ist, so folgt nun, daß die Wahrscheinlichkeiten seines Standortes nach einer Minute gegeben werden durch Zeilenvektor xP, und nach k Minuten durch den Vektor xP^k. Mit anderen Worten, die i-te Komponente von xP^k gibt die Wahrscheinlichkeit dafür an, daß er sich nach k Minuten bei E_i befindet.

Diese Gedanken können wir nun etwas verallgemeinern, indem wir einen **Wahrscheinlichkeitsvektor** definieren als einen Zeilenvektor, dessen Komponenten sämtlich nichtnegativ sind und in der Summe eins ergeben; eine **Übergangsmatrix** wird dann definiert als eine quadratische Matrix, deren sämtliche Zeilen Wahrscheinlichkeitsvektoren sind. Nun können wir eine **Markoffsche Kette** (oder kurz eine **Kette**) definieren als ein Paar (P, x), wo P eine $n \times n$-Übergangsmatrix ist und x ein $1 \times n$-Wahrscheinlichkeitsvektor. Wird jedes Element p_{ij} betrachtet als die Übergangswahrscheinlichkeit für den Übergang von der Position E_i und x als Anfangswahrscheinlichkeitsvektor, dann stimmt diese Definition überein mit der klassischen Definition einer (diskreten), homogenen Markoffschen Kette, wie man sie in Büchern über Wahrscheinlichkeitstheorie findet (siehe zum Beispiel Gnedenko [12]). Die Positionen E_i werden üblicherweise als die **Zustände** der

Kette bezeichnet, und es ist das Ziel dieses Abschnitts, verschiedene Möglichkeiten ihrer Klassifizierung zu beschreiben.

Für den Rest dieses Paragraphen befassen wir uns hauptsächlich mit der Frage, ob wir von einem gegebenen Zustand in einen anderen gelangen können, und wenn ja, in welcher kürzestmöglichen Zeit dies geschehen kann; (im Problem des Betrunkenen zum Beispiel können wir in drei Minuten von E_4 nach E_1 gelangen, aber es ist unmöglich, von E_1 nach E_4 zu kommen). Wir werden uns daher in erster Linie nicht mit den tatsächlichen Wahrscheinlichkeiten p_{ij} zu beschäftigen haben, sondern mit der Frage, ob sie positiv sind, und es ist zumindest vernünftig, anzunehmen, daß wir die ganze Sache durch einen Digraphen darstellen können, dessen Ecken den Zuständen entsprechen und dessen Bögen uns darüber Auskunft geben, ob wir von einem Zustand zu einem anderen in einer Minute kommen können. Genauer gesagt, wenn jeder Zustand E_i repräsentiert wird durch eine entsprechende Ecke v_i, so erhält man den gewünschten Digraphen, indem man genau dann einen Bogen von v_i nach v_j zeichnet, wenn $p_{ij} \neq 0$ ist; man kann auch diesen Digraphen durch seine Nachbarschaftsmatrix definieren, indem man jedes von null verschiedene Element der Matrix P durch eins ersetzt. Wir werden diesen Digraphen als den der Markoffschen Kette **zugeordneten Digraphen** bezeichnen; der unserem eindimensionalen Zufallspfad zugeordnete Digraph ist in Abb. 24.3 dargestellt. Ein weiteres Beispiel: Wenn eine Kette die Matrix von Abb. 24.4 als Übergangsmatrix hat, so ist der in Abb. 24.5 gezeigte Digraph der ihr zugeordnete Digraph.

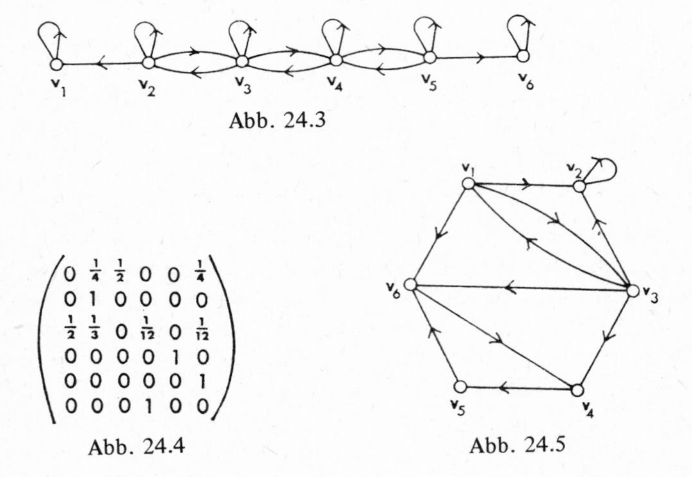

Abb. 24.3

$$\begin{pmatrix} 0 & \frac{1}{4} & \frac{1}{2} & 0 & 0 & \frac{1}{4} \\ 0 & 1 & 0 & 0 & 0 & 0 \\ \frac{1}{2} & \frac{1}{3} & 0 & \frac{1}{12} & 0 & \frac{1}{12} \\ 0 & 0 & 0 & 0 & 1 & 0 \\ 0 & 0 & 0 & 0 & 0 & 1 \\ 0 & 0 & 0 & 1 & 0 & 0 \end{pmatrix}$$

Abb. 24.4

Abb. 24.5

Nunmehr ist es klar, daß wir in einer Markoffschen Kette genau dann von einen Zustand E_i zu einem Zustand E_j gelangen können, wenn es im zugeordneten Digraphen einen gerichteten Weg von v_i nach v_j gibt, und die nötige Mindestzeit ist dann Länge des kürzesten solchen Diweges. Eine Markoffsche Kette, in welcher wir von jedem Zustand zu jedem anderen kommen können, heißt **irreduzible Kette**; natürlich ist eine Markoffsche Kette genau dann irreduzibel, wenn ihr zugeordneter Digraph stark zusammenhängend ist. Beachten Sie, daß keine der oben beschriebenen Ketten irreduzibel ist.

Bei der weiteren Untersuchung dieser Dinge unterscheidet man für gewöhnlich zwischen denjenigen Zuständen, zu denen man immer wieder gelangt, wie lange auch immer man das Verfahren fortsetzt, und denen, zu denen man höchstens einige Male kommt, dann aber niemals wieder. Formaler gesagt: Wenn die Wahrscheinlichkeit dafür, daß man nach dem Beginn in E_i zu irgendeinem späteren Zeitpunkt wieder zu E_i zurückgeht, gleich eins ist, dann heißt E_i ein **persistenter** (oder **rekurrenter**) **Zustand**; andernfalls nennt man E_i **transient**. Zum Beispiel beim Problem des Betrunkenen sind E_1 und E_6 trivialerweise persistent, während die anderen Zustände transient sind. In komplizierteren Beispielen kann die Berechnung der betreffenden Wahrscheinlichkeiten recht unangenehm werden, und es ist oft leichter, die Zustände durch Betrachtung des der Kette zugeordneten Digraphen zu klassifizieren. Es ist nicht schwer, zu sehen, daß ein Zustand E_i genau dann persistent ist, wenn im zugeordneten Digraphen die Existenz eines Diweges von v_i nach v_j stets die Existenz eines Diweges von v_j nach v_i nach sich zieht. In Abb. 24.5 gibt es einen Diweg von v_1 nach v_4, aber keinen Diweg von v_4 nach v_1; folglich ist E_1 transient, und dasselbe gilt für E_3 (wogegen E_2, E_4, E_5 und E_6 persistent sind). Ein Zustand (wie eben E_2), von dem aus man zu keinem anderen Zustand gelangen kann, wird als **absorbierender Zustand** bezeichnet.

Eine andere Möglichkeit, Zustände zu klassifizieren, beruht auf ihrer eventuellen Periodizität. Ein Zustand E_i einer Markoffschen Kette heißt **periodisch** mit der **Periode** t ($t \neq 1$), wenn man zu E_i nur nach Zeitspannen zurückkehren kann, die Vielfache von t sind; existiert kein solches t, so heißt E_i **aperiodisch**. Natürlich ist jeder Zustand E_i mit $p_{ij} \neq 0$ aperiodisch; insbesondere ist dann jeder absorbierende Zustand aperiodisch. Beim Problem des Betrunkenen sind die absorbierenden Zustände E_1 und E_6 nicht die einzigen aperiodischen Zustände – tatsächlich ist jeder Zustand aperiodisch; dagegen ist im zweiten Beispiel der absorbierende Zustand E_2 der einzige aperiodische Zustand, denn E_1 und E_3 sind periodisch mit der Periode zwei und E_4, E_5 und E_6 sind periodisch mit der Periode drei. Bezüglich der Digraphen ist leicht zu sehen, daß ein Zustand E_i genau dann periodisch mit der Periode t ist, wenn im zugeordneten Digraphen die Länge jedes geschlossenen Diweges, der v_i enthält, ein Vielfaches von t ist.

Der Vollständigkeit wegen wollen wir schließlich einen Zustand einer Markoffschen Kette einen **ergodischen Zustand** nennen, wenn er sowohl persistent als auch aperiodisch ist, und wenn jeder Zustand ergodisch ist, dann heißt die Kette eine **ergodische Kette**. Bei vielen Gelegenheiten sind die ergodischen Ketten nicht nur die wichtigsten sondern auch die, mit denen man am liebsten zu tun hat; ein Beispiel einer solchen Kette wird in Aufgabe 24e erscheinen.

Aufgaben

(24a) Nehmen wir einmal an, daß beim Problem des Betrunkenen der Zecher aus einer der beiden Kneipen sofort wieder hinausgeworfen wird, sobald er dort eintrifft; wie ändert sich dadurch die Klassifikation der Zustände? Fällt Ihre Antwort anders aus, wenn ihn beide Wirtshäuser hinauswerfen?

(24b) Denken Sie sich ein Problem aus, das zu einem zweidimensionalen Zufallspfad führt, und klassifizieren Sie die Zustände der entsprechenden Markoffschen Kette.

(24c) Zeigen Sie, daß auch PQ eine Übergangsmatrix ist, wenn P und Q solche sind; was können Sie über die zugeordneten Digraphen von P, Q und PQ sagen?

(24d) Überlegen Sie sich, wie man unendliche Markoffsche Ketten definieren kann, und konstruieren Sie eine, bei der jeder Zustand transient ist. Zeigen Sie ferner, daß jede endliche Markoffsche Kette mindestens einen persistenten Zustand hat, und folgern Sie daraus, daß in einer irreduziblen, endlichen Markoffschen Kette jeder Zustand persistent ist.

(24e) n Leute an einem runden Tisch spielen ein Würfelspiel. Wenn der Spieler mit dem Würfel eine ungerade Augenzahl wirft, dann gibt er den Würfel an den Spieler zu seiner Linken weiter; wirft er eine 2 oder eine 4, so gibt er ihn dem zweitnächsten Spieler zu seiner Rechten; wirft er eine 6, so behält er den Würfel und wirft noch einmal. Zeigen Sie, daß die entstehende Markoffsche Kette ergodisch ist.

(24f) Was können Sie über die Zustände einer Markoffschen Kette sagen, deren zugeordneter Digraph (i) Hamiltonsch ist; (ii) ein Turnier ist? ⋆

8 Paarungen, Heirat und der Satz von Menger

Die Ergebnisse dieses Kapitels sind im Gegensatz zu denen der vorhergehenden Kapitel mehr von kombinatorischer Art, obschon wir sehen werden, daß sie doch mit der Graphentheorie aufs engste zusammenhängen. Wir beginnen mit einer Diskussion des wohlbekannten Heiratssatzes von Philip Hall unter verschiedenen Gesichtspunkten einschließlich einiger seiner Anwendungen auf solche Probleme wie etwa die Konstruktion lateinischer Quadrate und die Aufstellung von Stundenplänen. Dem folgt in § 28 der Satz von Menger über die Anzahl disjunkter Wege, die ein gegebenes Eckenpaar in einem Graphen verbinden. In § 29 stellen wir eine andere Formulierung des Mengerschen Satzes vor, die als der Maximalfluß-Minimalschnitt-Satz bekannt ist und im Zusammenhang mit Netzwerkflüssen und Transportproblemen von fundamentaler Bedeutung ist.

§ 25. Der Heiratssatz von Hall

Der Heiratssatz, der 1935 von Philip Hall bewiesen wurde, gibt Antwort auf die folgende, als **Heiratsproblem** bekannte Frage: Wenn wir eine endliche Menge von Jungen haben, von denen jeder ein paar Mädchen kennt, unter welchen Bedingungen können sich alle diese Jungen dann so verheiraten, daß jeder eine seiner Freundinnen als Ehefrau bekommt? (Wir nehmen in diesem Abschnitt an, daß Polygamie nicht erlaubt ist; der ‚allgemeine' Fall wird in Aufgabe 25d behandelt.) Wenn es zum Beispiel vier Jungen $\{b_1, b_2, b_3, b_4\}$ und fünf Mädchen $\{g_1, g_2, g_3, g_4, g_5\}$ sind und die in Abb. 25.1 aufgeführten Freundschaften bestehen, so besteht eine mögliche Lösung darin, daß b_1 und g_4 heiraten, b_2 und g_1, b_3 und g_3 sowie b_4 und g_2.

Dieses Problem kann graphisch mit Hilfe eines bipartiten Graphen G dargestellt werden, dessen Eckenmenge in zwei disjunkte Mengen V_1 und V_2 aufgeteilt ist (entsprechend der Aufteilung in Jungen und Mädchen) und in dem jede Kante einen Jungen mit einer seiner Freundinnen verbindet; die Abb. 25.2 zeigt den der Situation von Abb. 25.1 entsprechenden Graphen G.

Eine **vollständige Paarung** von V_1 in V_2 in einem bipartiten Graphen $G(V_1, V_2)$ ist eine umkehrbar eindeutige Zuordnung zwischen den Ecken von V_1 und einer Teilmenge von Ecken von V_2 mit der Eigenschaft, daß einander zugeordnete Ecken verbunden sind. Es ist klar, daß man das Hei-

Junge	Freundinnen des Jungen
b_1	g_1 g_4 g_5
b_2	g_1
b_3	g_2 g_3 g_4
b_4	g_2 g_4

Abb. 25.1

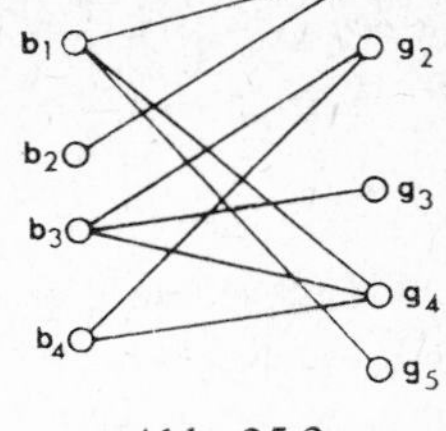

Abb. 25.2

ratsproblem graphentheoretisch folgendermaßen ausdrücken kann: ‚Wenn $G = G(V_1, V_2)$ ein bipartiter Graph ist, wann gibt es dann in G eine vollständige Paarung von V_1 in V_2?'

Um zur ‚Heirats'-Sprechweise zurückzukehren: Eine notwendige Bedingung für die Lösbarkeit des Heiratsproblems ist natürlich, daß je k Jungen insgesamt mindestens k Freundinnen haben (für jedes k mit $1 \leqq k \leqq m$, wobei m die Gesamtzahl der Jungen bezeichnet). Selbstredend ist diese Bedingung notwendig, denn wenn sie für eine gegebene Menge von k Jungen nicht erfüllt ist, so geht, wenn sich nach und nach die Paare finden, zumindest der letzte dieser Jungen leer aus.

Auf den ersten Blick mag es überraschen, daß diese offensichtlich notwendige Bedingung sich auch als hinreichend herausstellt. Das ist die Aussage des **Heiratssatzes von Hall**; wegen seiner Wichtigkeit geben wir drei Beweise dafür, von denen der erste auf Halmos und Vaughan zurückgeht.

Satz 25A (P. Hall, 1935). *Eine notwendige und hinreichende Bedingung für die Lösbarkeit des Heiratsproblems ist die, daß je k Jungen insgesamt k Mädchen kennen* ($1 \leqq k \leqq m$).

Beweis. Die Bedingung ist offenbar notwendig, wie wir schon oben bemerkt haben. Daß sie auch hinreichend ist, beweisen wir mit vollständiger Induktion und nehmen dazu an, daß der Satz richtig ist, wenn die Gesamtzahl der Jungen kleiner als m ist. (Für $m = 1$ ist der Satz trivialerweise richtig.) Sind nun m Jungen gegeben, so sind zwei Fälle zu betrachten:

(i) Zunächst nehmen wir an, daß je k Jungen ($1 \leqq k < m$) zusammen wenigstens $k + 1$ Freundinnen haben (sodaß die Bedingung allemal erfüllt ist, sogar ‚mit einem Mädchen in Reserve'). Wenn dann irgendein Junge eine seiner Freundinnen heiratet, so ist die ursprüngliche Bedingung für die restlichen $m - 1$ Jungen nach wie vor erfüllt. Diese $m - 1$ Jungen können nun nach Induktionsannahme in der gewünschten Weise heiraten, womit der Beweis in diesem Fall erbracht ist.

(ii) Nun sei angenommen, daß es k Jungen gibt ($k < m$), die insgesamt genau k Mädchen kennen. Diese k Jungen können sich nach Induktionsannahme verheiraten, wonach $m - k$ Jungen übrigbleiben. Je h dieser $m - k$

Jungen ($1 \leqq h \leqq m - k$) kennen aber mindestens h der verbliebenen Mädchen, denn andernfalls hätten ja diese h Jungen zusammen mit der obigen Auswahl von k Jungen insgesamt weniger als $h + k$ Freundinnen, im Widerspruch zu unserer Voraussetzung. Folglich gilt die ursprüngliche Bedingung auch für diese $m - k$ Jungen, die demzufolge nach Induktionsannahme so heiraten können, daß alle glücklich sind und der Beweis ist damit vollständig. //

Den Satz von Hall können wir auch mit Hilfe von Paarungen in einem bipartiten Graphen ausdrücken; der Leser sei daran erinnert, daß die Anzahl der Elemente einer Menge S mit $|S|$ bezeichnet wird.

Korollar 25B. *Sei $G = G(V_1, V_2)$ ein bipartiter Graph, und für jede Teilmenge von A von V_1 sei $\varphi(A)$ die Menge derjenigen Ecken von V_2, die zu mindestens einer Ecke aus A benachbart sind; dann existiert genau dann eine vollständige Paarung von V_1 in V_2, wenn für jede Teilmenge A von V_1 $|A| \leqq |\varphi(A)|$ gilt.*

Beweis. Der Beweis dieses Korollars besteht einfach aus einer Übersetzung des obigen Beweises in die Sprache der Graphentheorie. //

Aufgaben

(25a) Ein Bauunternehmer sucht durch ein Inserat einen Maurer, einen Zimmermann, einen Installateur und einen Baggerführer; er hat fünf Bewerber – einer bewirbt sich um die Stelle des Maurers und einer um die des Zimmerers, einer möchte die Stelle des Maurers oder die des Installateurs haben und zwei bewerben sich um die Stelle des Installateurs und um die des Baggerführers. Können die Stellen alle besetzt werden? Wenn ja, so weisen Sie in allen Einzelheiten nach, daß die Bedingung des Satzes von Hall erfüllt ist.

(25b) Finden Sie drei weitere Anwendungen des Satzes von Hall ‚auf das tägliche Leben‘.

(25c) Schreiben Sie einen vollständigen Beweis des Korollars 25B nieder.

(25d) (Das ‚Haremproblem‘.) Sei B eine Menge von Jungen und nehmen Sie an, daß jeder Junge aus B mehr als eine seiner Freundinnen heiraten möchte; bestimmen Sie eine notwendige und hinreichende Bedingung für die Lösbarkeit des Haremproblems. (Hinweis: Ordnen Sie jedem Jungen einige Doppelgänger zu und wenden Sie dann den Satz von Hall an.)

(25e) Zeigen Sie, daß das Heiratsproblem lösbar ist, wenn jeder Junge r Freundinnen hat und jedes Mädchen r Freunde ($r \geqq 1$); folgern Sie daraus, daß jeder reguläre, bipartite Graph eine vollständige Paarung besitzt.

(*25f) Nehmen Sie an, daß die Heiratsbedingung erfüllt ist, und daß jeder der m Jungen mindestens m Freundinnen hat; zeigen Sie durch Induktion nach m, daß es im Falle $t \leqq m$ mindestens $t!$ Möglichkeiten für die Bildung der Brautpaare gibt und im Falle $t > m$ mindestens $\frac{t!}{(t-m)!}$ Möglichkeiten.

(*25g) Nehmen Sie an, daß die Bedingung des Heiratssatzes nicht erfüllt ist; bestimmen Sie eine Formel für die Maximalzahl von Jungen, die sämtlich Freundinnen heiraten können.

§ 26. Transversalentheorie

Dieser Paragraph ist einem anderen Beweis des Satzes von Hall gewidmet, der sich der Sprache der Transversalentheorie bedient; diesen Beweis in die Sprechweise der vollständigen Paarung oder der Verheiratung zu übersetzen überlassen wir dem Leser.

Der Leser wird sich daran erinnern, daß in unserem Beispiel im vorhergehenden Abschnitt (siehe Abb. 25.1) $\{g_1, g_4, g_5\}, \{g_1\}, \{g_2, g_3, g_4\}, \{g_2, g_4\}$ die Mengen von Mädchen waren, die mit den vier Jungs befreundet waren und daß man eine Lösung des Heiratsproblems dadurch erhielt, vier verschiedene g's zu finden, nämlich aus jeder dieser Mengen von Mädchen eines. Ist allgemein E eine nichtleere, endliche Menge und $\mathscr{S} = \{S_1, \ldots, S_m\}$ eine Familie von (nicht notwendig verschiedenen) nichtleeren Teilmengen von E, so ist eine **Transversale** (oder ein **Repräsentantensystem**) von $\mathscr{S}$ eine Menge von m verschiedenen Elementen von E, aus jeder der Mengen S_i eines.

Um ein anderes Beispiel zu nehmen, betrachte $E = \{1, 2, 3, 4, 5, 6\}$ und setze $S_1 = S_2 = \{1, 2\}$, $S_3 = S_4 = \{2, 3\}$, $S_5 = \{1, 4, 5, 6\}$. Dann ist es nicht möglich, fünf verschiedene Elemente von E anzugeben, sodaß in jeder Teilmenge S_i eines liegt; mit anderen Worten, die Familie $\mathscr{S} = (S_1, \ldots, S_5)$ hat keine Transversale. Man beachte jedoch, daß die Teilfamilie $\mathscr{S}' = (S_1, S_2, S_3, S_5)$ eine Transversale besitzt, zum Beispiel $\{1, 2, 3, 4\}$. Wir nennen eine Transversale einer Teilfamilie von $\mathscr{S}$ eine **partielle Transversale** von $\mathscr{S}$; in diesem Beispiel hat $\mathscr{S}$ mehrere partielle Transversalen, (zum Beispiel $\{1, 2, 3, 6\}$, $\{2, 3, 6\}$, $\{1, 5\}$, $\emptyset$, usw.). Es ist klar, daß jede Teilmenge einer partiellen Transversale ebenfalls eine partielle Transversale ist.

Es liegt nahe zu fragen, ‚unter welchen Bedingungen hat eine gegebene Familie von Teilmengen einer Menge eine Transversale?' Der Zusammenhang zwischen diesem Problem und dem Heiratsproblem wird leicht offenkundig, wenn man als E die Menge der Mädchen nimmt und als S_i die Menge der Freundinnen des Jungen b_i $(1 \leq i \leq m)$; eine Transversale ist in diesem Fall einfach eine Menge von m Mädchen, sodaß jedes dieser Mädchen einem der Jungen zugeordnet (und mit diesem befreundet) ist. Folglich gibt Satz 25A eine notwendige und hinreichende Bedingung dafür, daß eine gegebene Familie von Mengen eine Transversale hat; wir formulieren den Satz von Hall in dieser Form noch einmal und bringen einen anderen Beweis hierfür, der von R. Rado stammt.

Satz 26A. *Sei E eine nichtleere, endliche Menge und $\mathscr{S}=(S_1, \ldots, S_m)$ eine Familie nichtleerer Teilmengen von E; dann hat $\mathscr{S}$ genau dann eine Trans-*

versale, wenn die Vereinigung von je k der Teilmengen S_i mindestens k Elemente hat $(1 \leqq k \leqq m)$.

Beweis. Die Notwendigkeit der Bedingung ist klar. Um zu zeigen, daß sie auch hinreichend ist, beweisen wir, daß man von einer Teilmenge, die mehr als ein Element enthält, ein Element wegnehmen kann, ohne dadurch die Gültigkeit der Bedingung zu zerstören. Durch wiederholte Anwendung dieses Vorgangs können wir das Problem schließlich auf den Fall reduzieren, wo jede Teilmenge nur noch ein Element enthält und dann ist der Beweis trivial.

Es ist also nur noch die Gültigkeit dieses Reduktionsschrittes zu zeigen. Dazu nehmen wir an, daß etwa S_1 wenigstens zwei Elemente x und y enthält und daß die Entfernung irgendeines dieser beiden Elemente zu einer Verletzung der Voraussetzung führt. Dann gibt es Teilmengen A und B von $\{2, 3, \ldots, n\}$ mit der Eigenschaft, daß

$$\Big| \bigcup_{j \in A} S_j \cup (S_1 \setminus \{x\}) \Big| \leqq |A| \text{ und}$$

$$\Big| \bigcup_{j \in B} S_j \cup (S_1 \setminus \{y\}) \Big| \leqq |B|.$$

Diese beiden Ungleichungen führen jedoch zu einem Widerspruch, denn dann gilt

$$\begin{aligned} |A| + |B| + 1 &= |A \cup B| + |A \cap B| + 1 \\ &\leqq \Big| \bigcup_{j \in A \cup B} S_j \cup S_1 \Big| + \Big| \bigcup_{j \in A \cap B} S_j \Big| \quad \text{(nach Voraussetzung)} \\ &\leqq \Big| \bigcup_{j \in A} S_j \cup (S_1 \setminus \{x\}) \Big| + \Big| \bigcup_{j \in B} S_j \cup (S_1 \setminus \{y\}) \Big| \quad \text{(wegen } |S| \geqq 2) \\ &\leqq |A| + |B| \text{ (nach Annahme).} \quad /\!/ \end{aligned}$$

Der Reiz dieses Beweises liegt in der Tatsache, daß er im wesentlichen nur einen Schritt benötigt, wogegen der Beweis von Halmos–Vaughan die Betrachtung zweier getrennter Fälle nötig macht. (Es ist jedoch um einiges unangenehmer, diesen Beweis in die anschauliche und reizvolle Sprache des Heiratsproblems zu übersetzen!)

Bevor wir zu einigen Anwendungen des Satzes von Hall kommen, halten wir es für angebracht, zwei Korollare zu beweisen; wir werden diese später benötigen (§ 33).

Korollar 26B. *Sind E und $\mathscr{S}$ wie oben, so hat $\mathscr{S}$ genau dann eine partielle Transversale des Umfangs t, wenn die Vereinigung je k der Teilmengen S_i mindestens $k + t - m$ Elemente enthält.*

Beweis. Dieses Ergebnis erhält man unmittelbar durch Anwendung von Satz 26A auf die Familie $\mathscr{S}' = (S_1 \cup D, \ldots, S_m \cup D)$, wobei D irgendeine zu

E disjunkte Menge mit $m - t$ Elementen bezeichnet; $\mathscr{S}$ hat nämlich genau dann eine partielle Transversale des Umfangs t wenn $\mathscr{S}'$ eine Transversale besitzt. //

Korollar 26C. *Sind E und $\mathscr{S}$ wie oben und ist X irgendeine Teilmenge von E, so enthält X genau dann eine partielle Transversale von $\mathscr{S}$ des Umfangs t, wenn für jede Teilmenge A von $\{1, \ldots, m\}$*

$$\left|\left(\bigcup_{j \in A} S_j\right) \cap X\right| \geqq |A| + t - m$$

gilt.

Beweis. Diese Aussage erhält man durch Anwendung des vorhergehenden Korollars auf die Familie $\mathscr{S}_X = (S_1 \cap X, \ldots, S_m \cap X)$. //

Aufgaben

(26a) Welche der folgenden Familien von Teilmengen von $E = \{1, \ldots, 5\}$ besitzen Transversalen?

(i) $(\{1\}, \{2, 3\}, \{1, 2\}, \{1, 3\}, \{1, 4, 5\})$;

(ii) $(\{1, 2\}, \{2, 3\}, \{4, 5\}, \{4, 5\})$;

(iii) $(\{1, 3\}, \{2, 3\}, \{1, 2\}, \{3\})$;

(iv) $(\{1, 3, 4\}, \{1, 4, 5\}, \{2, 3, 5\}, \{2, 4, 5\})$.

(26b) Sei E die Menge der Buchstaben des Wortes MATROIDE; Wie viele Transversalen besitzt die folgende Familie von Teilmengen von E: (TRAM, ATOM, REIM, DARM, ODER, TIDE, DITO).

(26c) Schreiben Sie den Beweis des Satzes von Hall nach Halmos–Vaughan in der Sprache der Transversalentheorie auf; formulieren Sie ferner Rados Beweis (i) in der Sprache der Paarungen in einem bipartiten Graphen; (ii) mit Hilfe der Heiraten.

(26d) Sei A eine gegebene Teilmenge von E und $\mathscr{S}$ eine Familie nichtleerer Teilmengen von E; zeigen Sie, daß $\mathscr{S}$ genau dann eine Transversale besitzt, die A enthält, wenn (i) $\mathscr{S}$ überhaupt eine Transversale hat und (ii) A eine partielle Transversale von $\mathscr{S}$ ist. (Eine Lösung dieser Aufgabe mit Hilfe der Matroidtheorie werden wir in § 33 bringen.)

(*26e) Die Bedeutung von E und $\mathscr{S}$ sei wie üblich; beweisen Sie, daß es zu je zwei Transversalen T_1 und T_2 von $\mathscr{S}$ und jedem Element x aus T_1 ein Element y aus T_2 gibt mit der Eigenschaft, daß auch $(T_1 \setminus \{x\}) \cup \{y\}$ (die aus T_1 entstehende Menge, wenn man x durch y ersetzt) eine Transversale von $\mathscr{S}$ ist. Können Sie einen Zusammenhang zwischen diesem Ergebnis und dem der Aufgabe 9g erkennen?

(*26f) Der Rang $\rho(A)$ einer Teilmenge A von E ist definiert als die Anzahl der Elemente der größten, in A enthaltenen partiellen Transversale von $\mathscr{S}$; beweisen Sie:

(i) $0 \leqq \rho(A) \leqq |A|$;(ii) aus $A \subseteq B \subseteq E$ folgt $\rho(A) \leqq \rho(B)$; (iii) für beliebige Teilmengen A, B von E gilt $\rho(A \cup B) + \rho(A \cap B) \leqq \rho(A) + \rho(B)$.

Kommen Ihnen diese Aussagen irgendwie bekannt vor?

(*26g) Sei E eine abzählbare Menge und $\mathscr{S} = (S_1, S_2, \ldots)$ eine abzählbare Familie nichtleerer, *endlicher* Teilmengen von E. Definieren Sie eine Transversale von $\mathscr{S}$ in naheliegender Weise und zeigen Sie (mit Hilfe des Lemmas von König), daß $\mathscr{S}$ genau dann eine Transversale besitzt, wenn die Vereinigung von je k der Teilmengen S_i mindestens k Elemente enthält (für jedes endliche k). Zeigen Sie an Hand des Beispiels $E = \{1, 2, 3, \ldots\}$, $S_1 = E$, $S_2 = \{1\}$, $S_3 = \{2\}$, $S_4 = \{3\}$, ..., daß die Aussage falsch wird, wenn nicht alle S_i endlich sind.

§ 27. Anwendungen des Satzes von Hall

★ In diesem Abschnitt werden wir den Satz von Hall auf vier verschiedene Problemkreise anwenden, nämlich (i) auf die Konstruktion lateinischer Quadrate; (ii) auf ein Problem über (0,1)-Matrizen; (iii) bei der Färbung der Kanten eines bipartiten Graphen und (iv) bei der Frage nach der Existenz einer gemeinsamen Transversalen von zwei Familien von Teilmengen einer Menge und der Bedeutung dieser Frage für Stundenplanprobleme.

(i) **Lateinische Quadrate**. Ein **lateinisches** $m \times n$ **Rechteck** ist eine Matrix $M = (m_{ij})$, deren Elemente ganze Zahlen mit folgenden Eigenschaften sind: (1) $1 \leqq m_{ij} \leqq n$, (2) keine zwei Elemente irgendeiner Zeile oder irgendeiner Spalte sind gleich. Beachten Sie, daß aus (1) und (2) $m \leqq n$ folgt; ist $m = n$, dann heißt das lateinische Rechteck ein **lateinisches Quadrat**. Zum Beispiel zeigen die Abbildungen 27.1 und 27.2 ein lateinisches 3×5 Rechteck und

$$\begin{pmatrix} 1 & 2 & 3 & 4 & 5 \\ 2 & 4 & 1 & 5 & 3 \\ 3 & 5 & 2 & 1 & 4 \end{pmatrix}$$

Abb. 27.1

$$\begin{pmatrix} 1 & 2 & 3 & 4 & 5 \\ 2 & 4 & 1 & 5 & 3 \\ 3 & 5 & 2 & 1 & 4 \\ 4 & 3 & 5 & 2 & 1 \\ 5 & 1 & 4 & 3 & 2 \end{pmatrix}$$

Abb. 27.2

ein lateinisches 5×5 Quadrat. Wir können uns folgende Frage stellen: Wann können wir ein gegebenes lateinisches $m \times n$ Rechteck mit $m < n$ durch Anfügen von $n - m$ neuen Zeilen zu einem lateinischen Quadrat ergänzen? Überraschenderweise lautet die Antwort ‚immer'!

Satz 27A. *Sei M ein lateinisches $m \times n$ Rechteck mit $m < n$; dann kann M durch Anfügen von $n - m$ neuen Zeilen zu einem lateinischen Quadrat erweitert werden.*

Beweis. Wir werden zeigen, daß man M zu einem lateinischen $(m + 1) \times n$ Rechteck erweitern kann; die Wiederholung des betreffenden Verfahrens führt dann schließlich zu einem lateinischen Quadrat.

Sei $E = \{1, 2, \ldots, n\}$ und $\mathscr{S} = (S_1, \ldots, S_n)$, wo S_i die Menge derjenigen Elemente von E bezeichnet, die in der i-ten Spalte von m *nicht* vorkommen. Wenn wir zeigen können, daß $\mathscr{S}$ eine Transversale besitzt, so ist der Beweis erbracht, denn die Elemente dieser Transversale können als weitere Zeile verwendet werden. Nach dem Satz von Hall genügt es zu zeigen, daß die Vereinigung von je k der S_i mindestens k verschiedene Elemente enthält; dies ist aber offensichtlich, denn eine solche Vereinigung hat insgesamt (Wiederholungen mitgerechnet) $(n - m)\,k$ Elemente, und wenn darunter weniger als k verschiedene Elemente wären, so müßte wenigstens eines davon öfter als $(n - m)$-mal auftreten, was ein Widerspruch ist. //

(ii) (0,1)-**Matrizen.** Eine andere Möglichkeit, Transversalen einer Familie $\mathscr{S} = (S_1, \ldots, S_m)$ nichtleerer Teilmengen einer Menge $E = \{e_1, \ldots, e_n\}$ zu studieren, besteht darin, die **Inzidenzmatrix** der Familie zu untersuchen, das ist die $m \times n$ Matrix $A = (a_{ij})$ mit $a_{ij} = 1$, falls $e_j \in S_i$ ist, und $a_{ij} = 0$ sonst. (Eine solche Matrix, deren sämtliche Elemente 0 oder 1 sind, werden wir als **(0,1)-Matrix** bezeichnen. Definieren wir den **Termrang** von A als die größte Anzahl von Einsen in A, von denen keine zwei in der selben Zeile oder Spalte liegen, so hat $\mathscr{S}$ genau dann eine Transversale, wenn der Termrang von A gleich m ist; überdies gibt der Termrang von A genau die Anzahl der Elemente einer größtmöglichen, partiellen Transversale an. Als zweite Anwendung des Satzes von Hall beweisen wir nun eine berühmte Aussage über (0,1)-Matrizen, die als **Satz von König-Egerváry** bekannt ist.

Satz 27B (König-Egerváry 1931). *Der Termrang einer* (0,1)-*Matrix A ist gleich der minimalen Anzahl μ von Zeilen und Spalten, die zusammen alle Einsen von A enthalten.*

Bemerkung. Betrachten wir als Beispiel zu diesem Satz die in Abb. 27.3 gegebene Matrix, welche die Inzidenzmatrix der zweiten zu Beginn von § 26 beschriebenen Familie ist; offenbar sind Termrang und μ beide gleich vier.

Beweis. Es ist offensichtlich, daß der Termrang nicht größer als μ sein kann. Zum Nachweis der Gleichheit dürfen wir ohne Beschränkung der Allgemeinheit annehmen, daß alle Einsen von A in r Zeilen und s Spalten (wobei $r + s = \mu$) enthalten sind und daß die Anordnung der Zeilen und Spalten

$$\begin{array}{c} \\ S_1 \\ S_2 \\ S_3 \\ S_4 \\ S_5 \end{array} \begin{array}{c} \begin{array}{cccccc} e_1 & e_2 & e_3 & e_4 & e_5 & e_6 \end{array} \\ \begin{pmatrix} \textcircled{1} & 1 & 0 & 0 & 0 & 0 \\ 1 & \textcircled{1} & 0 & 0 & 0 & 0 \\ 0 & 1 & 1 & 0 & 0 & 0 \\ 0 & 1 & \textcircled{1} & 0 & 0 & 0 \\ 1 & 0 & 0 & \textcircled{1} & 1 & 1 \end{pmatrix} \end{array}$$

Abb. 27.3

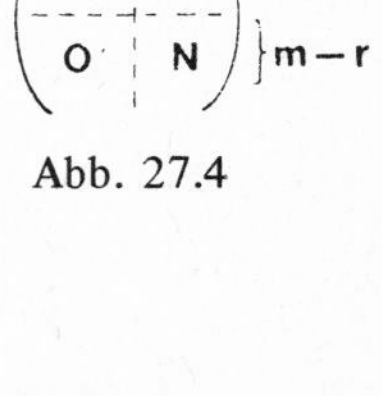

$$\begin{array}{cc} n-s & s \end{array} \\ \left(\begin{array}{c|c} M & B \\ \hline O & N \end{array}\right) \begin{array}{l} \}\,r \\ \}\,m-r \end{array}$$

Abb. 27.4

derart ist, daß A in der Ecke links unten eine $(m - r) \times (n - s)$ Teilmatrix enthält, die nur aus Nullen besteht (Abb. 27.4). Für $i \leqq r$ definieren wir S_i als die Menge der ganzen Zahlen $j \leqq n - s$ mit $a_{ij} = 1$. Es ist eine leichte Übung nachzurechnen, daß die Vereinigung von je k der S_i mindestens k ganze Zahlen enthält und somit die Familie $\mathscr{S} = (S_1, \ldots, S_r)$ eine Transversale besitzt. Daraus folgt, daß die Teilmatrix M (siehe Abb. 27.4) von A r Einsen enthält, von denen keine zwei in derselben Zeile oder Spalte liegen; entsprechend enthält die Teilmatrix N eine Menge von s Einsen mit derselben Eigenschaft. Demnach enthält A $r + s$ Einsen, von denen keine zwei in derselben Zeile oder Spalte liegen, wonach μ nicht größer als der Termrang sein kann, wie behauptet. //

Wir haben soeben den Satz von König-Egerváry mit Hilfe des Satzes von Hall bewiesen; es ist noch leichter, den Satz von Hall auf den Satz von König-Egerváry zurückzuführen (siehe Aufgabe 27c). Demnach sind die beiden Sätze in gewisser Hinsicht äquivalent. Etwas später in diesem Kapitel werden wir den Satz von Menger und den Maximalfluß-Minimalschnitt-Satz beweisen, auch von diesen beiden kann man zeigen, daß sie im selben Sinne äquivalent zum Satz von Hall sind.

(iii) **Kantenfärbung von Graphen.** In § 20 haben wir gezeigt, daß ein vollständiger, bipartiter Graph, dessen größter Eckengrad ρ ist, die kantenchromatische Zahl ρ hat. Unter Verwendung eines Ergebnisses dieses Kapitels werden wir nun zeigen, daß hierbei die Voraussetzung der Vollständigkeit sogar entbehrlich ist.

Satz 27C. *Ist G ein bipartiter Graph, dessen größter Eckengrad ρ ist, so gilt $\chi_e(G) = \rho$.*

Beweis. Nach Aufgabe 3g gibt es einen bipartiten Graphen $G' = G'(V_1, V_2)$, der regulär vom Grade ρ ist, G als Teilgraphen enthält und in dem $|V_1| = |V_2|$ gilt. Nach Aufgabe 25e besitzt G' eine vollständige Paarung; man beachte, daß diese Paarung jede Ecke von G' enthält und jeder Ecke von G vom Grade ρ durch die Paarung wieder eine Ecke von G zugeordnet wird.

Um zu zeigen, daß G die kantenchromatische Zahl ρ hat, brauchen wir nur diese Paarung von G' herzunehmen und mit der ersten Farbe diejenigen Kanten von G' zu färben, die zu G gehören und mit einer Ecke von G vom Grade ρ inzident sind. Der Rest des Graphen G ist dann ein bipartiter Graph, dessen größter Eckengrad $\rho - 1$ ist, und dessen Kanten nach dem üblichen Induktionsargument mit den übrigen $\rho - 1$ Farben gefärbt werden können, womit der Beweis erbracht ist. //

(iv) **Gemeinsame Transversalen.** Wir beschließen diesen Paragraphen mit einer kurzen Diskussion des Problems der gemeinsamen Transversalen. Ist E eine nichtleere endliche Menge und sind $\mathscr{S} = (S_1, \ldots, S_m)$ und $\mathscr{T} = (T_1, \ldots, T_m)$ zwei Familien nichtleerer Teilmengen von E, so ist es von

Interesse zu wissen, ob es für $\mathscr{S}$ und $\mathscr{T}$ eine gemeinsame Transversale gibt, das ist eine Menge von m verschiedenen Elementen, die sowohl für $\mathscr{S}$ als auch für $\mathscr{T}$ eine Transversale bilden. Bei Stundenplanproblemen zum Beispiel kann E die Menge der Wochenstunden bedeuten, zu denen überhaupt Vorlesungen stattfinden können, die Mengen S_i seien die Mengen derjenigen Wochenstunden, in denen m Professoren ihre Vorlesungen zu halten bereit sind und die Mengen T_i seien die Wochenstunden, in denen m Hörsäle zur Verfügung stehen; wenn wir eine gemeinsame Transversale von $\mathscr{S}$ und $\mathscr{T}$ finden können, dann können wir jedem Professor einen Hörsaal zu einer ihm passenden Zeit zuweisen.

Tatsächlich können wir eine notwendige und hinreichende Bedingung dafür angeben, daß es zu zwei Familien eine gemeinsame Transversale gibt; es sei bemerkt, daß sich Satz 27D auf den Satz von Hall reduziert, wenn wir $T_j = E$ für $1 \leqq j \leqq m$ setzen.

Satz 27D. *Sei E eine nichtleere, endliche Menge und seien $\mathscr{S}=(S_1, \ldots, S_m)$ und $\mathscr{T} = (T_1, \ldots, T_m)$ zwei Familien nichtleerer Teilmengen von E; $\mathscr{S}$ und $\mathscr{T}$ haben genau dann eine gemeinsame Transversale, wenn für alle Teilmengen A und B von $\{1, 2, \ldots, m\}$*

$$\left|\left(\bigcup_{i \in A} S_i\right) \cap \left(\bigcup_{j \in B} T_j\right)\right| \geqq |A| + |B| - m$$

gilt.

Beweisskizze. Man betrachte die Familie $\mathscr{U} = \{U_i\}$ von Teilmengen von $E \cup \{1, \ldots, m\}$ (E und $\{1, \ldots, m\}$ werden dabei als disjunkt vorausgesetzt), wobei die Indexmenge ebenfalls $E \cup \{1, \ldots, m\}$ sei und $U_i = S_i$ für $i \in \{1, \ldots, m\}$ und $U_i = \{i\} \cup \{j : i \in T_j\}$ für $i \in E$ gelte.

Man überlegt sich leicht, daß $\mathscr{S}$ und $\mathscr{T}$ genau dann eine gemeinsame Transversale haben, wenn $\mathscr{U}$ eine Transversale hat. Die Behauptung folgt dann durch Anwendung des Satzes von Hall auf die Familie $\mathscr{U}$. //

Zum Zeitpunkt der Niederschrift dieses Buches ist nicht bekannt, unter welchen Bedingungen eine gemeinsame Transversale für drei Familien nichtleerer Teilmengen einer Menge existiert, und solche Bedingungen zu finden scheint recht schwierig zu sein. Viele Versuche zur Lösung dieses Problems stützen sich auf die Matroidtheorie; wie wir im nächsten Kapitel sehen werden, werden tatsächlich manche Probleme der Transversalentheorie (zum Beispiel Aufgabe 26d und Satz 27D) fast trivial, wenn man sie von diesem Standpunkt aus betrachtet. Weitere Ergebnisse der Transversalentheorie kann man außerdem bei Mirsky [17] finden.

Aufgaben

(27a) Zeigen Sie, daß man die Multiplikationstafel einer Gruppe als lateinisches Quadrat betrachten kann; geben Sie ein Beispiel eines lateinischen Quadrates, das man nicht auf diese Weise erhalten kann.

(27b) Beweisen Sie, daß es mindestens $n!\,(n-1)!\ldots 1!$ lateinische $n \times n$ Quadrate gibt; bestimmen Sie eine entsprechende untere Schranke für die Anzahl der lateinischen $m \times n$ Rechtecke.

(27c) Zeigen Sie, daß man den Satz von König–Egerváry zur Herleitung des Satzes von Hall verwenden kann.

(27d) Sei G eine endliche Gruppe, H eine Untergruppe von G und seien $G = x_1H \cup x_2H \cup \ldots \cup x_mH = Hy_1 \cup Hy_2 \cup \ldots \cup Hy_m$ die Links- und die Rechtsnebenklassenzerlegung von G nach H; zeigen Sie mit Hilfe des Satzes 27D, daß es Elemente $z_1, \ldots, z_m$ in G gibt mit der Eigenschaft, daß $G = z_1H \cup z_2H \cup \ldots \cup z_mH = Hz_1 \cup Hz_2 \cup \ldots Hz_m$.

(*27e) Zeigen Sie, daß man eine (0,1)-Matrix A, bei welcher jede Zeilensumme und jede Spaltensumme gleich k ist, ausdrücken kann als Summe von k Matrizen, von denen jede in jeder Zeile und jeder Spalte genau eine Eins stehen hat; folgern Sie daraus den ersten Teil von Aufgabe 25e als Korollar. ★

§ 28. Der Satz von Menger

Wir werden jetzt einen Satz besprechen, der mit dem Satz von Hall eng verwandt ist, wie sich zeigen wird, und der weitreichende praktische Anwendungen besitzt. Dieser Satz stammt von Menger und betrifft die Anzahl disjunkter Wege, welche zwei gegebene Ecken v und w in einem Graphen verbinden. Es kann etwa sein, daß wir die maximale Anzahl der Wege von v nach w wissen wollen, von denen keine zwei eine Kante gemeinsam haben – solche Wege heißen **kantendisjunkte Wege**; oder es kann sein, daß wir die maximale Anzahl solcher Wege von v nach w haben wollen, die paarweise keine Ecken gemeinsam haben (außer v und w natürlich) – diese Wege heißen **eckendisjunkte Wege.** (Im Graphen der Abb. 28.1 gibt es offensichtlich vier kantendisjunkte und zwei eckendisjunkte Wege von v nach w). Entsprechend können wir fragen nach der Maximalzahl eckendisjunkter oder bogendisjunkter Diwege (die in naheliegender Weise definiert werden), die von einer Ecke v zu einer Ecke w in einem Digraphen führen; in diesem Fall können wir ohne Beschränkung der Allgemeinheit v als Quelle und w als Senke annehmen. Wir werden uns in erster Linie auf Graphen konzentrieren und die entsprechenden Untersuchungen für Digraphen dem Leser überlassen.

Zu Erforschung dieser Probleme benötigen wir einige weitere Definitionen; durchweg werden wir voraussetzen, daß G ein zusammenhängender Graph ist und daß v und w zwei gegebene, voneinander verschiedene Ecken von G sind. Eine **v und w trennende Kantenmenge** von G ist eine Menge E von Kanten von G mit der Eigenschaft, daß jeder Weg von v nach w wenigstens eine Kante von E enthält; man beachte, daß eine v und w trennende Kantenmenge eine trennende Kantenmenge (im Sinne von § 5) ist. Entsprechend ist eine **v und w trennende Eckenmenge** von G eine Eckenmenge S (die v

und w nicht enthält) mit der Eigenschaft, daß jeder Weg von v nach w durch mindestens eine Ecke von S läuft. In Abb. 28.1 sind zum Beispiel die Mengen $E_1 = \{\{p, s\}, \{q, s\}, \{t, y\}, \{t, z\}\}$ und $E_2 = \{\{u, w\}, \{x, w\}, \{y, w\}, \{z, w\}\}$ v und w trennende Kantenmengen und $V_1 = \{s, t\}$ und $V_2 = \{p, q, y, z\}$ sind v und w trennende Eckenmengen.

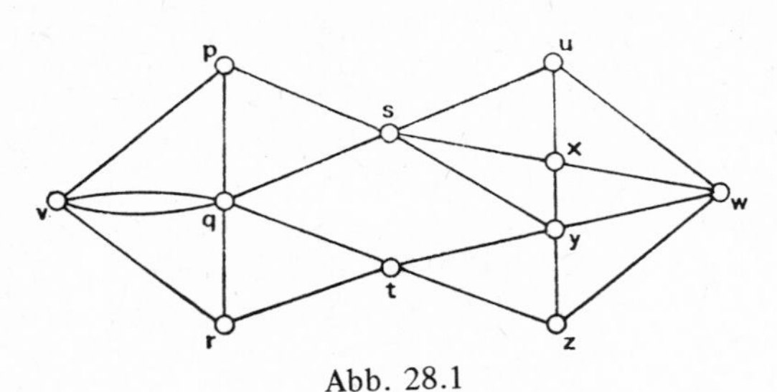

Abb. 28.1

Zur Bestimmung der Anzahl kantendisjunkter Wege von v nach w bemerken wir als erstes, daß diese Anzahl nicht größer sein kann als die Anzahl k der Kanten einer v und w trennenden Kantenmenge E, denn andernfalls würde eine der Kanten von E in mehr als einem Weg auftreten. Ist zudem E eine v und w trennende Kantenmenge kleinstmöglicher Kardinalität, so stellt sich heraus, daß die Anzahl kantendisjunkter Wege wirklich gleich k ist und demzufolge dann jeder solche Weg genau eine Kante von E enthält. Dieses Ergebnis ist als die Kantenform des **Satzes von Menger** bekannt, obschon es tatsächlich erstmals 1955 von Ford und Fulkerson bewiesen wurde.

Satz 28A. *Die Maximalzahl kantendisjunkter Wege, die zwei voneinander verschiedene Ecken v und w in einem zusammenhängenden Graphen G verbinden ist gleich der minimalen Anzahl von Kanten in einer v und w trennenden Kantenmenge.*

Bemerkung. Der Beweis, den wir geben werden, ist in dem Sinne nicht konstruktiv, daß er uns kein systematisches Verfahren liefert, zu gegebenem G k kantendisjunkte Wege oder auch nur den Wert von k zu finden; ein Algorithmus, mit dessen Hilfe man diese Probleme lösen kann, wird im nächsten Abschnitt nachfolgen.

Beweis. Wir haben eben schon darauf hingewiesen, daß die Maximalzahl kantendisjunkter Wege von v nach w nicht größer sein kann als die Minimalzahl von Kanten in einer v und w trennenden Kantenmenge. Zum Nachweis, daß diese beiden Anzahlen tatsächlich gleich sind, verwenden wir vollständige Induktion über die Anzahl der Kanten von G. Sei m die Anzahl der Kanten von G und sei angenommen, daß der Satz für alle Graphen mit weniger als m Kanten richtig ist. Dann sind zwei Fälle zu betrachten:

(i) Wir nehmen zunächst an, daß es eine v und w trennende Kantenmenge E minimaler Größe k gibt derart, daß nicht alle ihrer Kanten inzident mit

v sind und auch nicht alle inzident mit w; zum Beispiel wäre im Graphen der Abb. 28.1 die oben definierte Kantenmenge E_1 eine solche v und w trennende Kantenmenge. Die Entfernung der Kanten von E aus G hinterläßt zwei disjunkte Teilgraphen V und W, von denen einer v und der andere w enthält. Nun definieren wir zwei neue Graphen G_1 und G_2 wie folgt: G_1 entsteht aus G, indem man jede Kante von V zusammenzieht (d. h. V schrumpft auf v zusammen), und G_2 entsteht entsprechend durch Zusammenziehung jeder Kante von W. (Die aus dem Graphen von Abb. 28.1 entstehenden Graphen G_1 und G_2 sind in Abb. 28.2 dargestellt; die Kanten von

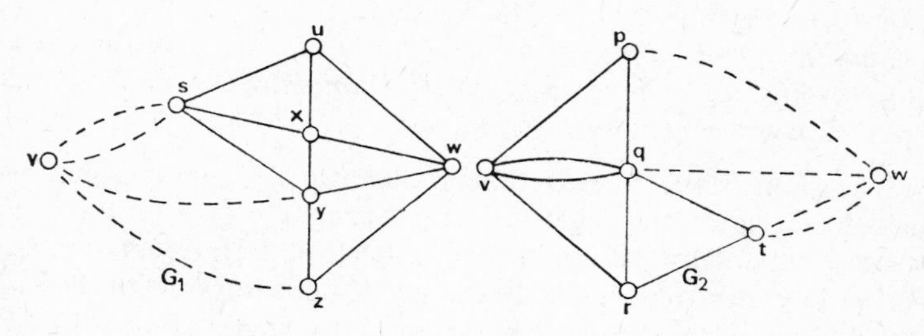

Abb. 28.2

E_1 sind dabei gestrichelt gezeichnet.) Da G_1 und G_2 weniger Kanten als G enthalten und da natürlich E sowohl für G_1 als auch für G_2 eine v und w trennende Kantenmenge minimaler Größe ist, folgt nach Induktionsannahme, daß es in G_1 k kantendisjunkte Wege von v nach w gibt und ebenso in G_2. Die gesuchten k kantendisjunkten Wege in G erhält man dann, indem man diese Wege auf naheliegende Weise miteinander kombiniert.

(ii) Jetzt sei vorausgesetzt, daß jede v und w trennende Kantenmenge minimaler Größe k ausschließlich aus Kanten besteht, die entweder sämtlich inzident mit v oder sämtlich inzident mit w sind; zum Beispiel ist die Menge E_2 in Abb. 28.1 eine derartige trennende Kantenmenge. Ohne Beschränkung der Allgemeinheit dürfen wir annehmen, daß jede Kante von G zu irgendeiner v und w trennenden Kantenmenge der Größe k gehört, denn sonst würde die Entfernung dieser Kante den Wert von k nicht ändern und wir würden nach Induktionsannahme k kantendisjunkte Wege erhalten. Wenn also C irgendein Weg von v nach w ist, so besteht C entweder aus einer einzigen Kante oder aus zwei Kanten und kann daher von jeder v und w trennenden Kantenmenge der Größe k höchstens eine Kante enthalten. Indem wir aus G die Kanten von C entfernen, erhalten wir einen Graphen, der (nach Induktionsannahme) mindestens $k - 1$ kantendisjunkte Wege von v nach w enthält; zusammen mit C sind dies die gesuchten k Wege in G. //

Wir wenden uns nun dem anderen Problem zu, das wir zu Beginn dieses Paragraphen erwähnt haben – nämlich die Anzahl der eckendisjunkten Wege von v nach w zu finden. (Tatsächlich war es dieses Problem, das Menger gelöst hat, obwohl sein Name für gewöhnlich sowohl mit Satz 28A als auch mit Satz 28B in Verbindung gebracht wird.) Auf den ersten Blick mag es ziemlich überraschen, daß nicht nur seine Lösung eine Form hat, die dem Satz 28A recht ähnlich sieht, sondern daß auch der Beweis von Satz 28A mit nur geringfügigen Änderungen wieder durchläuft, im wesentlichen braucht man nur solche Ausdrücke wie ‚kantendisjunkt' und ‚inzident' zu ersetzen durch ‚eckendisjunkt' und ‚benachbart'. Wir formulieren nun die Eckenform des Satzes von Menger – den Beweis überlassen wir dem Leser.

Satz 28B (Menger 1927). *Die Maximalzahl eckendisjunkter Wege, die zwei voneinander verschiedene, nicht benachbarte Ecken v und w eines Graphen G miteinander verbinden, ist gleich der minimalen Anzahl von Ecken in einer v und w trennenden Eckenmenge.* //

Wie wir schon früher bemerkt haben, kann man durch geeignete Abänderung der obigen Überlegungen auch die Anzahl der eckendisjunkten bzw. der bogendisjunkten Diwege in einem Digraphen mit Hilfe der trennenden Eckenmengen bzw. der trennenden Bogenmengen ausdrücken. In diesem Falle ist eine v und w trennende Bogenmenge eine Menge A von Bogen mit der Eigenschaft, daß jeder gerichtete Weg von v nach w einen Bogen aus A enthält. Wieder einmal nimmt der entsprechende Satz eine dem Satz 28A ganz ähnliche Form an und der Beweis kann fast Wort für Wort übernommen werden. Wir formulieren ihn explizit als den **Auslastungssatz** (der Grund für diesen Namen wird im nächsten Paragraphen augenscheinlich werden).

Satz 28C (Auslastungssatz). *Die maximale Anzahl der bogendisjunkten Diwege, die in einem Digraphen von einer Ecke v zu einer von v verschiedenen Ecke w führen, ist gleich der minimalen Anzahl von Bögen in einer v und w trennenden Bogenmenge.* //

Als Beispiel zum Integritätssatz betrachten wir den in Abb. 28.3 gezeigten Digraphen. Man überlegt sich leicht, daß es sechs bogendisjunkte Diwege von v nach w gibt; eine entsprechende, v und w trennende Bogenmenge ist mit gestrichelten Linien eingezeichnet.

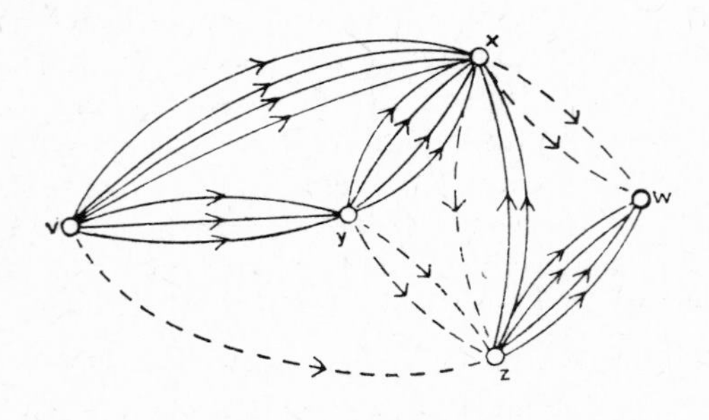

Abb. 28.3

Wie der Leser sehen kann, werden diese Diagramme recht schwerfällig, wenn die Anzahl der Bögen wächst, die zwei benachbarte Ecken miteinander verbinden; diesen Mangel kann man beheben, indem man nur einen Bogen zeichnet und daneben mit einer Zahl vermerkt, wieviele Bögen es sein sollten (siehe Abb. 28.4). Diese harmlos erscheinende Bemerkung stellt

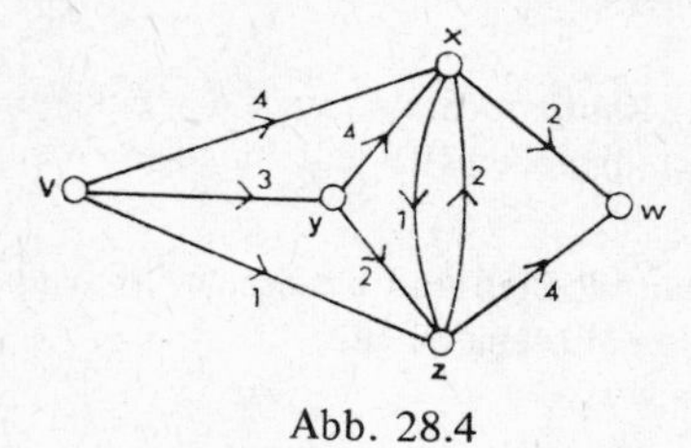

Abb. 28.4

sich als grundlegend für das Studium der Netzwerkflüsse und Transportprobleme heraus, welche wir im nächsten Paragraphen diskutieren werden.

Zum Abschluß dieses Paragraphen zeigen wir, daß man den Satz von Hall mit Hilfe des Satzes von Menger beweisen kann. Wir werden die im Korollar 25B formulierte Version des Satzes von Hall beweisen.

Satz 28D. *Aus dem Satz von Menger folgt der Satz von Hall.*

Beweis. Sei $G = G(V_1, V_2)$ ein bipartiter Graph; wir müssen zeigen, daß es eine vollständige Paarung von V_1 in V_2 gibt, sofern $|A| = |\varphi(A)|$ für jede Teilmenge A von V_1 gilt (mit den Bezeichnungen von Korollar 25B). Dies geschieht durch Anwendung der Eckenform des Mengerschen Satzes (Satz 28B) auf den Graphen, den man erhält, wenn man zu G zwei neue Ecken v und w hinzunimmt und v mit jeder Ecke aus V_1 sowie w mit jeder Ecke aus V_2 durch eine Kante verbindet (siehe Abb. 28.5). Da eine

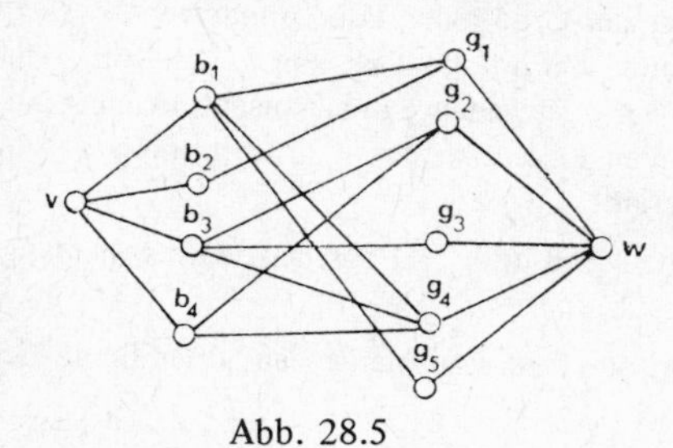

Abb. 28.5

vollständige Paarung von V_1 in V_2 genau dann existiert, wenn die Anzahl der eckendisjunkten Wege von v nach w gleich der Anzahl (etwa k) der Ecken von V_1 ist, genügt es zu zeigen, daß jede v und w trennende Eckenmenge mindestens k Ecken enthält.

Sei S eine v und w trennende Eckenmenge, bestehend aus einer Teilmenge A von V_1 und einer Teilmenge B von V_2. Da $A \cup B$ eine v und w trennende

Eckenmenge ist, kann es keine Kante geben, die eine Ecke aus $V_1 \setminus A$ mit einer Ecke aus $V_2 \setminus B$ verbindet, und damit ist $\varphi(V_1 \setminus A) \subseteq B$. Hieraus folgt $|V_1 \setminus A| \leqq |\varphi(V_1 \setminus A)| \leqq |B|$ und damit $|S| = |A| + |B| \geqq |V_1| = k$, wie behauptet. //

Aufgaben

(28a) Verifizieren Sie die Gültigkeit der Kantenform wie auch der Eckenform des Mengerschen Satzes für den Petersengraphen (für jede mögliche Wahl der Ecken v und w).

(28b) Beweisen Sie Satz 28B in allen Einzelheiten und bestätigen Sie seine Richtigkeit für den in Abb. 28.6 gezeigten Würfelgraphen.

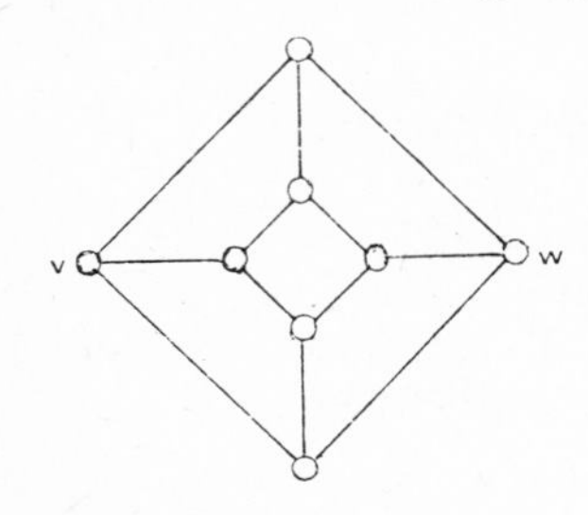

Abb. 28.6

(28c) Zeigen Sie, daß man die Eckenform und die Kantenform des Satzes von Menger voneinander ableiten kann.

(28d) Ein Graph heißt ***k*-zusammenhängend**, wenn k die größte ganze Zahl ist derart, daß je zwei nicht benachbarte Ecken durch mindestens k eckendisjunkte Wege miteinander verbunden sind. Zeigen Sie: (i) W_n $(n \geqq 4)$ ist 3-zusammenhängend; (ii) $K_{m,n}$ ist k-zusammenhängend, wobei $k = \min(m,n)$; (iii) wenn G k-zusammenhängend ist, dann ist der Grad jeder Ecke mindestens k; (iv) G ist genau dann 2-zusammenhängend, wenn jedes Paar von Ecken von G in einem Kreis enthalten ist; (v) G $(\neq K_2)$ ist genau dann k-zusammenhängend, wenn k die kleinstmögliche Anzahl von Ecken ist, deren Entfernung aus G unzusammenhängende Teilgraphen hinterläßt.

(*28e) Zeigen Sie, wie man die Sätze 27B und 27D aus dem Satz von Menger ableiten kann.

(*28f) Überlegen Sie sich, wie man den Satz von Menger auf unendliche Graphen ausdehnen kann.

§ 29. Netzwerkströme

Unsere heutige Gesellschaft wird weithin von Netzwerken beherrscht – Verkehr, Kommunikation, Warenversand, usw. – und die mathematische Untersuchung solcher Netzwerke ist zu einer Sache von fundamentaler Bedeutung geworden. In diesem Paragraphen wollen wir versuchen, an Hand einfacher Beispiele zu zeigen, daß Netzwerkanalysis im wesentlichen äquivalent ist zum Studium der Digraphen.

Ein Baumaschinenhersteller soll möglichst schnell einige Planierraupen bei einer entfernten Großbaustelle anliefern. Bei diesem kurzfristigen Auftrag erweist sich der Transport als Problem: Der Fabrikant kann bei den verschiedenen Transportmöglichkeiten (Bahn, mit eigenen Fahrzeugen, über Spediteure) stets nur ein paar der Maschinen verfrachten. Wir nehmen etwa an, daß die verschiedenen Transportwege durch den in Abb. 29.1 dargestellten

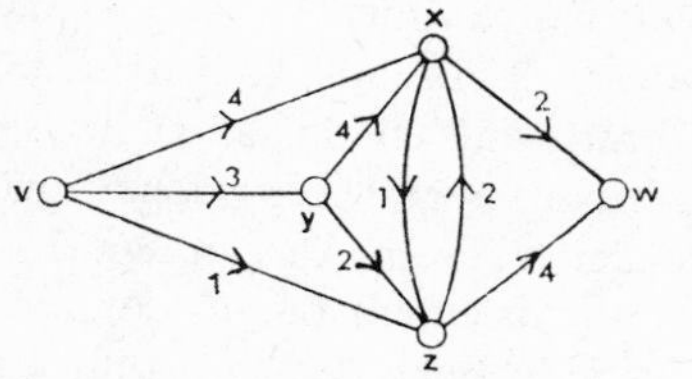

Abb. 29.1

Graphen repräsentiert werden (wobei v den Hersteller und w die Baustelle bezeichne); die eingetragenen Zahlen bedeuten die Anzahl der Maschinen, die auf der betreffenden Strecke rechtzeitig befördert werden können. Der Fabrikant ist natürlich daran interessiert, die maximale Anzahl der Maschinen herauszufinden, die dann durch dieses Netzwerk befördert werden können.

Die Abbildung 29.1 kann auch zur Beschreibung anderer Situationen verwendet werden. Wenn zum Beispiel jeder Bogen des Digraphen eine Einbahnstraße bezeichnet und die jeder Straße zugeordnete Zahl den in dieser Straße maximal möglichen Verkehrsfluß angibt (in Fahrzeugen pro Stunde), dann sind wir vielleicht daran interessiert, die größtmögliche Anzahl von Fahrzeugen zu bestimmen, die sich pro Stunde von v nach w bewegen können. Oder wir können das Diagramm als Darstellung eines elektrischen Netzwerkes ansehen und das Problem besteht dann darin, denn maximalen Strom zu bestimmen, den man gefahrlos durch dieses Netzwerk leiten kann, wenn die Grenzstromstärken der einzelnen Leitungen, bei welchen diese durchbrennen, gegeben sind.

Angesichts dieser Beispiele als Motivation definieren wir nun ein **Netzwerk** N als einen Digraphen, bei dem jeder Bogen mit einer nichtnegativen, reellen Zahl $\psi(a)$ versehen ist, die als dessen **Kapazität** bezeichnet wird; äquivalent hiermit kann ein Netzwerk definiert werden als ein Paar (D, ψ), wo D ein Digraph ist und ψ eine Abbildung der Menge der Bögen von D in die Menge der nichtnegativen, reellen Zahlen. Der **Ausgangsgrad** $\overleftarrow{\rho}(x)$ einer Ecke x wird dann definiert als die Summe der Kapazitäten aller Bögen der Form (x, z), und entsprechend wird der **Eingangsgrad** $\vec{\rho}(x)$ definiert. Im Netzwerk von Abb. 29.1 ist zum Beispiel $\overleftarrow{\rho}(v) = 8$ und $\vec{\rho}(x) = 10$. Es ist klar, daß dann die zum Handschlag-Di-Lemma analoge Aussage folgende Form annimmt: Die Summe der Ausgangsgrade aller Ecken eines Netzwerkes ist gleich der Summe des Eingangsgrade. Im folgenden werden wir stets voraussetzen (sofern nichts anderes gesagt wird), daß der Digraph D genau eine Quelle v und genau eine Senke w enthält; der allgemeine Fall mit mehreren Quellen und Senken (was also im obigen ersten Beispiel mehr als einen Hersteller und mehrere Baustellen bedeutet) kann leicht auf diesen Spezialfall zurückgeführt werden (siehe Aufgabe 29b).

Sei ein Netzwerk $N = (D, \psi)$ gegeben; wir definieren einen **Strom in N** als eine Funktion φ, die jedem Bogen a von D eine nichtnegative, reelle Zahl $\varphi(a)$ (**Fluß in a** genannt) zuordnet derart, daß (i) für jeden Bogen a $\varphi(a) \leqq \psi(a)$ gilt; (ii) in Bezug auf das Netzwerk (D, φ) der Eingangsgrad jeder Ecke (ausgenommen v und w) gleich ihrem Ausgangsgrad ist. Das heißt mit anderen Worten, daß der Fluß in jedem Bogen deren Kapazität nicht überschreiten kann, und daß für jede Ecke (außer v und w) der einlaufende ‚Gesamtfluß' gleich dem auslaufenden ist. Abb. 29.2 zeigt einen möglichen Strom für das Netzwerk von Abb. 29.1; ein anderer Strom ist der **Nullstrom** bei welchem der Fluß in jedem Bogen gleich Null ist. Um eine bequeme Sprechweise zu haben, nennen wir einen Bogen a **gesättigt**, wenn $\varphi(a) = \psi(a)$ gilt; in Abb. 29.2 sind die Bogen (v, z), (x, z), (y, z), (x, w) und (z, w) gesättigt, die übrigen Bögen heißen **ungesättigt**.

Aus dem Handschlag-Di-Lemma folgt, daß die Summe der Flüsse in den mit v inzidenten Bögen gleich der Summe der Flüsse in den mit w inzidenten Bögen ist; diese Summe heißt die **Stromstärke**. Angeleitet von den zu Beginn dieses Paragraphen betrachteten Beispielen werden wir uns vorwiegend für solche Ströme interessieren, deren Stärke so groß wie möglich ist – die sogenannten **maximalen Ströme**; der Leser kann sich leicht davon überzeugen, daß der in Abb. 29.2 gezeigte Strom ein maximaler Strom

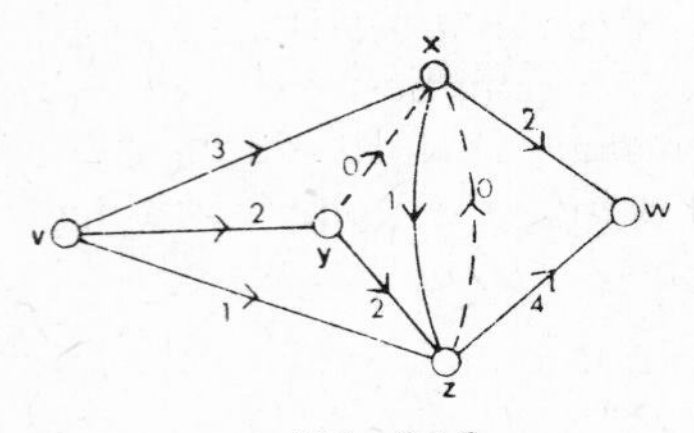

Abb. 29.2

für das Netzwerk von Abb. 29.1 und daß seine Stärke gleich sechs ist. Beachten Sie, daß ein Netzwerk verschiedene maximale Ströme haben kann, ihre Stärken sind jedoch alle gleich.

Die Untersuchung maximaler Ströme in einem Netzwerk $N = (D, \psi)$ ist eng verknüpft mit dem Begriff des **Schnittes**, worunter man einfach eine Menge A von Bögen von D versteht mit der Eigenschaft, daß jeder Diweg von v nach w wenigstens einen Bogen aus A enthält; mit anderen Worten, ein Schnitt in einem Netzwerk ist einfach eine v und w trennende Bogenmenge im entsprechenden Digraphen D. Die **Kapazität eines Schnittes** wird dann definiert als die Summe der Kapazitäten der Bögen in diesem Schnitt. Wir werden hauptsächlich mit solchen Schnitten zu tun haben, deren Kapazität so klein wie möglich ist, den sogenannten **minimalen Schnitten**; in Abb. 29.1 bilden zum Beispiel die Bögen (v, z), (x, z), (y, z) und (x, w) einen minimalen Schnitt, und die Kapazität dieses Schnittes ist sechs.

Es ist klar, daß die Stärke irgendeines Stromes die Kapazität eines Schnittes nicht übersteigen kann, und daß somit die Stärke eines Maximalstromes nicht größer sein kann als die Kapazität eines minimalen Schnittes. Nicht unmittelbar klar ist dagegen, daß diese beiden letzten Zahlen allemal gleich sind; dieses berühmte Resultat ist als der **Maximalstrom-Minimalschnitt-Satz** bekannt und wurde zuerst von Ford und Fulkerson im Jahre 1955 bewiesen. Wir werden zwei Beweise liefern; der erste zeigt, daß der Maximalstrom-Minimalschnitt-Satz im wesentlichen äquivalent mit dem Satz von Menger ist, während der zweite ein direkter Beweis ist.

Satz 29A (Maximalstrom-Minimalschnitt-Satz). *In jedem Netzwerk ist die Stärke jedes maximalen Stromes gleich der Kapazität jedes minimalen Schnittes.*

Erster Beweis. Wir werden zunächst annehmen, daß die Kapazität jedes Bogens eine ganze Zahl ist. In diesem Falle kann das Netzwerk als ein Digraph $\tilde{D}$ betrachtet werden, in welchem die Kapazitäten die Anzahl der Bögen bezeichnen, welche die entsprechenden Ecken verbinden (man vergleiche die Abbildungen 28.3 und 28.4). Der Stärke eines maximalen Stromes entspricht dann in $\tilde{D}$ die Gesamtzahl bogendisjunkter Diwege von v nach w, und die Kapazität eines minimalen Schnittes gibt die minimale Anzahl von Bögen in einer v und w trennenden Bogenmenge von $\tilde{D}$ an. Nun folgt die Behauptung unmittelbar aus dem Auslastungssatz (Satz 28C).

Die Ausdehnung dieses Ergebnisses auf Netzwerke, in denen alle Kapazitäten rationale Zahlen sind, geschieht einfach dadurch, daß man alle diese Kapazitäten durch Multiplikation mit einer passenden ganzen Zahl d (zum Beispiel dem kleinsten gemeinsamen Vielfachen der Nenner der Kapazitäten) ganzzahlig macht; dann haben wir den im vorhergehenden Absatz beschriebenen Fall vorliegen und das Ergebnis folgt hieraus durch Division durch d.

Sind schließlich einige der Kapazitäten irrationale Zahlen, so wird der Satz dadurch bewiesen, daß man diese Kapazitäten durch rationale Zahlen approximiert und den vorhergehenden Absatz anwendet. Durch geeignete Wahl dieser rationalen Zahlen kann man stets erreichen, daß sich die Stärke der Maximalströme und die Kapazität der Minimalschnitte des approximierenden Graphen von den entsprechenden Werte des ursprünglichen Graphen um beliebig wenig unterscheidet. Die genauen Einzelheiten dieser Beweisführung wird dem Leser als Aufgabe überlassen. In der Praxis würden natürlich irrationale Kapazitäten sowieso kaum vorkommen, da die Kapazitäten ja im allgemeinen als Dezimalzahlen gegeben werden. //

★ *Zweiter Beweis.* Wir geben nun einen direkten Beweis für den Maximalstrom-Minimalschnitt-Satz. Da ja die Stärke jedes Maximalstromes nicht größer sein kann als die Kapazität jedes Minimalschnittes, genügt es, die Existenz eines Schnittes nachzuweisen, dessen Kapazität gleich der Stärke eines maximalen Stromes ist.

Sei φ ein maximaler Strom. Wir definieren zwei Mengen V und W von Ecken des Netzwerkes wie folgt: Bezeichnet G den dem Digraphen D des Netzwerkes zugrundeliegenden Graphen, so soll eine Ecke z des Netzwerkes genau dann zu V gehören, wenn es in G einen Weg $v = v_0 \rightarrow v_1 \rightarrow v_2 \rightarrow \ldots \rightarrow v_{m-1} \rightarrow v_m = z$ gibt mit der Eigenschaft, daß jede Kante $\{v_i, v_{i+1}\}$ entweder einem ungesättigten Bogen (v_i, v_{i+1}) entspricht oder aber einem Bogen (v_{i+1}, v_i), der einen von null verschiedenen Fluß aufweist. (Demnach gehört die Ecke v trivialerweise zu V). Die Menge W bestehe dann aus allen Ecken, die nicht in V liegen. In Abb. 29.2 zum Beispiel besteht V aus den Ecken v, x und y und die Menge W aus den Ecken z und w.

Wir werden nun zeigen, daß W nicht leer ist und daß sie insbesondere die Ecke w enthält. Träfe das nicht zu, so wäre w in V und es würde demnach ein Weg $v \rightarrow v_1 \rightarrow v_2 \rightarrow \ldots \rightarrow v_{m-1} \rightarrow w$ des obigen Typs existieren. Dann könnten wir eine positive Zahl ϵ wählen, welche die folgenden beiden Bedingungen erfüllt: (i) ϵ ist nicht größer als jeder der Beträge, deren Addition zum Fluß eines Bogens des ersten Typs diesen zu einem gesättigten Bogen macht; (ii) ϵ ist nicht größer als der Fluß jedes Bogens des zweiten Typs. Nun ist leicht zu sehen, daß die Erhöhung des Flusses um ϵ in den Bögen des ersten Typs und die gleichzeitige Verminderung des Flusses um ϵ in den Bögen des zweiten Typs die Stärke des Stromes insgesamt auf $\varphi + \epsilon$ steigert. Das aber widerspricht unserer Voraussetzung, daß φ ein maximaler Strom ist, und folglich ist w enthalten in W.

Um den Beweis abzuschließen bezeichnen wir mit E die Menge aller Bögen der Form (x, z), wo x in V und z in W ist. Natürlich ist E ein Schnitt. Darüber hinaus ist offensichtlich jeder Bogen (x, z) aus E gesättigt, denn sonst wäre ja auch z ein Element von V. Demnach ist die Kapazität von E gleich der Stärke von ρ und damit ist E der gesuchte Schnitt. // ★

Der Maximalstrom-Minimalschnitt-Satz liefert ein nützliches Hilfsmittel, einen gegebenen Strom auf Maximalität zu testen, solange das Netzwerk halbwegs einfach ist. In der Praxis sind jedoch die Netzwerke, mit denen man zu tun hat, meistens umfangreich und kompliziert und es wird im allgemeinen schwierig sein, einen maximalen Strom durch Ansehen zu finden. Wir beschließen diesen Paragraphen mit einem Algorithmus zur Auffindung eines maximalen Stromes in einem beliebigen Netzwerk mit ganzzahligen Kapazitäten; die Ausdehnung dieses Algorithmus auf Netzwerke mit rationalen Kapazitäten ist trivial und bleibt dem Leser überlassen.

Nehmen wir also an, daß uns ein Netzwerk $N = (D, \psi)$ gegeben ist; die Bestimmung eines maximalen Stromes in N geschieht in drei Schritten:

Erster Schritt. Durch Ansehen bestimmen wir zunächst einen Strom φ, dessen Stärke von Null verschieden ist (sofern es einen gibt). Ist zum Beispiel N das Netzwerk aus Abb. 29.3, dann wäre ein geeigneter Strom der in Abb. 29.4 dargestellte Strom. Dabei ist zu bedenken, daß die nachfolgenden

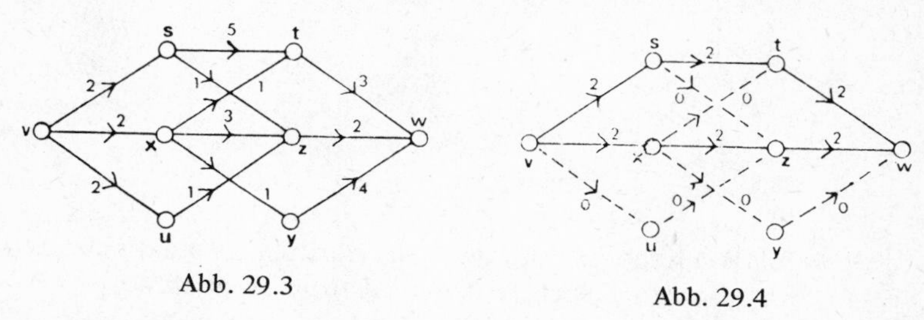

Abb. 29.3 Abb. 29.4

Schritte umso leichter sind, je größer wir die Stärke unseres Anfangsstromes φ machen.

Zweiter Schritt. Als nächstes konstruieren wir aus N ein neues Netzwerk N' durch Umkehr der Richtung des Stromes φ. Genauer gesagt, jeder Bogen mit $\varphi(a) = 0$ erscheint in N' mit seiner ursprünglichen Kapazität, während jeder Bogen mit $\varphi(a) \neq 0$ ersetzt wird durch zwei Bögen, nämlich einen Bogen a mit der Kapazität $\psi(a) - \varphi(a)$ und einen Bogen in der zu a entgegengesetzten Richtung der Kapazität $\varphi(a)$. In unserem speziellen Beispiel nimmt das Netzwerk N' die in Abb. 29.5 gezeigte Gestalt an; man beachte, daß v nun keine Quelle mehr und w keine Senke mehr ist.

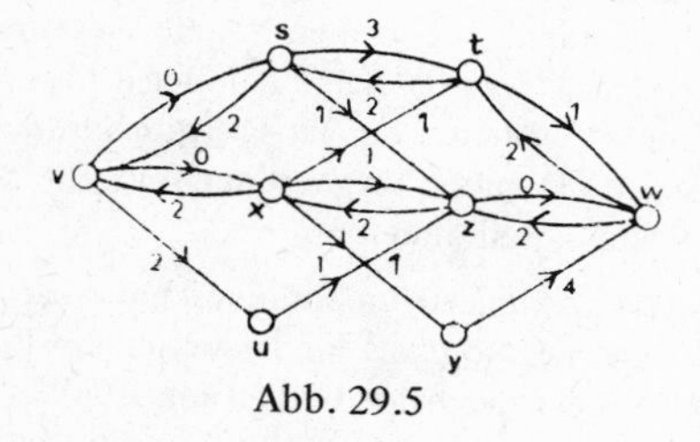

Abb. 29.5

Dritter Schritt. Wenn wir im Netzwerk N' einen vom Nullstrom verschiedenen Strom von v nach w finden können, so können wir diesen Strom zum ursprünglichen Strom φ addieren und erhalten so einen Strom φ' in N von größerer Stärke; nun können wir unseren zweiten Schritt mit diesem neuen φ an Stelle von φ' wiederholen. Die Fortsetzung dieses Verfahrens wird schließlich mit einem Netzwerk N' enden, das keinen vom Nullstrom verschiedenen Strom enthält; der entsprechende Strom φ ist dann ein maximaler Strom, wie der Leser leicht nachweisen kann. In Abb. 29.5 zum Beispiel gibt es einen vom Nullstrom verschiedenen Strom, und zwar ist der Fluß in den Bögen (v, u), (u, z), (z, x), (x, y) und (y, w) gleich eins und in den übrigen Bögen gleich null. Die Addition dieses Stromes zu dem Strom der Abb. 29.4 führt zu dem in Abb. 29.6 dargestellten Strom, der

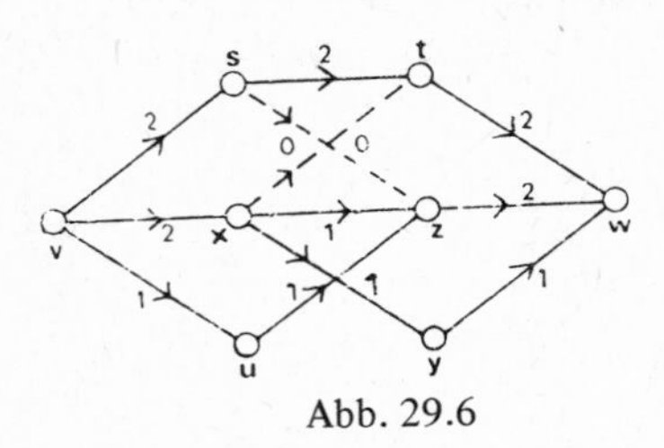

Abb. 29.6

sich durch Wiederholung des zweiten Schrittes als maximaler Strom erweist. Wir haben also den gesuchten Maximalstrom erhalten.

In diesem Paragraphen haben wir dieses recht mannigfaltige und bedeutende Gebiet nur ganz oberflächlich anreißen können; der Leser, der diese Fragen weiter verfolgen möchte, sollte Ford–Fulkerson [11] oder Berge–Ghouila-Houri [3] einsehen.

Aufgaben

(29a) Zeigen Sie, daß der Strom in der Abb. 29.2 bzw. 29.6 ein maximaler Strom für das in Abb. 29.1 bzw. 29.3 gezeigte Netzwerk ist, und bestätigen Sie in beiden Fällen die Gültigkeit des Maximalstrom-Minimalschnitt-Satzes.

(29b) Beschreiben Sie, wie man die Untersuchung der Ströme in einem Netzwerk mit mehreren Quellen und Senken durch Einführung von zwei neuen Ecken auf den Standardfall zurückführen kann. Wie würden Sie ein Netzwerkproblem auf den Standardfall zurückführen, in dem (i) einige der Bögen durch Kanten ersetzt sind, in welchen ein Fluß in jeder der beiden Richtungen möglich ist, und (ii) auch einigen der Ecken ‚Kapazitäten' zugeordnet sind, die den maximalen Fluß durch diese Ecken beschränken?

(29c) Bestätigen Sie die Richtigkeit des Maximalstrom-Minimalschnitt-Satzes für das Netzwerk der Abbildung 29.7 (das Fehlen eines Pfeiles bei einem Bogen soll hierin andeuten, daß ein Fluß in jeder der beiden Richtungen erlaubt ist).

(29d) Konstruieren Sie einen Algorithmus zur Bestimmung der maximalen Anzahl bogendisjunkter Diwege, die in einem Digraphen von einer gegebenen Ecke zu einer anderen führen.

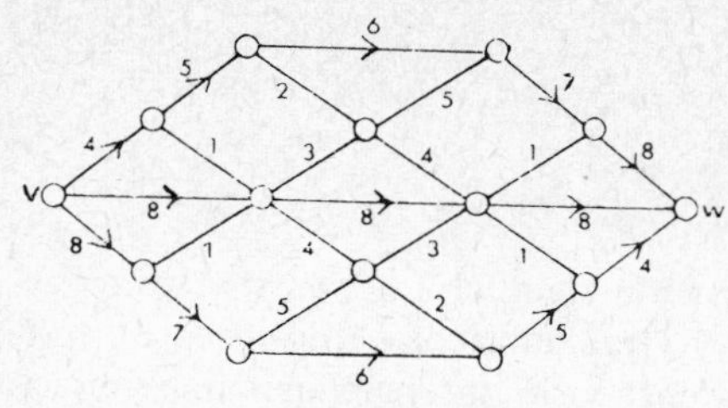

Abb. 29.7

(*29e) Es sei vorausgesetzt, daß der Fluß in jedem Bogen eines Netzwerkes nach unten beschränkt ist statt nach oben (durch die Kapazität); leiten Sie hierfür einen entsprechenden ‚Minimalstrom-Maximalschnitt-Satz' her. Was können Sie sagen, wenn der Fluß in jedem Bogen sowohl nach oben als auch nach unten beschränkt ist?

(*29f) Zeigen Sie, wie man den Maximalstrom-Minimalschnitt-Satz zum Beweis der folgenden Sätze verwenden kann:
(i) Dem Satz von Hall; (II) Satz 27D über die Existenz gemeinsamer Transversalen; (iii) Satz 23A über Eulersche Digraphen.

(*29g) Wir wollen in Abb. 29.7 die Pfeile unberücksichtigt lassen und annehmen, daß die eingetragenen Zahlen die Längen der Kanten bezeichnen; finden Sie einen kürzesten Weg von v nach w. (Hinweis: Betrachten Sie Abb. 29.7 als planaren Graphen G, bilden Sie seinen Dualgraphen G^* und ordnen Sie jeder Kante von G^* die gleiche Kapazität zu, welche die entsprechende Kante von G hat. Nun wenden Sie den Maximalstrom-Minimalschnitt-Satz auf G^* an).

9 Matroidtheorie

In diesem Kapitel werden wir die ziemlich unerwartete Ähnlichkeit zwischen einigen Ergebnissen der Graphentheorie und ihren entsprechenden Resultaten in der Transversalentheorie untersuchen (man vergleiche zum Beispiel die Aufgaben 9g und 26e oder die Aufgaben 9j und 26f). Hierzu ist es zweckmäßig, den Begriff des Matroids einzuführen, worunter im wesentlichen eine Menge mit einer auf ihr definierten ‚Unabhängigkeitsstruktur' zu verstehen ist. Wie wir sehen werden, verallgemeinert der Begriff der Unabhängigkeit nicht nur den der Unabhängigkeit in Graphen (wie er in Aufgabe 5j definiert wurde), sondern auch den der linearen Unabhängigkeit in Vektorräumen; die Verbindung zur Transversalentheorie wird dann durch Aufgabe 26e hergestellt. In § 32 werden wir zeigen, wie man die Dualität in Matroiden so definieren kann, daß sie die Ähnlichkeit zwischen den Eigenschaften der Kreise und der Schnitte in einem Graphen erhellt; es wird sich zeigen, daß sich die recht gekünstelt erscheinenden Definitionen des abstrakten Dualgraphen und des Whitney-Dualgraphen eines Graphen (§§ 15–16) als natürliche Konsequenzen der Matroiddualität ergeben. Im letzten Paragraphen werden wir vorführen, wie man mit Hilfe der Matroide zu ‚leichten' Beweisen für Ergebnisse der Transversalentheorie kommt, und abschließend geben wir Matroidbeweise für zwei tiefliegende Ergebnisse der Graphentheorie.

§ 30. Einführung in die Matroidtheorie

In § 9 haben wir ein Gerüst in einem zusammenhängenden Graphen definiert als einen zusammenhängenden Teilgraphen von G, der keine Kreise enthält und der alle Ecken von G enthält. Es ist klar, daß ein Gerüst kein anderes Gerüst als echten Teilgraphen enthalten kann. Ferner kann man zeigen (siehe Aufgabe 9g), daß man zu je zwei Gerüsten B_1 und B_2 und jeder Kante e von B_1 eine Kante f von B_2 finden kann mit der Eigenschaft, daß $(B_1 \setminus \{e\}) \cup \{f\}$ (das ist der aus B_1 entstehende Graph, wenn man e wegnimmt und dafür f hinzufügt) ebenfalls ein Gerüst von G ist.

Analoge Aussagen gelten auch in der Theorie der Vektorräume und in der Transversalentheorie. Ist V ein Vektorraum und sind B_1 und B_2 Basen von V, so gibt es zu jedem Element e von B_1 ein Element f von B_2 derart, daß auch $(B_1 \setminus \{e\}) \cup \{f\}$ eine Basis von V ist; die entsprechende Aussage in der Transversalentheorie erscheint in Aufgabe 26e. Vor dem Hintergrund dieser drei Beispiele können wir nun unsere erste Definition eines Matroids geben.

Ein **Matroid** M ist ein Paar $(E, \mathscr{B})$, wobei E eine nichtleere, endliche Menge ist und $\mathscr{B}$ eine nichtleere Gesamtheit von Teilmengen von E (**Basen** genannt), die den folgenden Bedingungen genügt:

($\mathscr{B}$ i) Keine Basis enthält eine andere Basis als echte Teilmenge;

($\mathscr{B}$ ii) sind B_1 und B_2 Basen und ist e irgendein Element von B_1, so gibt es ein Element f von B_2 mit der Eigenschaft, daß $(B_1 \setminus \{e\}) \cup \{f\}$ ebenfalls eine Basis ist.

Es ist eine leichte Übungsaufgabe, durch wiederholte Anwendung der Eigenschaft ($\mathscr{B}$ ii) zu zeigen, daß je zwei Basen eines Matroids M die gleiche Anzahl von Elementen enthalten; diese Zahl wird als **Rang** von M bezeichnet.

Wie oben schon angedeutet kann jedem Graphen G in natürlicher Weise ein Matroid zugeordnet werden, indem man als E die Menge der Kanten von G nimmt und als Basen die Kantenmengen der Gerüste von G; aus Gründen, die später in Erscheinung treten werden, wird dieses Matroid das **Kreismatroid** von G genannt und mit $M(G)$ bezeichnet. Entsprechend können wir, wenn E eine endliche Menge von Vektoren in einem Vektorraum V ist, ein Matroid auf E definieren, indem wir als Basen alle linear unabhängigen Teilmengen von E nehmen, die denselben Teilraum wie E aufspannen; ein derart gebildetes Matroid wird ein **Vektormatroid** genannt. Solche Matroide werden wir später etwas näher betrachten.

Eine Teilmenge von E heißt **unabhängig**, wenn sie in irgendeiner Basis des Matroids enthalten ist. Folglich sind die Basen von M genau die maximalen unabhängigen Mengen, das sind diejenigen unabhängigen Mengen, die in keiner größeren unabhängigen enthalten sind, und daher ist jedes Matroid eindeutig durch Angabe seiner unabhängigen Mengen definiert. Im Falle eines Vektormatroids ist eine Teilmenge von E genau dann unabhängig, wenn ihre Elemente als Vektoren des Vektorraumes linear unabhängig sind; entsprechend sind im Falle eines Graphen G die unabhängigen Mengen von $M(G)$ einfach diejenigen Mengen von Kanten von G, die keinen Kreis enthalten, mit anderen Worten also die Kantenmengen der in G enthaltenen Wälder.

Da ein Matroid vollständig durch Angabe seiner unabhängigen Mengen beschrieben werden kann, erscheint es sinnvoll zu fragen, ob sich ausgehend von den unabhängigen Mengen eine einfache Definition des Matroidbegriffes finden läßt. Eine solche Definition werden wir nun geben; der daran interessierte Leser kann einen Beweis für die Äquivalenz dieser Definition mit der obigen bei Whitney [26] nachlesen.

Ein **Matroid** M ist ein Paar $(E, \mathscr{I})$, wobei E eine nichtleere, endliche Menge ist und $\mathscr{I}$ eine nichtleere Gesamtheit von Teilmengen von E (**unabhängige Mengen** genannt), die den folgenden Bedingungen genügt:

($\mathscr{I}$ i) Jede Teilmenge einer unabhängigen Menge ist ebenfalls eine unabhängige Menge;

($\mathscr{I}$ ii) sind I und J unabhängige Mengen mit k bzw. $k + 1$ Elementen, dann gibt es ein Element e, das in J, aber nicht in I liegt, mit der Eigenschaft, daß auch $I \cup \{e\}$ unabhängig ist.

(Bei dieser Definition wird übrigens eine **Basis** als eine maximale unabhängige Menge definiert; durch wiederholte Anwendung der Eigenschaft ($\mathscr{I}$ ii) kann man zeigen, daß jede unabhängige Menge zu einer Basis erweitert werden kann.)

Ist $M = (E,\mathscr{I})$ ein durch seine unabhängigen Mengen definiertes Matroid, so heißt eine Teilmenge von E **abhängig**, wenn sie nicht unabhängig ist; eine minimale abhängige Menge heißt ein **Kreis**. Beachten Sie, daß im Falle eines Kreismatroids $M(G)$ eines Graphen G die Kreise von $M(G)$ genau die Kreise von G sind. Da eine Teilmenge von E genau dann unabhängig ist, wenn sie keine Kreise enthält, kann ein Matroid auch durch seine Kreise beschrieben werden; eine solche Definition, welche die Aussage von Aufgabe 5f auf Matroide verallgemeinert, wird in Aufgabe 30e gegeben.

Bevor wir zu einigen Beispielen von Matroiden übergehen, ist es zweckmäßig, eine weitere Definition des Matroidbegriffs zu geben; diese Definition stützt sich auf die Rangfunktion und ist im wesentlichen die, die Whitney in seiner bahnbrechenden Arbeit [26] 1935 gegeben hat.

Ist $M = (E,\mathscr{I})$ ein durch seine unabhängigen Mengen definiertes Matroid und A eine Teilmenge von E, so wird die Kardinalität der größten, in A enthaltenen unabhängigen Menge der **Rang** von A genannt und mit $\rho(A)$ bezeichnet; der weiter oben definierte Rang von M ist dann gleich $\rho(E)$. Eine Teilmenge A von E ist genau dann unabhängig, wenn $\rho(A) = |A|$ ist; hieraus folgt, wie wir nun zeigen werden, daß ein Matroid durch seine Rangfunktion definiert werden kann.

Satz 30A. *Ein Matroid kann definiert werden als ein Paar (E, ρ), wobei E eine nichtleere, endliche Menge ist und ρ eine ganzzahlige, auf der Menge der Teilmengen von E definierte Funktion mit folgenden Eigenschaften:*

(ρ i) $0 \leqq \rho(A) \leqq |A|$, *für jede Teilmenge A von E;*

(ρ ii) *für $A \subseteq B \subseteq E$ gilt $\rho(A) \leqq \rho(B)$;*

(ρ iii) *für je zwei Teilmengen A, B von E gilt*

$$\rho(A \cup B) + \rho(A \cap B) \leqq \rho(A) + \rho(B).$$

Bemerkung. Dies ist die Erweiterung der Ergebnisse der Aufgaben 9j und 26f.

Beweis. Wir nehmen zuerst an, daß $M = (E, \mathscr{I})$ ein durch seine unabhängigen Mengen definiertes Matroid ist und wollen hieraus die Eigenschaften

(ρ i) bis (ρ iii) herleiten. (ρ i) und (ρ ii) sind natürlich trivial. Zum Beweis von (ρ iii) sei X eine Basis (d. h. eine maximale unabhängige Teilmenge) von $A \cap B$; da X eine unabhängige Teilmenge von A ist, kann X zu einer Basis Y von A erweitert werden, und dann Y entsprechend zu einer Basis Z von $A \cup B$. Da $X \cup (Z \setminus Y)$ natürlich eine unabhängige Teilmenge von B ist, folgt

$$\begin{aligned} \rho(B) &= \rho(X \cup (Z \setminus Y)) = |X| + |Z| - |Y| \\ &= \rho(A \cap B) + \rho(A \cup B) - \rho(A), \end{aligned}$$

wie behauptet.

Sei umgekehrt $M = (E, \rho)$ ein durch seine Rangfunktion ρ definiertes Matroid und es werde eine Teilmenge A von E genau dann unabhängig genannt, wenn $\rho(A) = |A|$ ist. Dann ist es eine leichte Übungsaufgabe, die Eigenschaft ($\mathscr{I}$ i) nachzuweisen. Zum Beweis von ($\mathscr{I}$ ii) betrachten wir zwei unabhängige Mengen I und J mit k bzw. $k + 1$ Elementen und nehmen an, daß für jedes Element e, welches zu J, aber nicht zu I gehört, $\rho(I \cup \{e\}) = k$ gilt. Sind e und f zwei solche Elemente, dann gilt

$$\rho(I \cup \{e\} \cup \{f\}) \leqq \rho(I \cup \{e\}) + \rho(I \cup \{f\}) - \rho(I) = k$$

und hieraus folgt $\rho(I \cup \{e\} \cup \{f\}) = k$. Dieses Verfahren setzen wir nun fort, indem wir jedesmal ein neues Element von J hinzufügen; da der Rang bei jedem Schritt seinen Wert k behält, folgt $\rho(I \cup J) = k$ und damit (wegen (ρ ii)) $\rho(J) \leqq k$, was ein Widerspruch ist. Folglich existiert ein Element f, das in J, aber nicht in I liegt, mit der Eigenschaft, daß $\rho(I \cup J) = k + 1$ ist. //

Wir beschließen diesen Paragraphen mit zwei einfachen Definitionen. Eine **Schlinge** in einem Matroid $M = (E, \rho)$ ist ein Element e von E mit $\rho(\{e\}) = 0$, und ein Paar **paralleler Elemente** von M ist ein Paar $\{e, f\}$ von Elementen von E, die keine Schlingen sind und der Bedingung $\rho(\{e, f\}) = 1$ genügen. Der Leser überzeuge sich davon, daß im Falle des Kreismatroids M eines Graphen G die Schlingen und die parallelen Elemente von M den Schlingen bzw. den mehrfachen Kanten von G entsprechen.

Aufgaben

(30a) Zeigen Sie, daß je zwei Basen eines Matroids auf einer Menge E dieselbe Anzahl von Elementen haben; zeigen Sie ferner, daß je zwei maximale unabhängige Teilmengen einer Teilmenge A von E dieselbe Anzahl von Elementen enthalten.

(30b) Beweisen Sie mit Hilfe von Aufgabe 9j, daß die Rangfunktion des Kreismatroids eines Graphen genau der Schnittrang κ ist.

(30c) Sei E eine endliche, nichtleere Menge und $\mathscr{S}$ eine Familie nichtleerer Teilmengen von E; zeigen Sie, daß die partiellen Transversalen von $\mathscr{S}$ die unabhängigen Teilmengen eines Matroids auf E sind. Folgern Sie daraus die Aussage von Aufgabe 26d (siehe auch § 33).

(30d) Sei $M = (E, \rho)$ ein Matroid mit der Rangfunktion ρ; zeigen Sie, daß auch $M^* = (E, \rho^*)$ ein Matroid ist, wobei ρ^* definiert ist durch $\rho^*(A) = |A| + \rho(E \setminus A) - \rho(E)$. Zeigen Sie ferner, daß B genau dann eine Basis von M ist, wenn $E \setminus B$ eine Basis von M ist. (Diese Aufgabe wird in § 32 gelöst.)

(*30e) Zeigen Sie, daß ein Matroid definiert werden kann als ein Paar $(E, \mathscr{C})$, wobei E eine nichtleere, endliche Menge ist und $\mathscr{C}$ eine Gesamtheit von Teilmengen von E (**Kreise** genannt) mit den folgenden Eigenschaften:
(i) Kein Kreis enthält echt einen anderen Kreis;
(ii) sind C_1 und C_2 zwei verschiedene Kreise, die beide ein Element e enthalten, dann gibt es in $C_1 \cup C_2$ einen Kreis, der e nicht enthält.

(*30f) Beweisen Sie, daß die Schnitte eines Graphen G die Bedingungen der vorhergehenden Aufgabe erfüllen; welche Beziehung besteht zwischen der Rangfunktion des entsprechenden Matroids und der Rangfunktion des Kreismatroids von G?

(30g) Ist $M = (E, \rho)$ ein Matroid, dann ist die **Hülle** $\Phi(A)$ einer Teilmenge A von E die Menge aller Elemente e von E mit $\rho(A \cup \{e\}) = \rho(A)$; zeigen Sie:

(i) $A \subseteq \Phi(A) = \Phi(\Phi(A))$;

(ii) für $A \subseteq B \subseteq E$ gilt $\Phi(A) \subseteq \Phi(B)$;

(iii) ist e in $\Phi(A \cup \{f\})$, aber nicht in $\Phi(A)$ enthalten, dann ist f in $\Phi(A \cup \{e\})$ enthalten. Eine Menge A heißt **abgeschlossen**, falls $\Phi(A) = A$ ist; zeigen Sie, daß der Durchschnitt zweier abgeschlossener Mengen eine abgeschlossene Menge ist. Gilt eine analoge Aussage auch für die Vereinigung zweier abgeschlossener Mengen?

(*30h) Seien $M_1 = (E, \mathscr{I}_1)$ und $M_2 = (E, \mathscr{I}_2)$ zwei auf derselben Menge E definierte Matroide; zeigen Sie, daß die sämtlichen Vereinigungen $I \cup J$ je einer unabhängigen Menge I von M_1 mit je einer unabhängigen Menge J von M_2 die unabhängigen Mengen eines neuen Matroids bilden. (Dieses Matroid wird die **Vereinigung** von M_1 und M_2 genannt und mit $M_1 \cup M_2$ bezeichnet; wir werden seine Rangfunktion in § 33 berechnen.)

(30i) Weisen Sie nach, wie man die Definition eines Fundamentalsystems von Kreisen in einem Graphen auf Matroide übertragen kann; wie würden Sie die Definition eines Fundamentalsystems von Schnitten übertragen?

(*30j) Überlegen Sie sich, wie man die Definition eines Matroides auf unendliche Mengen E übertragen kann und untersuchen Sie die Eigenschaften solcher Matroide.

§ 31. Beispiele von Matroiden

In diesem Paragraphen werden wir einige wichtige Arten von Matroiden untersuchen.

Triviale Matroide. Ist eine beliebige nichtleere, endliche Menge E gegeben, so können wir darauf ein Matroid definieren, dessen einzige unabhängige

Menge die leere Menge ist. Dieses Matroid wird das **triviale Matroid** auf E genannt und ist natürlich ein Matroid vom Rang null.

Diskrete Matroide. Der andere Extremfall ist das **diskrete Matroid** auf E, in welchem jede Teilmenge von E unabhängig ist; man beachte, daß das diskrete Matroid auf E nur eine einzige Basis hat, nämlich E selbst, und daß der Rang jeder Teilmenge A einfach die Anzahl der Elemente von A ist.

Uniforme Matroide. Die beiden vorhergehenden Beispiele sind Spezialfälle des ***k*-uniformen Matroids** auf E, dessen Basen diejenigen Teilmengen von E sind, die genau k Elemente enthalten. Demnach sind die unabhängigen Mengen diejenigen Teilmengen von E, die nicht mehr als k Elemente enthalten, und der Rang jeder Teilmenge A ist entweder A oder k je nachdem, welche der Zahlen die kleinere ist. Insbesondere ist das triviale Matroid auf E 0-uniform und das diskrete Matroid ist E-uniform.

Es erweist sich als zweckmäßig, vor einer näheren Betrachtung der im letzten Paragraphen beschriebenen Beispiele den Begriff des Isomorphismus zwischen Matroiden einzuführen. Zwei Matroide $M_1 = (E_1, \mathscr{I}_1)$ und $M_2 = (E_2, \mathscr{I}_2)$ heißen **isomorph**, wenn es eine umkehrbar eindeutige Beziehung zwischen den Mengen E_1 und E_2 gibt, welche die Unabhängigkeit respektiert – mit anderen Worten, eine Menge von Elementen von E_1 ist genau dann unabhängig in M_1, wenn die entsprechende Menge von Elementen von E_2 unabhängig in M_2 ist. Als Beispiel sei vermerkt, daß die Kreismatroide der drei Graphen von Abb. 31.1 alle isomorph sind – wir weisen dabei auf

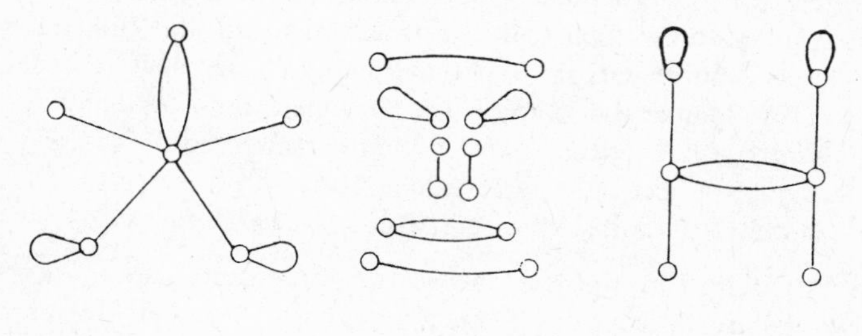

Abb. 31.1

die Tatsache hin, daß ein Matroidisomorphismus zwar Kreise, Schnitte und die Anzahl der Kanten eines Graphen erhält, dagegen im allgemeinen nicht Zusammenhang, die Anzahl der Ecken und deren Grade. Mit Hilfe der obigen Definition der Isomorphie können wir nun graphische, transversale und darstellbare Matroide definieren.

Graphische Matroide. Wie wir im vorhergehenden Paragraphen gesehen haben, können wir ein Matroid $M(G)$ auf der Menge der Kanten eines Graphen G dadurch definieren, daß wir die Kreise von G als Kreise des Matroids nehmen; $M(G)$ wird dann das Kreismatroid von G genannt und seine Rangfunktion ist einfach der Schnittrang κ (siehe Aufgabe 30b). Es drängt sich nun die Frage auf, wann man ein gegebenes Matroid M als Kreismatroid eines Graphen auffassen kann – mit anderen Worten, wann es einen Graphen G gibt derart, daß M isomorph ist zu $M(G)$; solche Matroide heißen **graphische Matroide** und mit der Aufgabe, sie zu charakterisieren, werden wir uns im nächsten Paragraphen befassen. Als Beispiel eines graphischen Matroids betrachten wir das Matroid auf der Menge $\{1, 2, 3\}$, dessen unabhängige Mengen $\emptyset$, $\{1\}$, $\{2\}$, $\{3\}$, $\{1, 2\}$ und $\{1, 3\}$ sind; M ist offenbar isomorph zum Kreismatroid des in Abb. 31.2 gezeigten Graphen. Man kann

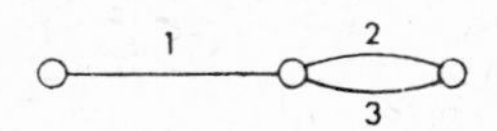

Abb. 31.2

indessen zeigen, daß auch nichtgraphische Matroide existieren; das einfachste Beispiel ist das 2-uniforme Matroid auf einer Menge mit vier Elementen, wie der Leser leicht nachweisen kann.

Kographische Matroide. Das Kreismatroid ist nicht das einzige Matroid, das man zu einem gegebenen Graphen G auf der Menge der Kanten von G definieren kann. Wegen der Ähnlichkeit zwischen den Eigenschaften der Kreise und denen der Schnitte in einem Graphen erscheint die Hoffnung begründet, daß man ein Matroid auch dadurch konstruieren kann, daß man die Schnitte von G als Kreise des Matroids nimmt. In Aufgabe 30f haben wir gesehen, daß diese Konstruktion tatsächlich ein Matroid liefert, und wir wollen es das **Schnittmatroid** von G nennen und mit $M^*(G)$ bezeichnen; in $M^*(G)$ ist eine Menge von Kanten von G genau dann unabhängig, wenn sie keinen Schnitt von G enthält. Wir wollen ein Matroid M **kographisch** nennen, wenn ein Graph G existiert derart, daß M isomorph ist zu $M^*(G)$; der Grund für den Namen ‚kographisch' wird später klar werden.

Planare Matroide. Ein Matroid, das sowohl graphisch als auch kographisch ist, heißt **planares Matroid**; den Zusammenhang zwischen planaren Matroiden und planaren Graphen werden wir im nächsten Abschnitt erläutern.

Darstellbare Matroide. Da die Definition eines Matroids zum Teil durch den Begriff der linearen Unabhängigkeit in Vektorräumen motiviert wird, ist man natürlich interessiert an der Untersuchung derjenigen Matroide, die definiert sind als Vektormatroide auf einer Menge von Vektoren eines Vektorraumes über einem gegebenen Körper. Genauer gesagt, wir werden ein auf einer Menge E gegebenes Matroid M **darstellbar über einem Körper F** nennen, wenn es einen Vektorraum V über F und eine Abbildung Φ von E in V gibt derart, daß jede Teilmenge A von E genau dann unabhängig ist, wenn Φ auf A umkehrbar eindeutig und $\Phi(A)$ in V linear unabhängig ist. (Dies läuft darauf hinaus, zu sagen, daß M bei Außerachtlassung von Schlingen und parallelen Elementen isomorph ist zu einem Vektormatroid, das in einem Vektorraum über F definiert ist.) Von besonderer Wichtigkeit sind diejenigen Matroide, die über dem Körper der ganzen Zahlen modulo zwei darstellbar sind – solche Matroide werden **binäre Matroide** genannt. Der Kürze wegen werden wir des öfteren M einfach ein **darstellbares Matroid** nennen, wenn es einen Körper F gibt derart, daß M über F darstellbar ist. Es zeigt sich, daß manche Matroide über jedem Körper darstellbar sind (die sogenannten **regulären Matroide**), manche über keinem Körper und andere nur über Körpern einer bestimmten Klasse.

Es ist nicht schwer zu zeigen, daß das Kreismatroid $M(G)$ eines Graphen G ein binäres Matroid ist. Um dies einzusehen ordnen wir jeder Kante von G die entsprechende Zeile der Inzidenzmatrix von G zu (siehe Aufgabe 2f) und fassen sie als einen Vektor auf, dessen Komponenten null oder eins sind. Wenn eine Menge von Kanten von G einen Kreis bilden, dann ist die Summe (modulo zwei) der entsprechenden Vektoren gleich null.

In Aufgabe 31i bringen wir ein Beispiel eines binären Matroids, das weder graphisch noch kographisch ist.

Transversale Matroide. Unser nächstes Beispiel stellt die Verbindung zwischen der Matroidtheorie und der Transversalentheorie her. Aus den Aufgaben 26e, 26f und 30c wissen wir, wenn E eine nichtleere, endliche Menge und $\mathscr{S} = (S_1, \ldots, S_m)$ eine Familie nichtleerer Teilmengen von E ist, daß man die partiellen Transversalen von $\mathscr{S}$ als die unabhängigen Mengen eines Matroids auf E nehmen kann. Jedes auf diese Weise gebildete Matroid (bei geeigneter Wahl von E und $\mathscr{S}$) wird ein **transversales Matroid** genannt und mit $M(S_1, \ldots, S_m)$ bezeichnet. Zum Beispiel ist das oben beschriebene graphische Matroid M ein transversales Matroid auf der Menge $\{1, 2, 3\}$, denn seine unabhängigen Mengen sind die Transversalen der Familie $\mathscr{S} = (S_1, S_2)$ mit $S_1 = \{1\}$ und $S_2 = \{2, 3\}$. Beachten Sie, daß der Rang einer Teilmenge A von E die Kardinalität der größten, in A enthaltenen partiellen Transversalen ist. Ein Beispiel eines Matroids, das nicht transversal ist, bringen wir in Aufgabe 31d.

Erst kürzlich wurde bewiesen, daß jedes transversale Matroid über einem passenden Körper darstellbar ist, daß es jedoch dann und nur dann binär ist, wenn es ein graphisches Matroid ist.

Einschränkungen und Kontraktionen. In der Graphentheorie ist es häufig möglich, die Eigenschaften eines Graphen dadurch zu untersuchen, daß man seine Teilgraphen betrachtet oder diejenigen Graphen, die man durch Kontraktion gewisser Kanten erhält; es wird sich als nützlich erweisen, die entsprechenden Begriffe auch in der Matroidtheorie einzuführen. Ist M ein Matroid, definiert auf einer Menge E, und ist A eine Teilmenge von E, so wird unter der **Einschränkung** von M auf A (mit $M \times A$ bezeichnet) dasjenige Matroid verstanden, dessen Kreise genau die in A enthaltenen Kreise sind; entsprechend definieren wir die **Kontraktion** von M auf A (mit $M.A$ bezeichnet) als dasjenige Matroid, dessen Kreise die minimalen Mitglieder der Gesamtheit $\{C_i \cap A\}$ sind, wo C_i die Kreise von M durchläuft. (Eine einfachere Definition werden wir in Aufgabe 32b bringen.) Wir überlassen dem Leser den Nachweis, daß dies tatsächlich Matroide sind und daß ihre Konstruktion der Entfernung bzw. der Kontraktion von Kanten in einem Graphen entspricht. Ein Matroid, das man aus M durch eine Folge von Einschränkungen oder Kontraktionen erhält, wird ein **Minor** von M genannt.

Bipartite und Eulersche Matroide. Zum Abschluß dieses Paragraphen zeigen wir, wie man bipartite und Eulersche Matroide definieren kann. Da sich die üblichen Definitionen der bipartiten und der Eulerschen Graphen, wie wir sie in § 3 und § 6 gegeben haben, für die Verallgemeinerung auf Matroide nicht eignen, müssen wir uns nach anderen Charakterisierungen dieser Graphen umsehen. Im Falle der bipartiten Graphen kommt uns Aufgabe 5g zu Hilfe – ein **bipartites Matroid** definieren wir als ein Matroid, in dem jeder Kreis eine gerade Anzahl von Elementen hat; im Falle der Eulerschen Graphen erinnern wir uns an Korollar 6D und nennen ein Matroid auf einer Menge E ein **Eulersches Matroid**, wenn E ausgedrückt werden kann als Vereinigung disjunkter Kreise. Im nächsten Paragraphen werden wir sehen, daß die Begriffe des Eulerschen und des bipartiten Matroids zueinander dual sind (in einem noch zu präzisierenden Sinne).

Aufgaben

(31a) Zeigen Sie, daß es bis auf Isomorphie genau vier Matroide auf einer Menge von zwei Elementen gibt und acht Matroide auf einer Menge von drei Elementen; wieviele gibt es auf einer Menge von vier Elementen? (Siehe Anhang.)

(31b) Zeigen Sie, daß die Anzahl der Matroide auf einer Menge von n Elementen bis auf Isomorphie höchstens 2^{2^n} ist und die Anzahl der transversalen Matroide höchstens 2^{n^2}.

(31c) Beweisen Sie, daß jedes k-uniforme Matroid ein transversales Matroid ist.

(31d) Zeigen Sie, daß das Kreismatroid von K_4 kein transversales Matroid ist und bestimmen Sie ein weiteres nichttransversales Matroid auf einer Menge von sechs Elementen.

(31e) Sei M ein Matroid vom Rang r auf einer Menge von n Elementen und bezeichne b bzw. c die Anzahl der Basen bzw. Kreise von M; beweisen Sie

$$b \leqq \binom{n}{r} \text{ sowie } c \leqq \binom{n}{r+1}.$$

(31f) Zeigen Sie, daß die Kreismatroide $M(K_5)$ und $M(K_{3,3})$ beide graphisch sind, aber nicht kographisch; finden Sie zwei Matroide, die beide kographisch und nicht graphisch sind.

(31g) Sei M ein Matroid auf einer Menge E und sei $A \subseteq B \subseteq E$; beweisen Sie:
(i) $(M \times B) \times A = M \times A$; (ii) $(M.B).A = M.A$;
(iii) $(M.B) \times A = (M \times (E \setminus (B \setminus A))).A$;
(iv) $(M \times B).A = (M.(E \setminus (B \setminus A))) \times A$.

(31h) Zeigen Sie für die nachfolgenden Eigenschaften, daß mit M stets auch jeder Minor von M diese Eigenschaft hat: (i) Graphisch; (ii) kographisch; (iii) binär; (iv) regulär.

(*31i) Das **Fanomatroid** F ist dasjenige Matroid auf der Menge $\{1, 2, 3, 4, 5, 6, 7\}$, dessen Basen alle aus drei Elementen bestehenden Teilmengen von E sind ausgenommen $\{1, 2, 3\}$, $\{1, 4, 5\}$, $\{1, 6, 7\}$, $\{2, 4, 7\}$, $\{2, 5, 6\}$, $\{3, 4, 6\}$ und $\{3, 5, 7\}$; zeigen Sie, daß man F wie in Abb. 31.3 darstellen kann, wobei dann

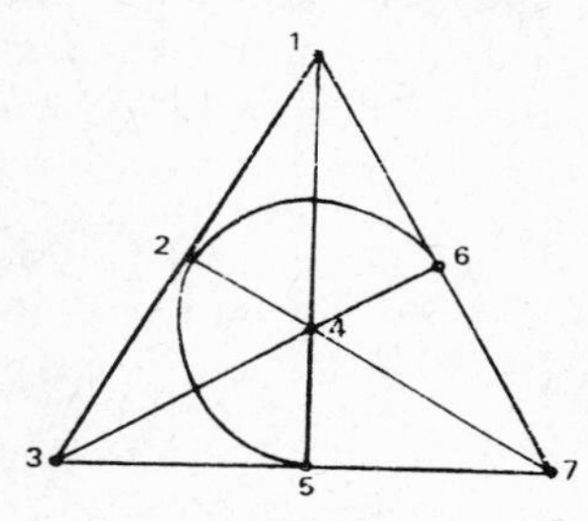

Abb. 31.3

die Basen genau diejenigen Mengen von drei Elementen sind, die nicht auf einer Geraden oder dem eingezeichneten Kreisbogen liegen. Zeigen Sie ferner, daß F (i) binär, (ii) nichtregulär, (iii) nichttransversal, (iv) weder graphisch noch kographisch und (v) Eulersch ist.

(*31j) Ist M ein Matroid auf einer Menge E, so wird eine nichttriviale Teilmenge A von E eine **Trennmenge** genannt wenn $M \times A = M.A$ gilt; beweisen Sie, daß die folgenden Bedingungen äquivalent sind: (i) A ist eine Trennmenge; (ii) jeder Kreis von M ist entweder in A oder in $E \setminus A$ enthalten; (iii) $\rho(A) + \rho(E \setminus A) = \rho(E)$. Was können Sie über einen Graphen sagen, dessen Kreismatroid keine Trennmenge enthält?

(*31k) Sei D ein Digraph ohne Schlingen und seien E und Y zwei disjunkte Mengen von Ecken von D. Eine Teilmenge A von E heiße **unabhängig**, wenn es $|A|$ eckendisjunkte Diwege von A nach Y gibt. Beweisen Sie, daß diese unabhängigen Mengen die unabhängigen Mengen eines Matroids bilden und zeigen Sie ferner, daß man jedes transversale Matroid auf diese Weise erhalten kann. (Solch ein Matroid wird ein **Gammoid** genannt.)

§ 32. Matroide und Graphentheorie

Wir kommen nun zu einem Studium der Dualität in Matroiden mit dem Ziele, deutlich werden zu lassen, daß manche der früher in diesem Buch erzielten Resultate weitaus natürlicher erscheinen, wenn man sie unter diesem

Gesichtswinkel betrachtet. Wir werden zum Beispiel sehen, daß sich die etwas gekünstelt erscheinenden Definitionen des abstrakten Dualgraphen und des Whitney-Dualgraphen eines planaren Graphen (siehe §§ 15, 16) als unmittelbare Konsequenzen der entsprechenden Definition des dualen Matroids ergeben. Dabei wollen wir versuchen klarzumachen, daß verschiedene Begriffe der Matroidtheorie ihre Gegenstücke in der Graphentheorie nicht nur verallgemeinern – sondern sie ebenso häufig auch vereinfachen.

Aus unserer Untersuchung der kographischen Matroide wollen wir Ihnen zunächst ins Gedächtnis zurückrufen, daß wir ein Matroid $M^*(G)$ auf der Menge der Kanten eines Graphes G dadurch definieren, daß wir als Kreise von $M^*(G)$ die Schnitte von G nehmen; im Hinblick auf Satz 15C erscheint es vernünftig, unsere Definition des Dualmatroids möglichst so zu wählen, daß dieses Matroid $M^*(G)$ das Dualmatroid des Kreismatroids $M(G)$ von G wird.

Das kann man wie folgt erreichen: Ist $M = (E, \rho)$ ein in Bezug auf seine Rangfunktion definiertes Matroid, so definieren wir das **Dualmatroid** von M (mit M^* bezeichnet) als dasjenige Matroid auf E, dessen Rangfunktion ρ^* durch

$$\rho^*(A) = |A| + \rho(E \setminus A) - \rho(E) \qquad (A \subseteq E)$$

gegeben wird. Wir müssen nachweisen, daß ρ^* tatsächlich die Rangfunktion eines Matroids auf E ist.

Satz 32A. *$M^* = (E, \rho^*)$ ist ein Matroid auf E.*

Beweis. Wir müssen beweisen, daß die Funktion ρ^* die Bedingungen (ρi), (ρ ii) und (ρ iii) von § 30 erfüllt.

Zum Beweis von (ρ i) bemerken wir zunächst $\rho(E \setminus A) \leqq \rho(E)$, woraus $\rho^*(A) \leqq |A|$ folgt. Ferner haben wir $\rho(E) + \rho(\emptyset) \leqq \rho(A) + \rho(E \setminus A)$ (durch Anwendung von (ρ iii) auf die Funktion ρ) und damit $\rho(E) - \rho(E \setminus A) \leqq$ $\leqq \rho(A) \leqq |A|$. Daraus folgt unmittelbar $\rho^*(A) \geqq 0$. Der Nachweis von (ρ ii) ist ebenso einfach und sei als Aufgabe gestellt.

Zum Beweis von (ρ iii) betrachten wir für beliebige Teilmengen A, B von E

$$\begin{aligned}\rho^*(A \cup B) + \rho^*(A \cap B) &= |A \cup B| + |A \cap B| + \rho(E \setminus (A \cup B)) \\ &\quad + \rho(E \setminus (A \cap B)) - 2\rho(E) \\ &= |A| + |B| + \rho((E \setminus A) \cap (E \setminus B)) \\ &\quad + \rho((E \setminus A) \cup (E \setminus B)) - 2\rho(E) \\ &\leqq |A| + |B| + \rho(E \setminus A) + \rho(E \setminus B) - 2\rho(E \\ &\quad \text{(wegen } (\rho \text{ iii), angewandt auf } \rho) \\ &= \rho^*(A) + \rho^*(B), \text{ wie behauptet.} \quad /\!/\end{aligned}$$

Obwohl die obige Definition recht geschraubt erscheint, stellt es sich doch heraus, daß die Basen von M^* in Bezug auf die Basen von M sehr einfach beschrieben werden können, wie wir nun zeigen wollen:

Satz 32B. *Die Basen von M^* sind genau die Komplemente der Basen von M.*

Bemerkung. Dieses Ergebnis kann man übrigens zur Definiton von M^* verwenden.

Beweis. Wir werden zeigen, daß $E \setminus B^*$ eine Basis von M ist, wenn B^* eine Basis von M^* ist; die umgekehrte Behauptung erhält man durch Umkehr der Argumentation.

Da B^* unabhängig ist in M^*, gilt $|B^*| = \rho^*(B^*)$ und damit $\rho(E \setminus B^*) = \rho(E)$. Demnach ist nur noch zu zeigen, daß $E \setminus B^*$ unabhängig ist in M. Die Anwendung der Definitionsgleichung von ρ^* auf E liefert $\rho^*(E) = |E| - \rho(E)$, und da B^* Basis ist, hat man ferner $\rho^*(E) = \rho^*(B^*)$; alle vier Gleichungen ergeben zusammen $\rho(E \setminus B^*) = |E| - |B^*| = |E \setminus B^*|$, was zu zeigen war. //

Als unmittelbare Folgerung der obigen Definition bemerken wir, daß (im Gegensatz zur Dualität bei planaren Graphen) jedes Matroid ein Dualmatroid besitzt und daß dieses Matroid eindeutig bestimmt ist. Aus Satz 32B folgt ferner unmittelbar, daß das zweifach duale Matroid M^{**} gleich M ist; tatsächlich werden wir sehen, daß diese völlig triviale Aussage die natürliche Verallgemeinerung auf Matroide der (nichttrivialen) Ergebnisse der Sätze 15B und 15E und des Korollars 16B ist.

Wir wollen nun zeigen, daß das Schnittmatroid $M^*(G)$ eines Graphen G das Dualmatroid des Kreismatroids $M(G)$ ist.

Satz 32C. *Ist G ein Graph, so gilt $M^*(G) = (M(G))^*$.*

Beweis. Da die Kreise von $M^*(G)$ die Schnitte von G sind, müssen wir nachweisen, daß C^* genau dann ein Kreis von $(M(G))^*$ ist, wenn C^* ein Schnitt von G ist.

Sei zunächst vorausgesetzt, daß C^* ein Schnitt von G ist. Ist C^* unabhängig in $(M(G))^*$, dann kann C^* zu einer Basis B^* von $(M(G))^*$ erweitert werden. Daraus folgt, daß $C^* \cap (E \setminus B^*)$ leer ist im Widerspruch zu Satz 9C, denn $E \setminus B^*$ ist ein aufspannender Wald von G. Demnach ist C^* eine abhängige Menge in $(M(G))^*$ und enthält somit einen Kreis von $(M(G))^*$.

Wenn andererseits D^* ein Kreis von $(M(G))^*$ ist, dann ist D^* in keiner Basis von $(M(G))^*$ enthalten. Folglich schneidet D^* jede Basis von $M(G)$, d. h. jeden aufspannenden Wald von G. Nach dem Ergebnis von Aufgabe 9h enthält dann D^* einen Schnitt. Damit ist alles bewiesen. //

Bevor wir weitergehen, ist es zweckmäßig, ein paar neue Begriffe einzuführen. Wir wollen eine Menge von Elementen eines Matroids M einen **Kokreis** von M nennen, wenn sie einen Kreis in M bilden; beachten Sie, daß nach Satz 32C die Kokreise im Kreismatroid eines Graphen G genau die Schnitte von G sind. Ähnlich können wir die Basen von M^* als **Kobasen** von M bezeichnen und entsprechend Begriffe wie **Korang, ko-unabhängige Mengen** usw. einführen. Wir wollen ferner ein Matroid M **kographisch** nennen, wenn sein Dualmatroid M^* graphisch ist, und nach Satz 32C stimmt diese Definition mit der im vorhergehenden Paragraphen gegebenen überein. Der Grund für die Einführung dieser ‚Ko-Bezeichnungen' liegt darin, daß wir uns nun auf ein einziges Matroid M beschränken können und gar nicht mehr von M^* zu reden brauchen. Um dies zu illustrieren beweisen wir die zu Satz 9C analoge Aussage für Matroide.

Satz 32D. *Jeder Kokreis eines Matroids schneidet jede Basis.*

Beweis. Sei C^* ein Kokreis eines Matroids M und nehmen wir an, daß eine Basis B von M existiert, die mit C^* leeren Durchschnitt hat. Dann ist C^* in $E \setminus B$ enthalten und somit ist C^* ein Kreis von M, der in einer Basis von M^* enthalten ist; da dies ein Widerspruch ist, ist der Satz damit bewiesen. //

Korollar 32E. *Jeder Kreis eines Matroids schneidet jede Kobasis.*

Beweis. Man wende Satz 32D auf das Matroid M^* an. //

Es sei bemerkt, daß die beiden Aussagen in Satz 9C aus der Sicht der Matroidtheorie zwei zueinander duale Formen einer einzigen Aussage sind; anstatt also zwei Aussagen in der Graphentheorie zu beweisen (was wir in § 9 tun mußten), genügt es, eine einzige Aussage in der Matroidtheorie zu beweisen und sich dann auf die Dualität zu berufen. Das bedeutet nicht nur eine beträchtliche Ersparnis an Zeit und Mühe, es gibt uns zugleich einen tieferen Einblick in verschiedene Probleme, die wir an früherer Stelle in diesem Buch betrachtet haben. Ein Beispiel hierfür ist die oft erwähnte Ähnlichkeit zwischen den Eigenschaften der Kreise und denen der Schnitte; ein anderes ist ein besseres Verständnis der Dualität bei planaren Graphen.

Um ein weiteres Beispiel für die durch die Matroidtheorie erzielte Vereinfachung zu haben, wollen wir noch einmal einen Blick auf Aufgabe 5f werfen. Ein unmittelbarer Beweis dieser Aussage würde zwei Beweisschritte erfordern – einen Beweis für den Fall der Kreise und einen anderen für den Fall der Schnitte; wenn wir dagegen die die Kreise betreffende analoge Aussage für Matroide (wie sie in Aufgabe 30e formuliert ist) beweisen, so können wir sie einfach auf das Matroid $M^*(G)$ anwenden und haben unmittelbar das entsprechende Ergebnis für Schnitte; umgekehrt können wir die Dualität auch dazu benutzen, die Aussage für Kreise auf die Aussage für Schnitte zurückzuführen.

Wir wollen nun unsere Aufmerksamkeit den planaren Graphen zuwenden und zwar der Frage, wie man die Definition des geometrischen Dualgraphen und des Whitney-Dualgraphen eines Graphen sämtlich als Konsequenzen der Dualität von Matroiden verstehen kann. Beginnen wir mit dem abstrakten Dualgraphen:

Satz 32F. *Ist G^* ein abstrakter Dualgraph eines Graphen G, dann ist $M(G^*)$ isomorph zu $(M(G))^*$.*

Beweis. Da G^* ein abstrakter Dualgraph von G ist, gibt es eine umkehrbar eindeutige Beziehung zwischen den Kanten von G und denen von G^* mit der Eigenschaft, daß die Kreise in G den Schnitten in G^* entsprechen und umgekehrt. Daraus folgt unmittelbar, daß die Kreise von $M(G)$ den Kokreisen von $M(G^*)$ entsprechen und daß somit nach Satz 32C $M(G^*)$ isomorph ist zu $M^*(G)$, wie behauptet. //

Korollar 32G. *Ist G^* ein geometrischer Dualgraph eines zusammenhängenden, planaren Graphen G, dann ist $M(G^*)$ isomorph zu $(M(G))^*$.*

Beweis. Dies folgt unmittelbar aus den Sätzen 32F und 15C. //

Man beachte, daß ein planarer Graph mehrere verschiedene Dualgraphen haben kann (wie wir früher bemerkt haben), wogegen ein Matroid nur ein einziges Dualmatroid besitzt; der Grund hierfür ist die leicht nachzuweisende Tatsache, daß die Kreismatroide zweier (möglicherweise nicht isomorpher) Dualgraphen G^* und G^+ eines Graphen G isomorphe Matroide sind. Wir kommen nun zum Whitney-Dualgraphen eines Graphen:

Satz 32H. *Ist G^* ein Whitney-Dualgraph eines Graphen G, dann ist $M(G^*)$ isomorph zu $(M(G))^*$.*

Beweis. Da nach dem Beweis von Satz 16C G^* genau dann ein Whitney-Dualgraph von G ist, wenn G^* ein abstrakter Dualgraph von G ist, folgt die Behauptung unmittelbar aus Satz 32F. Stattdessen kann man auch leicht zeigen, daß die Gleichung, die den Whitney-Dualgraphen definiert, aus der vor Satz 32A gegebenen Definitionsgleichung für ρ^* hergeleitet werden kann. Die Einzelheiten dieser Argumentation überlassen wir dem Leser. //

Zum Abschluß dieses Paragraphen geben wir eine Antwort auf die Frage, ‚unter welchen Bedingungen ist ein gegebenes Matroid M graphisch?' Notwendige Bedingungen zu finden ist nicht schwer. Zum Beispiel folgt aus unserer Untersuchung darstellbarer Matroide (§ 31), daß ein solches Matroid binär sein muß. Ferner ist auf Grund der Aufgaben 31f und 31i klar, daß M keines der Matroide $M^*(K_5)$, $M^*(K_{3,3})$, F oder F^* (wobei F das Fano-Matroid bezeichnet) als Minor enthalten kann. Der folgende tiefliegende Satz von Tutte zeigt, daß diese notwendigen Bedingungen tatsächlich auch hinreichend sind; der Beweis dieser Aussage ist zu schwierig, als daß er hier gebracht werden könnte.

Satz 32I (Tutte 1958). *Ein Matroid M ist genau dann graphisch, wenn es binär ist und keinen zu $M^*(K_5)$, $M^*(K_{3,3})$, F oder F^* isomorphen Minor enthält.* //

Durch Anwendung von Satz 32I auf M^* und Verwendung der Tatsache (siehe Aufgabe 32c), daß das Dualmatroid eines binären Matroids ebenfalls binär ist, erhalten wir unmittelbar notwendige und hinreichende Bedingungen dafür, daß ein Matroid kographisch ist.

Korollar 32J. *Ein Matroid ist genau dann kographisch, wenn es binär ist und keinen zu $M(K_5)$, $M(K_{3,3})$, F oder F^* isomorphen Minor enthält.* //

Tutte bewies auch, daß ein binäres Matroid genau dann regulär ist, wenn es keinen zu F oder F^* isomorphen Minor enthält; die Kombination dieses Resultats mit Satz 32I und Korollar 32J führt unmittelbar zu folgender, zu Satz 12C analogen Aussage über Matroide:

Satz 32K. *Ein Matroid ist genau dann planar, wenn es regulär ist und keinen zu $M(K_5)$, $M(K_{3,3})$ oder einem ihrer Dualmatroide isomorphen Minor enthält.* //

Aufgaben

(32a) Belegen Sie mit einem Beispiel, daß das Dualmatroid eines transversalen Matroids nicht notwendig transversal ist.

(32b) Sei M ein Matroid auf einer Menge E und A eine Teilmenge von E; zeigen Sie, daß die Kontraktion $M.A$ das Matroid ist, dessen Kokreise genau diejenigen Kokreise von M sind, die in A enthalten sind. Zeigen Sie ferner, daß $(M.A)^* = M^* \times A$ und $(M \times A)^* = M^*.A$ gilt und folgern Sie daraus, daß jede Trennmenge A von M auch eine Trennmenge von M^* ist und umgekehrt.

(*32c) Beweisen Sie, daß für jeden Kreis C und jeden Kokreis C^* eines Matroids M $|C \cap C^*| \neq 1$ gilt. (Dies verallgemeinert die Aussage von Aufgabe 5i auf Matroide.) Zeigen Sie ferner, daß M genau dann binär ist, wenn $|C \cap C^*|$ gerade ist und folgern Sie daraus, daß das Dualmatroid eines binären Matroids ebenfalls binär ist.

(*32d) Sei M ein binäres Matroid auf einer Menge E. Zeigen Sie mit Hilfe des Resultats der vorhergehenden Aufgabe, daß M^* bipartit ist, wenn M ein Eulersches Matroid ist; zeigen Sie ferner, (mit Induktion über $|E|$), daß davon auch die Umkehrung gilt. Beweisen Sie durch Betrachtung des 5-uniformen Matroids auf einer Menge von elf Elementen, daß die Voraussetzung, daß M binär ist, nicht überflüssig ist.

(*32e) Überlegen Sie sich, wie man durch Abwandlung von Aufgabe 2j den **einem Matroid** M auf einer Menge E **zugeordneten Vektorraum** V definieren kann. Beweisen Sie auch, daß die Summe von je zwei Teilmengen von E im Falle eines binären Matroids M geschrieben werden kann als Vereinigung disjunkter Kreise von M, und folgern Sie daraus, daß die Menge aller Vereinigungen disjunkter Kreise von M einen Teilraum von V bilden (der **Zyklenraum** von M genannt wird). Benutzen Sie die Dualität, um ein entsprechendes Resultat für Kokreise zu gewinnen, und vergleichen Sie diese Ergebnisse mit denen der Aufgaben 6h und 6i.

(*32f) Beweisen Sie, daß für binäre Matroide die Matroiddefinition der Dualität eine Verallgemeinerung der Definition des algebraischen Dualgraphen eines Graphen ist (diese wurde in Aufgabe 15j gegeben).

§ 33. Matroide und Transversalentheorie

Im vorhergehenden Abschnitt haben wir gezeigt, daß eine enge Beziehung besteht zwischen Ergebnissen der Matroidtheorie und solchen der Graphentheorie; nun wollen wir die Verwandtschaft der Matroidtheorie mit der Transversalentheorie beschreiben. Unser erstes Ziel ist zu zeigen, wie man die Beweise mehrerer früherer Resultate der Transversalentheorie beträchtlich vereinfachen kann, indem man sie aus der Sicht der Matroidtheorie betrachtet.

Der Leser sei daran erinnert, daß man die partiellen Transversalen von $\mathscr{S}$, wobei $\mathscr{S} = (S_1, \ldots, S_m)$ eine Familie nichtleerer Teilmengen einer nichtleeren, endlichen Menge E ist, als unabhängige Mengen eines Matroids auf E nehmen kann, das mit $M(S_1, \ldots, S_m)$ bezeichnet wird; in diesem Matroid ist der Rang einer Teilmenge A von E einfach die Kardinalität der größten, in A enthaltenen, partiellen Transversalen von $\mathscr{S}$.

Unser erstes Beispiel für die Verwendung von Matroiden in der Transversalentheorie ist ein Beweis des Resultats von Aufgabe 26d, wonach eine Familie $\mathscr{S}$ von Teilmengen von E genau dann eine Transversale besitzt, die eine gegebene Teilmenge A enthält, wenn (i) $\mathscr{S}$ eine Transversale hat und (ii) A eine partielle Transversale von $\mathscr{S}$ ist. Die Notwendigkeit beider Bedingungen ist klar; zum Beweis, daß sie auch hinreichend sind, genügt es zu bemerken, daß A als partielle Transversale von $\mathscr{S}$ notwendigerweise eine unabhängige Menge in dem durch $\mathscr{S}$ definierten transversalen Matroid M ist und sich somit zu einer Basis von M ergänzen läßt. Da $\mathscr{S}$ eine Transversale besitzt, ist jede Basis von M eine Transversale von $\mathscr{S}$ und damit folgt die Behauptung unmittelbar. Der Leser, der die Aufgabe 26d durchgearbeitet hat, wird erkennen, wieviel einfacher diese Begründung ist.

Bevor wir zeigen, wie man die Matroidtheorie verwenden kann zur Vereinfachung des Beweises von Satz 27D über die Existenz einer gemeinsamen Transversalen zweier Familien von Teilmengen einer Menge E, wollen wir zunächst eine natürliche Übertragung des Satzes von Hall auf die Matroide beweisen. Wir erinnern daran, daß der Satz von Hall eine notwendige und hinreichende Bedingung dafür angibt, daß eine Familie $\mathscr{S}$ von Teilmengen von E eine Transversale besitzt; haben wir auf E zudem eine Matroidstruktur definiert, so liegt es nahe zu fragen, ob wir eine entsprechende Bedingung für die Existenz einer **unabhängigen Transversalen** angeben können, das ist eine Transversale von $\mathscr{S}$, die zugleich eine unabhängige Menge des Matroids ist. Der folgende Satz, als Satz von Rado bekannt, beantwortet diese Frage.

Satz 33A (Rado 1942). *Sei M ein Matroid auf einer Menge E und $\mathscr{S} = (S_1, \ldots, S_m)$ eine Familie nichtleerer Teilmengen von E; dann besitzt $\mathscr{S}$ genau dann eine unabhängige Transversale, wenn die Vereinigung von je k der Teilmengen S_i eine unabhängige Menge mindestens der Kardinalität k enthält* (für $1 \leqq k \leqq m$).

Bemerkung. Ist M das diskrete Matroid auf E, so reduziert sich dieser Satz auf den Satz von Hall, wie er in Satz 26A formuliert ist.

Beweis. Wir werden den Beweis von Satz 26A übertragen. Wie damals ist die Notwendigkeit der Bedingung klar und es genügt also, zu zeigen, daß man von einer Menge (etwa S_1), die mehr als ein Element enthält, eins der Elemente wegnehmen kann, ohne dadurch die Bedingung zu verletzen. Durch Wiederholung dieses Vorgangs können wir das Problem schließlich auf den Fall reduzieren, in welchem jede Teilmenge nur ein einziges Element enthält und dann ist der Beweis trivial.

Zum Nachweis der Anwendbarkeit des Reduktionsschrittes sei angenommen, daß etwa S_1 zwei Elemente x und y enthält derart, daß durch die Entfernung eines dieser beiden Elemente die Bedingung verletzt wird. Dann gibt es Teilmengen A und B von $\{2, 3, \ldots, n\}$ mit der Eigenschaft, daß

$$\rho\left(\bigcup_{j \in A} S_j \cup (S_1 \setminus \{x\})\right) \leqq |A| \text{ und}$$

$$\rho\left(\bigcup_{j \in B} S_j \cup (S_1 \setminus \{y\})\right) \leqq |B|$$

gilt. Aber diese beiden Ungleichungen führen zu einem Widerspruch, denn wir haben dann

$$\begin{aligned}
&|A| + |B| + 1 = |A \cup B| + |A \cap B| + 1 \leqq \\
&\leqq \rho\left(\bigcup_{j \in A \cup B} S_j \cup S_1\right) + \left(\bigcup_{j \in A \cap B} S_j\right) \qquad \text{(auf Grund der Bedingung)} \\
&\leqq \rho\left(\bigcup_{j \in A} S_j \cup (S_1 \setminus \{x\})\right) + \rho\left(\bigcup_{j \in B} S_j \cup (S_1 \setminus \{y\})\right) \\
&\qquad\qquad \text{(wegen } |S_1| \geqq 2) \\
&\leqq |A| + |B| \text{ (nach Annahme).} \quad /\!/
\end{aligned}$$

Durch Nachahmung des Beweises von Korollar 26B erhalten wir unmittelbar das folgende Resultat:

Korollar 33B. *Mit den obigen Bezeichnungen gilt: $\mathscr{S}$ hat genau dann eine unabhängige partielle Transversale des Umfangs t, wenn die Vereinigung von* *je k der Teilmengen S_i eine unabhängige Menge mindestens des Umfangs $k + t - m$ enthält.*

Wir sind jetzt in der Lage, einen matroidtheoretischen Beweis zu Satz 27D über die Existenz einer gemeinsamen Transversalen von zwei Familien von Teilmengen einer gegebenen Menge zu bringen.

Satz 27D. *Sei E eine nichtleere, endliche Menge und seien $\mathcal{S} = (S_1, \ldots, S_m)$ und $\mathcal{T} = (T_1, \ldots, T_m)$ zwei Familien nichtleerer Teilmengen von E; dann haben $\mathcal{S}$ und $\mathcal{T}$ genau dann eine gemeinsame Transversale, wenn für alle Teilmengen A und B von $\{1, 2, \ldots, m\}$ die Ungleichung*

$$\left|\left(\bigcup_{i \in A} S_i\right) \cap \left(\bigcup_{j \in B} T_j\right)\right| \geqq |A| + |B| - m$$

gilt.

Beweis. Sei $M = (E, \rho)$ dasjenige Matroid, dessen unabhängige Mengen genau die partiellen Transversalen der Familie $\mathcal{S}$ sind; $\mathcal{S}$ und $\mathcal{T}$ haben genau dann eine gemeinsame Transversale, wenn $\mathcal{T}$ eine unabhängige Transversale hat. Aber nach Satz 33A trifft dies genau dann zu, wenn die Vereinigung von je k der Mengen T_i eine unabhängige Menge mindestens des Umfangs k enthält (für $1 \leqq k \leqq m$) – mit anderen Worten genau dann, wenn die Vereinigung von je k der Mengen T_i eine partielle Transversale von $\mathcal{S}$ des Umfangs k enthält. Nun folgt die Behauptung mit Korollar 26C. //

Unsere nächste Anwendung betrifft die Vereinigung von Matroiden. Der Leser sei an Aufgabe 30h erinnert, wonach man zu zwei auf E definierten Matroiden M_1 und M_2 ein neues Matroid $M_1 \cup M_2$ dadurch definieren kann, daß man als unabhängige Mengen sämtliche Vereinigungen von je einer unabhängigen Menge von M_1 mit je einer unabhängigen Menge von M_2 nimmt. Wir werden nun den Rang dieses Matroids bestimmen.

Satz 33C. *Bezeichnet ρ_1 bzw. ρ_2 die Rangfunktion von M_1 bzw. M_2, so wird der Rang $\rho(E)$ der Vereinigung $M_1 \cup M_2$ gegeben durch*

$$\rho(E) = \min_{A \subseteq E} \{\rho_1(A) + \rho_2(A) + |E \setminus A|\}.$$

★ *Beweis.* Als erstes vermerken wir, daß für jede Teilmenge A von E und jede Basis B von $M_1 \cup M_2$ natürlich

$$\rho(E) = |B| = |B \cap A| + |B \cap (E \setminus A)| \leqq \rho_1(A) + \rho_2(A) + |E \setminus A|$$

gilt. Zum Beweis der umgekehrten Ungleichung sei $E = \{e_1, \ldots, e_n\}$ und F irgendeine Menge $\{f_1, \ldots, f_n\}$, deren Durchschnitt mit E leer ist; dann können wir in naheliegender Weise auf der Menge F ein zu M_2 isomorphes Matroid $\widetilde{M}_2$ definieren. Nun folgt unmittelbar, daß $M_1 \cup \widetilde{M}_2$ ein Matroid auf $E \cup F$ ist, dessen Rangfunktion $\tilde{\rho}$ gegeben wird durch $\tilde{\rho}(A) = \rho_1(A) + \rho_2(A)$ für jede Teilmenge A von $E \cup F$.

Betrachten Sie nun die Familie $\mathscr{S} = (S_1, \ldots, S_n)$ von Teilmengen von $E \cup F$ mit $S_i = \{e_i, f_i\}$; es ist klar, daß der Rang einer Teilmenge B von E bezüglich $M_1 \cup M_2$ genau dann mindestens t ist, wenn die Teilmengen $(S_i : e_i \in B)$ eine partielle Transversale der Kardinalität t besitzen, die in $M_1 \cup \widetilde{M}_2$ unabhängig ist. Nach Korollar 33B trifft dies aber genau dann zu, wenn die Vereinigung von je k dieser Teilmengen in $M_1 \cup \widetilde{M}_2$ mindestens den Rang $k + t - |B|$ hat. Wenn also U eine solche Vereinigung bezeichnet und A die Menge der entsprechenden Elemente von B, dann gilt $\rho_1(U) = \rho_1(A)$ und $\rho_2(U) = \rho_2(A)$. Somit hat B genau dann mindestens den Rang t, wenn $\rho_1(A) + \rho_2(A) = \tilde{\rho}(U) \geqq |A| + t - |B|$ ist.

Da der Rang von E kleiner als $\rho(E) + 1$ ist, erhalten wir für $B = E$ und $t = \rho(E) + 1$

$$\rho(E) + 1 > \rho_1(A) + \rho_2(A) + |E \setminus A|.$$

Damit folgt nun die Behauptung. //

Dieses Resultat kann man mittels Induktion leicht auf die Vereinigung von k Matroiden ausdehnen, und das folgende Korollar liefert die Rangfunktion einer solchen Vereinigung.

Korollar 33D. *Sind $M_1, \ldots, M_k$ Matroide auf einer Menge E mit den Rangfunktionen $\rho_1, \ldots, \rho_k$, so wird die Rangfunktion ρ von $M_1 \cup \ldots \cup M_k$ gegeben durch*

$$\rho(X) = \min_{A \subseteq X} \{\rho_1(A) + \ldots + \rho_k(A) + |X \setminus A|\}.$$

Beweis. Wie eben schon erwähnt, wird die Ausdehnung von Satz 33C von zwei Matroiden auf k Matroide durch einen einfachen Induktionsbeweis erreicht. Den Rang einer beliebigen Teilmenge X von E erhält man dann durch Einschränkung dieser Vereinigung auf X unter Verwendung der leicht nachzuweisenden Gleichung

$$(M_1 \cup \ldots \cup M_k) \times X = (M_1 \times X) \cup \ldots \cup (M_k \times X). \quad //$$

Zum Abschluß dieses Kapitels zeigen wir, wie man das soeben bewiesene Resultat verwenden kann, um zwei tiefliegende Ergebnisse der Graphentheorie zu erhalten. Zu diesem Zweck ziehen wir aus dem Korollar 33D einige einfache Folgerungen.

Korollar 33E. *Ein Matroid $M = (E, \rho)$ enthält genau dann k disjunkte Basen, wenn für jede Teilmenge A von E*

$$k\,\rho(A) + |E \setminus A| \geqq k\,\rho(E)$$

gilt.

Beweis. M enthält genau dann k disjunkte Basen, wenn die Vereinigung von k Exemplaren des Matroids M mindestens den Rang $k\,\rho(E)$ hat; damit folgt die Behauptung unmittelbar aus Korollar 33D. //

Korollar 33F. *Sei $M = (E, \rho)$ ein Matroid; die Menge E läßt sich genau dann als Vereinigung von höchstens k unabhängigen Mengen darstellen, wenn für jede Teilmenge A von E* die Ungleichung $k\,\rho(A) \geqq |A|$ *gilt.*

Beweis. In diesem Fall hat die Vereinigung von k Exemplaren des Matroids M den Rang $|E|$. Somit folgt aus Korollar 33D unmittelbar $k\,\rho(A) + |E \setminus A| \geqq |E|$, wie behauptet. //

Wenden wir nun diese letzten beiden Korollare auf das Kreismatroid $M(G)$ eines zusammenhängenden Graphen G an, dann erhalten wir eine notwendige und hinreichende Bedingung dafür, daß G k kantendisjunkte Gerüste enthält, sowie dafür, daß sich G in k Bäume zerlegen läßt. Dabei zeigt sich, daß diese Resultate mit direkten Methoden keineswegs leicht zu beweisen sind, womit wir einmal mehr die Macht der Matroidtheorie bei der Lösung graphentheoretischer Probleme gezeigt haben.

Satz 33G. *Ein zusammenhängender Graph G enthält genau dann k kantendisjunkte Gerüste, wenn für jeden Teilgraphen H von G*

$$k(\kappa(G) - \kappa(H)) \leqq m(G) - m(H)$$

gilt, wobei m(H) bzw. m(G) die Anzahl der Kanten von H bzw. G bezeichnet. //

Satz 33H. *Ein zusammenhängender Graph G kann genau dann in höchstens k Bäume zerlegt werden, wenn für jeden Teilgraphen H von G die Ungleichung* $k\,\kappa(H) \geqq m(H)$ *gilt.* //

Aufgaben

(33a) Zeigen Sie, daß man den Beweis von Halmos–Vaughan für den Satz von Hall (siehe Seite 122) derart modifizieren kann, daß man einen Beweis des Satzes 33A erhält.

(33b) Sei $M = M(S_1, \ldots, S_m)$ ein transversales Matroid vom Range r; zeigen Sie, daß es unter den Mengen S_i r Stück gibt (etwa $S_{i_1}, \ldots, S_{i_r}$) derart, daß $M = M(S_{i_1}, \ldots, M_{i_r})$ gilt.

(33c) Beweisen Sie, daß ein Matroid M genau dann ein transversales Matroid ist, wenn sich M als Vereinigung von Matroiden vom Range eins darstellen läßt.

(33d) Seien $M_1 = (E, \rho_1)$ und $M_2 = (E, \rho_2)$ Matroide auf einer Menge E. Zeigen Sie, daß M_1 und M_2 genau dann eine gemeinsame unabhängige Menge der Kardinalität k besitzen, wenn für jede Teilmenge A von E

$$\rho_1(A) + \rho_2(E \setminus A) \geqq k$$

gilt.

(33e) Leiten Sie durch Dualisierung der Sätze 33G und 33H zwei weitere Resultate der Graphentheorie her.

(*33f) Geben Sie mit Hilfe von Korollar 33F eine Bedingung dafür an, daß sich eine endliche Menge von Vektoren eines Vektorraumes in k disjunkte linear unabhängige Teilmengen zerlegen läßt. Ziehen Sie eine entsprechende Folgerung aus Korollar 33E.

(*33g) Sei $\mathscr{S}$ eine Familie nichtleerer Teilmengen einer Menge E; geben Sie eine Bedingung dafür an, daß $\mathscr{S}$ t disjunkte partielle Transversalen mit gegebenen Kardinalitäten $r_1, \ldots, r_t$ hat.

Anhang

In dieser Tabelle sind die Anzahlen verschiedener Typen von Graphen und Digraphen mit gegebener Eckenzahl *n* aufgeführt. Von Zahlen, die größer als eine Million sind, ist nur die erste Stelle angegeben.

Art der Graphen n	1	2	3	4	5	6	7	8
Schlichte Graphen	1	2	4	11	34	156	1044	12346
Zusammenh. schlichte Graphen	1	1	2	6	21	112	853	11120
Eulersche, schlichte Graphen	1	0	1	1	4	8	37	184
Hamiltonsche, schlichte Graphen	1	0	1	3	8	48	?	?
Bäume	1	1	1	2	3	6	11	23
Indizierte Bäume	1	1	3	16	125	1296	16807	262144
Zusammenh., schlichte, planare Graphen	1	1	2	6	20	105	?	?
Schlichte Digraphen	1	3	16	218	9608	$\sim 2 \times 10^6$	$\sim 9 \times 10^8$	$\sim 2 \times 10^{12}$
Zusammenh., schlichte Digraphen	1	2	13	199	9364	$\sim 2 \times 10^6$	$\sim 9 \times 10^8$	$\sim 2 \times 10^{12}$
Stark zusammenh., schlichte Digraphen	1	1	5	90	?	?	?	?
Turniere	1	1	2	4	12	56	456	6880
Matroide (auf *n* Elementen)	2	4	8	17	38	?	?	?

Nachwort

Wir haben nun zwar fast das Ende des Buches erreicht, wir haben aber keineswegs das Stoffgebiet erschöpfend behandelt. Es ist unsere Hoffnung, daß viele unserer Leser ihre graphentheoretischen Studien fortzusetzen wünschen, und aus diesem Grunde mag es ganz nützlich sein, wenn wir einige Hinweise auf weitere Lektüre geben.

Der Leser, der in erster Linie an ‚reiner' Graphentheorie interessiert ist, sollte die Bücher von Sachs [23], Harary [13], und Wagner [24] zur Hand nehmen, von denen jedes eine Fundgrube für Informationen wie auch für Literaturhinweise ist. Lesenswert sind ferner Moon [18] über Bäume, Ore [19] über Planarität und Färbungsprobleme, Ringel [21] und [22] über Probleme in Zusammenhang mit dem Geschlecht eines Graphen sowie Walther und Voss [25] über Probleme in Zusammenhang mit Kreisen in Graphen. Artikel über ein großes Spektrum von Problemen aus Graphentheorie und Matroidtheorie kann man auch in Beineke und Wilson [2] finden. Besprechungen der verschiedensten Anwendungen der Graphentheorie kann der Leser finden in Busacker und Saaty [7], Berge und Ghouila–Houri [3], Laue [14] und Ford und Fulkerson [11]; das letztgenannte Buch ist das Pionierwerk auf dem Gebiet der Transportprobleme und Netzwerkströme und als Pflichtlektüre für jeden anzusehen, der sich für dieses Gebiet spezialisieren will. Speziell Algorithmen in der Graphentheorie werden behandelt in den Bücher von Domschke [10] und Dörfler und Mühlbacher [9], beide geben hierzu auch Programme für den Einsatz von Rechenmaschinen an. Eine umfassende Einführung in die Kombinatorik, die nicht nur Graphentheorie und Netzwerkprobleme, sondern auch Abzählungstechniken, lineare Programmierung und Blockpläne enthält, bietet das ausgezeichnete Buch von Liu [15]; speziell für Inzidenzstrukturen wie Blockpläne, lateinische Quadrate und dgl. sei auf Dembowski [8] verwiesen. Eine detaillierte Behandlung der Transversalentheorie einschließlich eines großen Teiles der Theorie der transversalen Matroide findet man in Mirsky [17].

Früher oder später (wahrscheinlich eher früher) wird sich der Leser genötigt sehen, neben den Büchern auch Originalarbeiten in Zeitschriften zu lesen. Es gibt eine große Zahl von Zeitschriften, die häufig Artikel über Graphentheorie und verwandte Gebiete beinhalten, und es gibt sogar zwei, das *Journal of Combinatorial Theory* (Academic Press) und *Discrete Mathematics* (North-Holland), die den Spezialisten dieser Gebiete gewidmet sind. Ferner findet sich am Ende des Buches von Harary [13] eine Liste von über 1700 Arbeiten und Büchern über Graphentheorie, die vor 1968 erschienen sind; daneben gibt es noch umfassendere Bibliographien zur Graphentheorie, wie etwa die von Berman [4].

Schließlich findet der an der Geschichte der Graphentheorie interessierte Leser eine ausgezeichnete Quelle in Biggs, Lloyd und Wilson [5] (obwohl ich das selbst sage!). Neben dem historischen und biographischen Material enthält dieses Buch etwa vierzig längere Auszüge aus den bedeutendsten Arbeiten in der Entwicklung der Graphentheorie; der Leser ist gut beraten, einige Zeit für das Durchlesen dieser Originalarbeiten aufzuwenden.

Literaturangaben

[1] M. BEHZAD und G. CHARTRAND: Introduction to the theory of graphs, Allyn and Bacon, Boston 1971.

[2] L. W. BEINEKE und R. J. WILSON: Surveys in graph theory, Academic Press (erscheint demnächst).

[3] C. BERGE und A. GHOUILA–HOURI: Programme, Spiele, Transportnetze, Teubner, Leipzig 1969.

[4] G. BERMAN: Forward citations in graph theory, Comb. Dep. Fac. of Math. Univ. Waterloo, Waterloo 1975.

[5] N. L. BIGGS, E. K. LLOYD und R. J. WILSON: 200 years of graph theory, Oxford Univ. Press (erscheint demnächst).

[6] N. G. de BRUIJN: Polyas Abzähltheorie: Muster für Graphen und chemische Verbindungen, in: Selecta Mathematica III (Ed. K. Jacobs), S. 1–26, Springer-V., Berlin 1971.

[7] R. G. BUSACKER und T. L. SAATY: Endliche Graphen und Netzwerke, Oldenbourg-V., München 1968.

[8] P. DEMBOWSKI: Kombinatorik, Bibl. Inst. Mannheim 1970.

[9] W. DÖRFLER und J. MÜHLBACHER: Graphentheorie für Informatiker, de Gruyter, Berlin 1973.

[10] W. DOMSCHKE: Kürzeste Wege in Graphen; Algorithmen, Verfahrensvergleiche, Verlag Anton Hain, Meisenheim/Glan 1972.

[11] L. R. FORD und D. R. FULKERSON: Flows in networks, Princeton University Press, Princeton, New Jersey, 1962.

[12] B. W. GNEDENKO: Lehrbuch der Wahrscheinlichkeitstheorie, Akademie-V. Berlin 1968.

[13] F. HARARY: Graphentheorie, Oldenbourg-V., München 1974.

[14] R. LAUE: Elemente der Graphentheorie und ihre Anwendung in den biologischen Wissenschaften, Vieweg, Braunschweig 1970.

[15] C. L. LIU: Introduction to combinatorial mathematics, McGraw-Hill, New York 1968.

[16] H. v. MANGOLDT und K. KNOPP: Einführung in die höhere Mathematik, Bd. I–IV, Hirzelverlag, Bd. II 1974 (14. A.).

[17] L. MIRSKY: Transversal theory, Academic Press, New York 1971.

[18] J. W. MOON: Counting labelled trees, Canadian Math. Congress, Montreal, 1970.

[19] O. ORE: The four-color problem, Academic Press, New York 1967.

[20] O. ORE: Theory of graphs, Amer. Math. Soc. Providence 1974 (2. A.).

[21] G. RINGEL: Das Kartenfärbungsproblem, in: Selecta Mathematica III, (Ed. K. Jacobs), S. 27–54, Springer-V. Berlin 1971.

[22] G. RINGEL: Map color theorem, Springer-V. Berlin 1974.

[23] H. SACHS: Einführung in die Theorie der endlichen Graphen, I, II, Teubner Leipzig 1970 bzw. 1972.

[24] K. WAGNER: Graphentheorie, Bibl. Inst. Mannheim. 1970.

[25] WALTHER und H. J. VOSS: Über Kreise in Graphen, Deutscher V. der Wiss. Berlin 1974.

[26] H. WHITNEY: On the abstract properties of linear dependence, Amer. J. Math. **57** (1935) 509–533.

Symbolverzeichnis

Stichwortverzeichnis